Rizwan Virk

A HIPÓTESE
DA SIMULAÇÃO

CB022203

Título original: *The Simulation Hypothesis: An MIT Computer Scientist Shows Why AI, Quantum Physics and Eastern Mystics All Agree We Are In a Video Game*

Copyright © 2018-2019 Rizwan Virk

1ª edição: Novembro 2021

Direitos reservados desta edição: CDG Edições e Publicações

O conteúdo desta obra é de total responsabilidade do autor e não reflete necessariamente a opinião da editora.

Autor:
Rizwan Virk

Tradução:
Marcia Men

Preparação de texto:
3GB Consulting

Revisão:
Karina Gercke

Projeto gráfico:
Jéssica Wendy

DADOS INTERNACIONAIS DE CATALOGAÇÃO NA PUBLICAÇÃO (CIP)

Virk, Rizwan
  A hipótese da simulação : conheça a teoria por trás da série Matrix / Rizwan Virk ; tradução de Marcia Men.-- Porto Alegre : Citadel, 2021.
  368 p.

ISBN 978-65-5047-121-7

Título original: The Simulation Hypothesis

  1. Ciência da computação 2. Matrix (Filme) 3. Realidade virtual I. Título II. Men, Marcia

21-5327   CDD 006

Angélica Ilacqua - Bibliotecária - CRB-8/7057

Produção editorial e distribuição:

contato@citadel.com.br
www.citadel.com.br

Rizwan Virk

A HIPÓTESE
DA SIMULAÇÃO

CONHEÇA A TEORIA
POR TRÁS DA SÉRIE MATRIX

Tradução:
Marcia Men

Elogios para
A Hipótese da Simulação:

"*A Hipótese da Simulação*, de Riz Virk, expõe tanto os aspectos técnicos da simulação por computadores quanto as razões místicas pelas quais podemos levar Philip K. Dick a sério quando ele propõe que estamos vivendo numa realidade gerada por computadores. Sua visão de que este mundo não é exatamente real influenciou boa parte de sua ficção científica."

– **Tessa B. Dick**, autora de *Conversations with Philip K. Dick* e esposa de Philip K. Dick

"Eu descobri que vivemos, ensinamos, aprendemos e amamos num mundo virtual. Neste livro, Riz Virk combina a mente de um cientista com o coração de um místico, usando videogames para explicar a realidade virtual em que vivemos."

– **Dannion Brinkley**, autor de best-sellers como *Saved by the Light* e *At Peace in the Light*

A Hipótese da Simulação

"*A Hipótese da Simulação* apresenta uma alternativa radical aos modelos atuais de realidade. Especulações recentes na física nos mostram que o mundo que percebemos pode ser uma entidade emergente produzida por um padrão subjacente inacessível aos nossos sentidos. Muitos campos rejeitados ou negligenciados pela ciência moderna, como visões religiosas, experiências de quase-morte, fenômenos psíquicos e até mesmo OVNIs podem se encaixar na estrutura proposta por Riz Virk, apoiada nas percepções mais recentes da ciência da computação e em sua experiência singular projetando jogos digitais. O resultado é uma reavaliação atordoante do que significa ser humano num universo infinito."

– **Jacques Vallée**, investidor de risco, autor de *Forbidden Science*, ex-cientista da NASA e do Instituto de Pesquisas de Stanford

"Pouquíssimas pessoas podem explicar a história dos videogames, a mecânica do karma e as implicações da física quântica em um livro só. Riz Virk é uma delas, e seu livro é tão aventuroso quanto educativo. Você pode nunca mais ver a realidade da mesma forma!"

– **Adam Curry**, fundador da Entangled e ex-pesquisador do PEAR Lab, de Princeton

"*A Hipótese da Simulação* fornece um mix hábil e bem informado de história dos videogames, especulação de ciências duras e referências de ficção científica. Acredite você ou não que todos nós existimos numa simulação, eu achei este livro fascinante e divertido."

– **Noah Falstein**, ex-diretor da IGDA e ex-diretor de *design* de jogos no Google

"Em *A Hipótese da Simulação*, Riz Virk leva as tendências atuais de imersão em videogames e entretenimento personalizado à sua conclusão lógica: como construir uma simulação tão real quanto o que experimentamos na vida diária. Embora ninguém possa dizer com certeza quantas vidas temos, meu conselho é presumir que seja um 'jogo com permadeath' e aproveitar ao máximo!"

– **Brent Bushnell**, fundador e CEO da Two Bit Circus

"A ideia de que podemos estar em uma simulação é uma das mais interessantes e provocantes por aí. O livro que Riz Virk escreveu é importante porque se dedica, com seriedade e profundidade, à ideia de que tudo ao nosso redor é uma simulação. As credenciais de Virk fazem dele a pessoa certa para o serviço. Seja lá o que você achar da ideia central, este livro vai te fazer repensar – e é por isso que o livro de Virk merece nossa atenção."

– **Jimmy Soni**, autor de *A MIND AT PLAY: How ClaudeShannon invented the Information Age*

"Nesta brilhante obra integradora, Riz Virk astutamente aborda ideias que vão desde a Ioga dos Sonhos até irredutibilidade computacional, unindo no mesmo tecido disciplinas modernas e tradições antigas. Virk apresenta um modelo de um jogo *multiplayer* que pode integrar noções filosóficas do materialismo até o misticismo. Quanto à física, ele, de forma revigorante, não tem medo algum de ser lúcido sobre as implicações alucinantes. Também traça para nós um mapa para um Ponto de Simulação futuro em que todos seremos capazes de criar, como uma civilização avançada, nossa própria Grande Simulação. Esse panorama transdisciplinar de *A Hipótese da Simulação* é uma leitura valiosa."

– **Thomas Brophy**, PhD em física, copresidente do Instituto da Califórnia pela Ciência Humana, autor de *Black Genesis: The PreHistoric Origins of Ancient Egypt*

"Aqueles que estiverem procurando expandir seu cérebro por algumas horas deverão gostar desta obra intelectual. Uma discussão bem elaborada de simulação, inesperadamente persuasiva."

– **Kirkus Reviews**

"O livro de Rizwan Virk *A hipótese da simulação* é uma das poucas obras que poderiam me convencer de que eu provavelmente vivo num universo simulado. A amplitude do conhecimento de Virk abrange a história das religiões, filosofia, cultura pop, física moderna e tecnologia de computadores, traçando conexões que demonstram que sua teoria é não apenas viável, mas também provavelmente correta.

A Hipótese da Simulação

Como acadêmica de religião, fiquei intrigada pela convincente resposta nova de Virk à antiga questão com que todas as religiões lutam: o dilema imposto pela materialidade. Se entendemos que o universo não é material, e sim, provavelmente, computacional, então podemos identificar uma ponte entre as tradições místicas e a ciência.

Se isso soa assombroso, é porque é! Este livro também é muito engraçado e interessante, com referências a cultura pop e videogames para deixar a filosofia e a ciência agradáveis. Recomendo muito este livro – ele expandiu a largura de banda da minha mente!"

– **Diana Walsh Pasulka**, professora de filosofia e religião na University of North Carolina Wilmington, autora de *American Cosmic: UFOs, Religion, Technology*

"O livro de Riz Virk dá tanto uma história dos videogames quanto um mapa para a construção do jogo mais sofisticado de todos: a Grande Simulação, que seria a nossa versão do holodeck de *Jornada nas Estrelas*. Pouquíssimos tecnólogos conseguem também mergulhar nas questões filosóficas levantadas com o desenvolvimento da IA e das imagens em alta resolução que seriam necessárias. *A Hipótese da Simulação* é uma leitura fascinante para qualquer tecnólogo que se pergunta o que o futuro pode conter."

– **Rajeev Surati**, PhD formado no MIT, fundador da Scalable Display Technologies

Elogios para
Zen Entrepreneurship e Treasure Hunt, também de Rizwan Virk:

"*Treasure Hunt* oferece algumas orientações que valem muito a pena serem consideradas. Virk fornece novos mapas de compreensão baseados nas últimas teorias da física quântica e do multiverso que podem guiar você em meio à selva de oportunidades e densas desventuras de hoje em dia."

— **Fred Alan Wolf**, PhD, autor de *Parallel Universes* e de *Quantum Presents: Do-It-Yourself Time Travel*

"Tão empolgante que alguém do mundo da tecnologia esteja falando sobre sincronicidades, sinais e orientação espiritual! Obrigada, Riz, por nos dar estudos de casos e um guia convincente para descobrir o mapa que todos nós temos lá dentro."

— **Pam Grout,** autora do best-seller #1 do *New York Times E-squared*

A Hipótese da Simulação

"O mundo à nossa volta está falando conosco todos os dias em uma linguagem de sinais e símbolos, se nós simplesmente prestarmos atenção. Virk nos convida a olhar para os padrões da vida cotidiana como um mapa do tesouro, oferecendo pistas que podemos seguir para manifestar nossos sonhos."

– **Robert Moss**, autor de *Conscious Dreaming* e *Sidewalk Oracles*

"*Tales of Power* se mistura com *Peaceful Warrior...* no Vale do Silício! *Zen Entrepreneurship* é divertido, humilde, perceptivo e valioso – não apenas para empreendedores, mas também para qualquer um que queira manifestar seus sonhos e fazer a diferença no mundo."

– **Foster Gamble**, criador e apresentador de
Thrive: What on Earth Will It Take

"Em *Zen Entrepreneurship*, Riz Virk traz a sabedoria das antigas tradições orientais para um contexto puramente ocidental. O resultado é um livro com frequência hilário, mas sempre perceptivo, que vai desafiar como você enxerga o sucesso na carreira e o ajudará a descobrir e seguir seu próprio caminho único."

– **Marc Allen**, autor de *Visionary Business*, CEO e
cofundador da New World Library

PARA MEUS IRMÃOS,

DENTRO E FORA DA SIMULAÇÃO:

Irfan

Samina

Robina

Furqan

e

Adnan

SUMÁRIO

Parte 0:

Panorama **19**

A Hipótese da Simulação 21

Parte I
Como construir a Matrix:

A ciência da computação **45**

Estágios 0 ao 3: de *pong* aos MMORPGs 47

Estágios 4 ao 8: da realidade virtual às interfaces mentais 79

Estágios 9 ao 10: inteligência artificial e consciência transferível 113

Estágio 11: ponto de simulação, simulações ancestrais e além 143

Parte II
Como a simulação explica o nosso mundo:

A física **159**

Renderização condicional e o colapso da onda de probabilidade 161

Universos paralelos, futuros eus e videogames 185

Pixels, *quanta* e a estrutura do espaço-tempo 207

Parte III

Como a simulação explica o inexplicável:

A mística   233

Espíritos em um mundo de sonhos, ilusório e parecido com um videogame   235

Múltiplas vidas e karma como missões nos videogames   253

Algumas áreas inexplicadas: Deus, anjos, EQMs e OVNIs   273

Parte IV

Juntando tudo   305

Céticos e seguidores: evidências da computação   307

A Grande Simulação e suas implicações   333

Agradecimentos   359

Sobre o autor   361

Sumário detalhado

Parte 0:

Panorama   19

A Hipótese da Simulação   21

Todos nós vivemos dentro de um videogame? ◆ Ficção científica – Como a Hipótese da Simulação se popularizou ◆ Física quântica e a ideia de uma "Realidade Subjetiva" ◆ Misticismo oriental e o pós-vida ocidental ◆ Realidade virtual, Inteligência artificial e consciência simulada ◆ Simulações, computação e caos ◆ A Grande Simulação – nosso videogame compartilhado ◆ A Hipótese da Simulação usa a informação para explicar o inexplicável

Parte I
Como construir a Matrix:

A ciência da computação   45

Estágios 0 ao 3: de *pong* aos MMORPGs   47

O caminho até o Ponto de Simulação ◆ Os estágios modernos da tecnologia de videogames ◆ Estágio 0: Aventuras de texto e o "Mundo dos Jogos" (década de 1970 até meados da década de 1980) ◆ Estágio 1: primeiros jogos de arcade e console com gráficos (década de 1970 até meados da década de 1980) ◆ Estágio 2: jogos de aventura/RPG gráficos (décadas de 1980-1990) ◆ Estágio 3: MMORPGs e mundos virtuais renderizados em 3D (da década de 1990 até hoje) ◆ A que ponto da estrada chegamos

Estágios 4 ao 8: da realidade virtual às interfaces mentais   79

Estágio 4: imersão usando realidade virtual ◆ Estágio 5: realidade fotorrealista mista e aumentada (AR, MR) ◆ Estágio 6: renderização do mundo real: lightfield display e impressão em 3D ◆ Estágio 7: interfaces mentais ◆ Estágio 8: memórias implantadas

Estágios 9 ao 10: Inteligência artificial e consciência transferível   113

Estágio 9: Inteligência artificial e NPCs ◆ História e ascensão da IA ◆ Atingindo o Estágio 9 ◆ Desde HAL até Data – retratos da consciência artificial ◆ A ética da IA e seus usos ◆ Estágio 10: Consciência transferível e imortalidade digital ◆ Carbono alterado e transferência de consciência ◆ Conclusão: consciência como informação

Estágio 11: Ponto de simulação, simulações ancestrais e além   143

Estágio 11: Atingindo o ponto de simulação ◆ O que são simulações ancestrais? ◆ O argumento da simulação de Bostrom ◆ A base estatística para o argumento de Bostrom ◆ Somos personagens simulados em uma simulação ancestral ou jogadores conscientes em um videogame? ◆ O que é a consciência? ◆ Consciência digital X consciência espiritual ◆ A simulação explica o nosso mundo?

Parte II
Como a simulação explica nosso mundo:

A física   159

Renderização condicional e o colapso da onda de probabilidade   161

Videogames e a indeterminação quântica ◆ A velha física ◆ A nova física e a dualidade onda-partícula ◆ A cruz do problema: a dualidade onda-partícula ◆ Passando da indeterminação quântica para os videogames ◆ Renderização condicional em videogames ◆ A hipótese da simulação e a indeterminação quântica ◆ Questões filosóficas levantadas pela IQ

Universos paralelos, futuros eus e videogames   185

O experimento da escolha retardada ◆ Mensuração no futuro X no passado ◆ Múltiplos futuros possíveis? ◆ Mundos paralelos e o multiverso ◆ Vidas paralelas e eus do futuro: o grande jogo ◆ Fringe e um mundo paralelo ◆ Teoria dos jogos, simulações e o gráfico dirigido ◆ O processo fundamental de Campbell e a função da rentabilidade ◆ Mundos paralelos devem ser computados ◆ Universos paralelos e a hipótese da simulação

Pixels, *quanta* e a estrutura do espaço-tempo   207

Partículas e pixels na tela ◆ Pixels e partículas 3D ◆ O paradoxo de Zenão e um mundo discreto ◆ *Quantum* na física quântica ◆ *Quantum* de espaço ◆ A velocidade da luz e seu efeito sobre o tempo ◆ A velocidade do clock e tempo quantizado em simulações por computador ◆ Espaço e tempo quantizados são inter-relacionados ◆ Calculando tempo e espaço quantizados ◆ Deslocando-se por espaço e tempo instantaneamente em uma simulação ◆ Pixels, *quanta*, espaço-tempo, buracos de minhoca e a hipótese da simulação

Parte III
Como a simulação explica o inexplicável:

A mística   **233**

Espíritos em um mundo de sonhos, ilusório e parecido com um videogame 235

O mundo é uma ilusão ou um sonho ◆ O Deus sonhador e o sonho coletivo ◆ Os muitos propósitos de sonhar ◆ Ioga do sonho budista ◆ Sonhos como minissimulações ◆ Consciência transferível e a sétima ioga secreta

Múltiplas vidas e karma como missões nos videogames   253

Múltiplas vidas e as doutrinas da reencarnação ◆ O propósito do karma e da reencarnação ◆ Como o karma é armazenado e usado para criar situações na vida ◆ Um modelo teórico para a reencarnação ◆ Alguns recursos dos videogames modernos ◆ A hipótese da simulação: um modelo de videogame baseado no karma? ◆ Missões e a hipótese da simulação ◆ Um gerador de missões para o karma ◆ A Roda da Vida budista é um algoritmo?

Algumas áreas inexplicadas: Deus, anjos, EQMs e OVNIs   273

Deus e a criação do mundo físico ◆ Deus e o pós-vida ◆ Anjos ◆ IA: deuses e anjos e a hipótese da simulação ◆ Experiências de quase-morte ◆ OVNIs ◆ O paradoxo de Fermi ◆ Jung e sincronicidade ◆ EECs, visão remota, telepatia e outros fenômenos "inexplicados"

Parte IV

Juntando tudo   **305**

Céticos e seguidores: evidências da computação   307

As categorias de argumentos/experimentos ◆ Uma nota rápida sobre experimentos metafísicos e consciência ◆ Os céticos: o argumento do recurso ◆ Evidências de renderização condicional ◆ Experimentos pela evidência dos pixels ◆ Evidências da computação: códigos para correção de erros ◆ Computadores quânticos, códigos de erros e entrelaçamento quântico ◆ Entrelaçamento quântico e simulação ◆ Fractais e evidências de computação na natureza ◆ Programas simples e um novo tipo de ciência ◆ Conclusão – A busca por evidências de computação

A Grande Simulação e suas implicações

333

A alegoria da caverna de Platão e a hipótese da simulação ◆ O que é a Grande Simulação e quem a está rodando? ◆ Quais são os principais elementos da Grande Simulação? ◆ Seres conscientes ou simulações inconscientes – PCs x NPCs ◆ A visão geral: a computação está na base das outras ciências ◆ Pensamentos finais: fazendo uma ponte sobre o grande divisor

Agradecimentos

359

Sobre o autor

361

Parte 0

Panorama

*A realidade é meramente uma ilusão,
embora seja uma bastante persistente.*
– Albert Einstein

*Saiba que todos os fenômenos
São como reflexos aparecendo
Em um espelho muito límpido;
Desprovidos de existência inerente*
– Buda

Introdução

A Hipótese da Simulação

Estamos vivendo numa realidade programada por computadores, e a única pista que temos disso é quando alguma variável é alterada e ocorre alguma mudança em nossa realidade.

– Philip K. Dick, Convenção
de Ficção Científica do Metz, 1977

Quando era um menino crescendo no Meio-Oeste no começo da década de 1980, adorava videogames. Pode-se dizer que cresci com eles. Meus amigos e eu íamos para a D&B Pizza assistir à molecada mais velha (que tinha mais moedas do que a gente) jogar os arcades de lá. Aqueles jogos, agora clássicos, incluíam *Space Invaders*, *Donkey Kong*, *Pac-Man* e até *Dragon's Lair*, que nos confundia e deliciava porque não conseguíamos decidir se era um desenho animado ou um videogame!

Quando minha família finalmente comprou um console Atari (ou VCS) lá em casa, meus amigos com frequência iam para lá brincar com os jogos em cartucho mais recentes. Durante essa época, enquanto

A Hipótese da Simulação

assistia a meus amigos jogarem, comecei a ficar intrigado não apenas pela jogabilidade em si, mas também pela "ilusão" de que havia um mundo autossuficiente "lá dentro", no interior do videogame, que estava sendo exibido em nosso aparelho de TV. Não sei exatamente quando ou onde essa noção de um mundo autossuficiente emergiu pela primeira vez em minha mente, mas acontecia particularmente em jogos que tentavam ser realistas.

Ao jogar um jogo de corrida, por exemplo, enquanto o carro dava voltas pela pista, meus olhos eram atraídos para os membros da audiência virtual sentados nas arquibancadas. Para lá das arquibancadas, havia um céu com nuvens e uma paisagem urbana ou interiorana apenas parcialmente visível. Eu me pegava imaginando até que ponto aquele "mundo simulado" se estendia em todas as direções além da pista. O que acontecia quando ninguém estava jogando o videogame? Será que os personagens e edifícios ainda existiam, ou será que simplesmente deixavam de existir?

Embora eu tenha aprendido a programar videogames de forma rudimentar pouco depois disso, quando meus pais compraram um Commodore 64 para mim e meu irmão (e mais tarde, um Apple II), ainda levaria muitos anos antes que eu entendesse o desenvolvimento de videogames bem o bastante para responder a esse tipo de pergunta.

O primeiro jogo que criei foi o *Jogo da Velha*, basicamente colocando linhas maciças na tela e aí descobrindo como fazer o computador "desenhar" Xs e Os nos quadrados selecionados pelos jogadores. Meu irmão e eu jogávamos um contra o outro, mas, depois que ele se entediou, pensei que poderia jogar contra o computador. Comecei a conceber sub-rotinas que pudessem determinar onde fazer a melhor jogada na tela a qualquer momento.

Anos depois, na década de 1990, quando eu era estudante de ciências da computação no MIT, aprenderia tudo a respeito de IA e algoritmos de jogo, o que permitia que o computador jogasse com mais competitividade. Ao mesmo tempo, assisti enquanto a fidelidade dos videogames se aprimorava, passando de 8 bits para 16 bits, e o mundo "lá dentro" começava a parecer cada vez mais realista.

Mais de uma década depois disso, me mudei para o Vale do Silício, no começo da revolução dos games nos celulares. Projetei vários jogos diferentes, entre eles *Tap Fish* – um dos jogos mais populares de seu tipo (um jogo de administração de recursos, também chamado de *jogo de simulação*), alcançando mais de 30 milhões de downloads nos dias iniciais do iPhone, da Apple. Posteriormente, projetei jogos competitivos multiplayer baseados em séries de TV como *Penny Dreadful* e *Grimm* e me tornei conselheiro e investidor em várias empresas de videogames.

Durante esses anos, os jogos evoluíram de simples aventuras e arcades para RPGs massivos online em 3D (MMORPGs), como *Ultima Online* e *World of Warcraft*. Alguns jogos eram, de fato, mundos virtuais, como *Second Life* e *The Sims,* nos quais o objetivo era mais "simular" a vida e menos combater monstros.

Esses desdobramentos apenas amplificaram as questões que vinham se esgueirando lá no fundo da mente desde que comecei a jogar com o Atari:

O que acontecia quando ninguém estava jogando o jogo? Será que os personagens simulados continuavam ali? Será que a paisagem mudava e evoluía? Se múltiplos usuários estivessem jogando o mesmo jogo online, isso significava que eles faziam parte de um mundo compartilhado que existia independentemente de seus computadores? Se sim, onde ficava esse mundo, num servidor ou em alguma outra paisagem metafísica no "ciberespaço"? Ou o mundo existia apenas quando era renderizado no computador local de alguém?

A Hipótese da Simulação

TODOS NÓS VIVEMOS DENTRO DE UM VIDEOGAME?

Durante a última década, essas perguntas básicas sobre mundos nos videogames formaram a base de um debate muito maior que vem sendo travado entre cientistas, empreendedores da área de tecnologia, programadores, filósofos e escritores de ficção científica, sem mencionar o público em geral. Esse debate trata não apenas de tecnologia de videogames, mas também da natureza da nossa realidade e como o mundo "lá fora" pode, na verdade, ser mais semelhante ao mundo "lá dentro" do que pensávamos antes.

A ideia de que aquilo que chamamos de realidade é, *na verdade,* um videogame supersofisticado é chamada popularmente de *Hipótese da Simulação.* A questão fundamental levantada pela hipótese da simulação é: será que todos nós somos realmente personagens vivendo *dentro* de um videogame gigantesco e massivamente multiplayer, uma A hipótese da simulação que é tão bem renderizada que não conseguimos distingui-la da "realidade física"?

Embora Nick Bostrom, filósofo de Oxford, tenha cunhado o termo *Argumento da Simulação* em um artigo histórico em 2003, a ideia de viver numa A hipótese da simulação já existe há muito tempo na ciência, na religião e na ficção.

A realidade do mundo ao nosso redor é algo que os filósofos vêm debatendo há algum tempo. Milhares de anos atrás, em *A República,* Platão descreveu sua analogia da caverna. Nessa caverna, os moradores estão acorrentados a uma parede, de modo que não conseguem enxergar o mundo lá fora; o melhor que podem perceber são sombras do mundo real refletidas na parede da caverna por alguma luz lá fora. Os residentes da caverna constroem uma ideia elaborada do que seja a realidade, e Platão conjecturou que somos como os moradores dessa caverna, vendo apenas sombras do mundo real.

Muitas das tradições religiosas do mundo nos dizem que o mundo ao nosso redor é uma ilusão criada em nosso benefício. Isso é particularmente verdade nas tradições orientais do budismo e do hinduísmo, que nos dizem de forma explícita que o mundo que vemos é *maya*, ou uma ilusão. Isso implica que existe algo além da ilusão. Até as religiões ocidentais têm um conceito similar do mundo (o "aqui") e do outro mundo, o eterno (o "porvir").

Psiquiatras como Carl Jung investigaram a questão da projeção mental, na qual cada um de nós está percebendo o mundo de maneira levemente diferente com base no que está acontecendo dentro de nossas mentes. Sob esse ponto de vista, a maioria do que pensamos como estando "lá fora" – no mundo físico – está na verdade "aqui dentro", ou seja, em nossas cabeças, como um sonho, sem que exista nenhuma realidade física objetiva.

Mais recentemente, Elon Musk, empreendedor e fundador da Tesla Motors e da SpaceX e famoso mundialmente, propôs essa ideia como sendo muito provável. De fato, ele estima as chances de que estejamos em uma realidade-base (ou seja, que NÃO estejamos em uma simulação) como sendo de apenas "uma em um milhão". Seus comentários acenderam um debate sério.

Existem bons motivos para Musk propor esse argumento neste momento. Poucos anos atrás, dei início à aceleradora Play Labs, no MIT, para startups, usando as tecnologias mais recentes em videogame. Lá vi em primeira mão a alta fidelidade que a realidade virtual e aumentada de hoje em dia pode alcançar.

Se esse ritmo de aprimoramento de videogames continuar no futuro, que tipos de videogame sofisticado conseguiremos produzir? Será que em algum momento seremos capazes de um jogo com uma resolução tão alta que ele se tornará indistinguível da realidade? E caso isso ocorra, poderíamos nós já estar dentro de um videogame assim?

Essa compreensão me levou a explorar a hipótese da simulação em detalhes. O que descobri foi que as implicações dela vão muito além das áreas da ciência da computação e dos videogames, atingindo o cerne de nossos vários caminhos na busca pela verdade.

A meta do que chamamos de ciência é compreender a natureza da realidade. Se estamos de fato dentro de um videogame, então a ciência se torna uma questão de "descobrir" as regras do jogo. Descobri que muitos físicos renomados acreditam que um mundo simulado gerado por computadores explicaria algumas das descobertas mais estranhas da física quântica.

Acontece que, antes da ciência, essa busca pela verdade era o domínio de religiões e filósofos. Quanto mais eu mergulhava nos modelos cosmológicos de como o universo funciona, particularmente na mística oriental, mais claramente via como a hipótese da simulação explica os ensinamentos antigos de modo científico.

FICÇÃO CIENTÍFICA – COMO A HIPÓTESE DA SIMULAÇÃO SE POPULARIZOU

Vamos voltar um pouquinho. Não foi só jogar e criar videogames, mas também assistir e ler (o que meus pais poderiam dizer que *até demais*) ficção científica que me colocou nesse caminho de especulação sobre a hipótese da simulação.

A primeira vez em que eu, pessoalmente, cogitei a ideia de que estamos todos vivendo numa A hipótese da simulação foi durante um episódio de *Jornada nas Estrelas – A próxima geração*, quando um personagem do holodeck percebeu que estava numa simulação e que algumas das pessoas na simulação existiam "lá fora". O holodeck era uma sala supersofisticada que podia simular qualquer ambiente, e permitia à equipe da *Enterprise* vivenciar qualquer ambiente, real ou fictício. Nesse episódio, a equipe estava simulando um mistério de Sherlock Holmes, e o personagem que se deu conta de que estava numa simulação foi o professor Moriarty, baseado na famosa nêmese de Holmes.

Nesse caso, "lá fora" significava fora do holodeck, o que era o resto da espaçonave *Enterprise*! Me perguntei: *será possível que estejamos em um espaço semelhante ao holodeck e que exista um outro mundo "lá fora"?*

Não foi coincidência que meu primeiro encontro com a hipótese da simulação tenha sido por meio de um programa de TV. O conceito da hipótese da simulação está tão preso à ficção científica do nosso passado recente que seria difícil falar a respeito de forma coerente sem fazer referências à ficção científica. De fato, a ideia de que estamos vivendo numa A hipótese da simulação penetrou a consciência popular ocidental pela primeira vez *por meio da* ficção científica.

Nenhuma outra obra de ficção científica foi mais influente para levar a hipótese da simulação à consciência popular do que o filme *Matrix*, lançado em 1999. No filme, Keanu Reeves interpreta um personagem (sr. Anderson) que vive num mundo muito parecido com o nosso, mas à noite ele é um hacker (chamado Neo) que explora lugares diferentes na net, apenas para descobrir referências enigmáticas a algo chamado de "a Matrix". Ele encontra por acaso uma equipe de hackers que vira sua visão de mundo de cabeça para baixo.

Numa cena agora famosa, Neo recebe de Morpheus (nomeado em homenagem ao deus grego do sono e dos sonhos, interpretado por Laurence Fishburne) a escolha de tomar a "pílula vermelha" ou a "pílula azul". A pílula vermelha vai despertar Neo, enquanto a pílula azul lhe permitirá continuar levando sua existência no mundo dos sonhos que é a Matrix.

Ao tomar a pílula vermelha, Neo acorda para se dar conta de que o que julgava ser a realidade na verdade é uma simulação por computador.

A Hipótese da Simulação

Ele descobre que, no mundo real, todos os humanos vivem em cápsulas, plugados na Matrix – uma simulação de alta fidelidade, parecida com um videogame, na qual os personagens viveram suas vidas inteiras. Nas sequências do filme *Matrix*, a plateia descobre que essa A hipótese da simulação foi criada por uma raça de máquinas superinteligentes para manter as mentes humanas ocupadas; essas máquinas estão usando a pequena quantidade de eletricidade gerada pelo cérebro humano para seus próprios propósitos nefastos.

Embora *Matrix* seja provavelmente a interpretação fictícia mais popular da hipótese da simulação, suas criadoras, as irmãs Wachowksi, estão longe de estar entre os primeiros escritores de ficção científica a sugerir a ideia. As Wachowski declararam se inspirar no famoso autor de ficção científica Philip K. Dick, cujos livros sobre realidades alternativas se tornaram incrivelmente populares nos anos após a sua morte.

Enquanto escrevia este livro, conversei com a esposa de Dick (ele faleceu em 1982), Leslie B. Dick, ou Tessa. Ela apontou que esse era um tema recorrente em muitas das obras dele, das quais apenas algumas foram transformadas em filmes. A questão do que é real e o que é falso – seja a nossa realidade física, seja nossa humanidade – foi central em muitos dos trabalhos altamente imaginativos de Dick.

No conto *The Adjustment Team* [A Equipe de Ajuste] (no qual o filme *Os Agentes do Destino*, de 2011, foi baseado), o personagem principal, Ed Fletcher, se atrasa para o trabalho um dia e descobre que o prédio todo, incluindo as pessoas dentro dele, está sendo "ajustado". Durante o ajuste, tudo é desenergizado, um processo que congela todos no lugar enquanto as mudanças são feitas no edifício e nas pessoas pela "equipe de ajuste". É meio que como apertar o botão de pause num filme ou videogame e congelar a cena.

As pessoas que são ajustadas, entre elas os colegas de trabalho e os chefes de Fletcher, têm apenas as novas memórias depois que o ajuste é feito. Fletcher, por outro lado, lembra-se do mundo "pré-ajuste"; ele não deveria ter captado esse vislumbre por trás da cortina da realidade, já que deveria já estar no escritório, sendo ajustado junto com todo mundo.

Essas ideias de levantar as cortinas da realidade, de falsas memórias e linhas do tempo alternativas são marcos da obra de Philip K. Dick. Em *O Homem do Castelo Alto*, um romance que lhe valeu o prestigioso Prêmio Hugo e é a base da série de TV produzida pela Amazon, vemos uma linha do tempo alternativa na qual as potências do Eixo, Alemanha e Japão, venceram a Segunda Guerra Mundial. Eles agora governam os Estados Unidos, tendo-o dividido entre si. Apenas ao perceber "outra realidade" um dos personagens é capaz de enxergar um "mundo alternativo" em que os Aliados venceram a guerra – nosso mundo atual.

Às vezes, as histórias de Dick lidam com inteligência artificial e memórias falsas mais diretamente, ambas tendo um papel mais significante na hipótese da simulação. *Androides sonham com ovelhas elétricas?*, que inspirou o clássico filme *Blade Runner* (estrelado por Harrison Ford e dirigido por Ridley Scott), traz a ideia de memórias falsas implantadas em robôs criados artificialmente que parecem e agem como seres humanos. De fato, esses androides podem nem saber que são seres artificiais. Essa obra levanta questões sérias sobre o que significa ser humano comparado à consciência simulada ou artificial, um tópico que exploraremos neste livro.

Tessa foi muito além dos livros, dizendo que Dick realmente teve experiências em vida que o convenceram de que estamos todos dentro de algum tipo de simulação. Dick afirmava que havia entidades ou pessoas que podiam mudar as variáveis da simulação, alterando assim nossa linha do tempo. Assim como alguns de seus personagens, Dick declarava lembrar-se um pouco da linha do tempo original antes de ela ser ajustada! Esse tema seria familiar a seus leitores. Dick expressou a visão em um discurso, agora famoso, numa convenção de ficção científica em Metz, na França, em 1977. Ele disse que estávamos dentro de uma realidade gerada por computadores que podia ser "pausada" ou "rebobinada" para trocar as variáveis, e aí colocada para rodar novamente. Essas "variáveis alteradas" eram a única forma segundo a qual, segundo Dick, podíamos perceber que estávamos nessa simulação.

FÍSICA QUÂNTICA E A IDEIA DE UMA "REALIDADE SUBJETIVA"

Hoje, dado o ritmo do progresso tecnológico em videogames e computadores desde a época de Dick, os escritores de ficção científica não estão sozinhos em acreditar que estamos todos vivendo numa simulação. Muitos eruditos de destaque e físicos renomados estão vocalizando sua crença de que vivemos numa simulação sofisticada. O celebrado físico e autor de *Uma breve história do tempo*, Stephen Hawking, especulou que temos 50% de chance de estar vivendo numa A hipótese da simulação. Ele não é o único físico conhecido a pensar assim. O apresentador da nova série *Cosmos*, Neil deGrasse Tyson, disse achar muito provável que o universo seja uma simulação. As afirmações de cientistas tão famosos são notáveis e me levaram a explorar o que a física quântica pode revelar sobre a hipótese da simulação.

O que aprendi conforme mergulhava nessas áreas é que a física quântica fornece pistas importantes de que estamos em algum tipo de A hipótese da simulação. A base da física quântica é que o universo não é contínuo, mas sim existe como um conjunto de valores *quanta*, ou discretos. Isso é verdadeiro com partículas subatômicas, como os elétrons, que parecem saltar de um estado para o outro sem passar pelos valores intermediários, um fenômeno conhecido como *salto quântico*. Isso também vale para simulações por computador, que se baseiam em partículas discretas chamadas de *pixels*.

Um dos aspectos mais famosos e perturbadores da física quântica é que podemos não estar vivendo num universo físico, no final das contas, mas sim num universo de probabilidades. A ideia é que uma partícula subatômica existe como uma onda de probabilidades – o que é chamado de *onda de probabilidade quântica* – até que a onda de probabilidade colapse numa única realidade. Você pode compará-la a um cinema com certo número de assentos, e a "onda" é a probabilidade de que você (a partícula) possa estar sentado em qualquer um desses assentos.

A melhor explicação que os físicos quânticos conseguiram dar para a forma como a onda de probabilidade colapsa é que a consciência, através do ato da observação, desempenha um papel central. Na verdade, alguns, como o físico teórico Fred Alan Wolf, acreditam que a consciência desempenha *o papel crítico* no colapso da onda de probabilidade: é o ato da observação que se comporta de forma bem similar a um lanterninha cósmico, conduzindo você a um assento específico no cinema.

Isso é chocante. Falando de modo geral, desde o tempo de René Descartes, filósofo, matemático e cientista francês, a ciência tem adotado um ponto de vista materialista, em que a realidade física e a consciência são totalmente separadas e não interagem uma com a outra. A ideia de um observador à parte e um universo observado não existe na física quântica. Não apenas a física quântica rompe com a ideia de separação entre sujeito e objeto, como também abre uma porta com a qual muitos físicos se sentem desconfortáveis: nós podemos não estar vivendo numa realidade "objetiva", no final das contas! De fato, nossa consciência é tão interconectada com a realidade que podemos estar vivendo num conjunto de realidades subjetivas interconectadas.

Esse fenômeno, ao qual nos referimos como *indeterminação quântica*, é um dos maiores mistérios na física (e em toda a ciência) e levanta algumas questões graves sobre a natureza da realidade. Um mistério ainda maior é o *entrelaçamento quântico*, a ideia de que duas partículas podem estar conectadas ao longo do espaço-tempo, e ninguém sabe exatamente por quê.

Algumas dessas questões são espantosamente similares às que venho fazendo sobre videogames minha vida toda: essas realidades prováveis existem mesmo, ou são apenas probabilidades? Existe uma realidade compartilhada de fato, ou ela é renderizada em aparelhos de observação à parte? Existe de fato um mundo objetivo quando não há ninguém olhando, ou ele vem a existir apenas quando alguém o está observando – ou seja, apenas quando alguém está "logado"?

E, é claro, a maior pergunta de todas: *por que* estaríamos num mundo probabilístico em que fazer uma escolha (ou uma observação) colapsa uma onda de probabilidade a uma única linha do tempo ou probabilidade?

Quando comecei a explorar essa última questão com um pouco mais de profundidade, ela trouxe de volta minhas primeiras experiências com o *Jogo da Velha* e algoritmos de videogame mais sofisticados. Como designers de videogames, temos que mapear os "futuros" possíveis – caminhos que podem ser tomados dentro do jogo. A IA mais simples nos jogos simula movimentos de "futuros possíveis" e então escolhe o "melhor movimento possível" com base nesses futuros possíveis.

Esses futuros possíveis são semelhantes à ideia de uma onda de probabilidade. De fato, toda a área de probabilidade foi criada originalmente para jogos. Em vez de se referir a resultados potenciais como probabilidades, eles se chamavam antes "futuros possíveis" no jogo de dados. Um único dado pode ter um de seis futuros possíveis, cada um com as mesmas probabilidades (presumindo que seja um dado uniforme). Dois dados podem ter 6 x 6 = 36 futuros possíveis. Assim nasceu a *estatística* – um novo jeito de falar sobre futuros possíveis em jogos.

Na física quântica, esse colapso de uma onda de probabilidade em um futuro único parece acontecer com base na observação ou mensuração consciente. Num videogame, o caminho que um jogador segue depende da escolha consciente e da subsequente renderização dessa escolha no computador do próprio jogador (que pode ser considerado como sua "máquina de consciência").

E mais: nos videogames, o computador renderiza apenas a parte do mundo relevante para aquele único jogador, baseado nas escolhas dele quando está logado no mundo virtual. Não existe uma "renderização compartilhada", já que a renderização é feita em cada computador individual dos jogadores, o que sugere a ideia de que cada um de nós pode estar vivenciando uma versão levemente diferente da realidade, baseada nas nossas observações do mundo ao nosso redor.

Duas questões ainda maiores são: por que o entrelaçamento quântico existe e como exatamente ele é implementado? Os videogames podem, outra vez, fornecer a resposta, na forma de compressão da informação.

A hipótese da simulação, particularmente sua versão de videogame, oferece uma nova perspectiva tanto da *indeterminação quântica* quanto do *entrelaçamento quântico* ao olhar para como a informação é processada e renderizada em videogames pelos sistemas de computação.

Até a relatividade, que Einstein descreveu independentemente de seu trabalho na física quântica, nos diz que não existe simultaneidade entre eventos que estejam acontecendo em locais diferentes. Isso me lembra de uma rede de computadores conectada (por pulsos magnéticos) na velocidade da luz, em que os jogadores estejam fazendo movimentos em seu próprio "referencial inercial", e o computador está fazendo o melhor que pode para dar a "ilusão" de simultaneidade e ordem.

Muitas das descobertas da relatividade e da física quântica não fazem sentido sob a perspectiva puramente materialista – a de que estamos vivendo num universo físico imutável. Elas fazem mais sentido se estivermos vivendo num universo físico construído de informações.

A Hipótese da Simulação

Quando eu estava no MIT, fomos ensinados que a maior parte das ciências está desenvolvendo modelos para como o mundo funciona, e, se um modelo melhor for descoberto, ele explicará aspectos do mundo que pareciam inexplicáveis nos modelos anteriores. Por exemplo: a física clássica de Newton explicava melhor o mundo do que o que tinha vindo antes; em seguida, Einstein apareceu com a sua teoria da relatividade, e ela explicava a luz e a viagem em altas velocidades muito melhor que o modelo de Newton. De maneira similar, com a física quântica, seu modelo do mundo microscópico das probabilidades explicou os resultados observados muito melhor que o modelo anterior do átomo, proposto por Bohr, que era o "modelo planetário". Embora todas essas ideias tenham sido vistas com suspeita pelas instituições científicas no início, todas acabaram adotadas pela ciência moderna, porque eram modelos melhores.

Acontece que a hipótese da simulação e o modelo do mundo que ela descreve, de um sofisticado videogame multiplayer com personagens operando dentro de um mundo renderizado, podem fornecer respostas para as grandes perguntas sobre o mundo físico que os físicos têm medo de fazer: como é que ele funciona, exatamente? E, mais importante: por que ele funciona assim?

MISTICISMO ORIENTAL
E O PÓS-VIDA OCIDENTAL

Ao mesmo tempo em que eu explorava as conexões entre a física quântica e a A hipótese da simulação durante minhas aventuras como empreendedor e tecnólogo, também começava a seguir um caminho paralelo explorando diferentes estados de consciência.

Começou como uma simples busca por técnicas, como a meditação, que me ajudassem a virar um programador mais focado e um fundador de startup mais bem-sucedido. Em algum ponto, isso me levou a explorar as antigas tradições orientais, particularmente as tradições da ioga e a filosofia budista, e me convenceu de que havia mais coisas acontecendo em nosso mundo físico do que a ciência dava crédito. Escrevi algumas dessas experiências no meu primeiro livro, *Zen Entrepreneurship*.

Conforme continuei a estudar os antigos textos e filosofias budistas e hindus, descobri que eles estavam muito mais alinhados com a hipótese da simulação do que com uma perspectiva materialista do mundo. Estamos tão absortos neste mundo, feito jogadores viciados num videogame, que nos perdemos neste mundo de *maya*, esse mundo de ilusão.

O karma, que a maioria de nós no mundo ocidental vê como um jogo cósmico de "tudo o que vai, volta", na verdade é mais sutil e mais baseado em regras do que parece. De fato, o karma pode ser modelado como uma lista de tarefas e resultados que precisamos cumprir. Sempre que criamos karma, uma nova "tarefa" é criada num manifesto virtual, armazenada em algum lugar fora do mundo material. Quando encarnamos no futuro, podemos escolher que tarefas em particular deveríamos cumprir na nova vida. A "Roda da Vida" infinita de Buda nos diz o propósito da reencarnação: o motivo pelo qual continuamos reencarnando em vidas futuras é para realizar as "missões" criadas em nossas vidas presentes e passadas.

Para um designer de videogames como eu, os conceitos gêmeos de karma e reencarnação soam muito semelhantes a videogames em que um jogador tem múltiplas vidas e uma lista constante de "missões" e "realizações". A realização de uma tarefa (ou missão) destrava novas missões que são acrescentadas à lista. Isso é bem parecido com o processo de gerar novo karma, conforme descrito no budismo. Pensando nisso, me dei conta de que a arquitetura de um videogame sofisticado jogado em muitas vidas espelha a ideia da roda da reencarnação de Buda.

A Hipótese da Simulação

Além disso, muitas técnicas budistas para alcançar a iluminação são focadas em aprender a reconhecer a ilusão do mundo ao nosso redor. Uma técnica tibetana é chamada de "Ioga dos Sonhos", e nela os praticantes são treinados para reconhecer o mundo ao nosso redor como um sonho. Eles aprendem isso de maneira semelhante às técnicas mais modernas de sonho lúcido, que treinam seus seguidores para reconhecer, durante um sonho, que estamos "apenas sonhando" e que as imagens não são reais. Durante os sonhos, que parecem reais, nossos corpos estão na cama, adormecidos. O propósito da ioga dos sonhos é perguntar se existe outra parte de nós fora da ilusão do mundo físico, fora do sonho coletivo.

A metáfora do mundo como um sonho está interligada com a ideia da hipótese da simulação. Nossos sonhos noturnos são basicamente como a hipótese da simulação em menor escala.

Mas não são somente as tradições religiosas ou espirituais orientais que apoiam a ideia de que estamos vivendo numa simulação. Na linha abraâmica ocidental das religiões (judaísmo, cristianismo e islamismo), a implicação de que somos jogadores numa A hipótese da simulação sendo assistidos por entidades "fora do jogo" também está lá, sem estar tão explícita. Essas tradições têm suas próprias versões de karma, com a adição de entidades que assistem nossas escolhas e registram nossos feitos. Deus usa esse registro dos nossos feitos para nos julgar quando entramos no pós-vida.

Mas quem são essas entidades registrando nossos feitos? Segundo algumas tradições, essas entidades podem ser anjos, embora soem muito como a IA que monitora e grava automaticamente nossas ações, repetindo-as para nós mais tarde.

Videogames hoje em dia têm a habilidade de gravar nossos movimentos no jogo enquanto jogamos, e essas gravações podem ser vistas após o jogo. E mais, essa ideia de "replay" das nossas ações após o jogo ter terminado se alinha de perto com as descrições do pós-vida de pessoas que tiveram uma experiência de quase-morte (EQM) (que descrevem uma "revisão da vida") e de textos como o Alcorão (que descreve em detalhes uma revisão de seu "pergaminho de feitos" depois da sua morte) e a Bíblia (que tem um conceito similar do "livro da vida").

Todas essas ideias espirituais – um mundo de sonhos, ilusório, karma e reencarnação, a infinita Roda da Vida de Buda, anjos e o pós-vida eterno – se encaixam muito melhor no modelo da hipótese da simulação do que qualquer outro paradigma científico. Parece que essas *tradições podem estar nos dizendo esse tempo todo* que estamos vivendo numa A hipótese da simulação. Simplesmente não tínhamos o conhecimento tecnológico até recentemente para chegar a essa conclusão nós mesmos.

Quaisquer seres vivendo fora da A hipótese da simulação pareceriam, ao menos para aqueles de nós dentro da simulação, seres sobrenaturais, anjos ou até mesmo deuses.

REALIDADE VIRTUAL, INTELIGÊNCIA ARTIFICIAL E CONSCIÊNCIA SIMULADA

Embora forneça uma explicação plausível dos mistérios da física quântica e das tradições místicas orientais e ocidentais, a hipótese da simulação trata, antes de tudo, de computação. Videogames não seriam possíveis sem computação gráfica, e é o desenvolvimento dessa área relativamente nova da ciência que tirou a hipótese da simulação da ficção científica, levando-a para considerações sérias.

Na ciência da computação, videogames e entretenimento desempenharam um papel único ao impulsionar o desenvolvimento tanto de hardware quanto de software. Entre os exemplos, temos o desenvolvimento de GPUs (unidades de processamento gráfico, ou placas de vídeo) para uma renderização otimizada, CGI (efeitos visuais gerados por computador) e CAD (design auxiliado pelo computador), além de inteligência artificial e bioinformática.

A encarnação mais recente da tecnologia de entretenimento totalmente imersiva é a realidade virtual (VR). Apesar de me questionar sobre a hipótese da simulação por muitos anos, foi só quando a VR e a IA atingiram seu nível atual de sofisticação que pude ver um rumo claro para como poderíamos desenvolver simulações abrangentes como aquela mostrada no filme *Matrix*, o que me levou a escrever este livro.

Em 2016 tive a oportunidade de jogar uma partida de pingue-pongue em VR, que joguei usando óculos VR e controles por movimento. O sistema de física e as reações do jogo eram tão realistas que comecei a me esquecer de que estava na verdade de pé numa sala com um equipamento de VR, e uma parte minha pensou que eu estava realmente jogando pingue-pongue.

Terminei a partida e, sem pensar, coloquei a "raquete" na "mesa" e me apoiei contra a mesa virtual. Claro, *não havia nenhuma mesa*, nem alguma raquete, apenas um controle que eu deixei cair no chão. Quase levei um tombo, mas percebi bem a tempo que não havia mesa na qual me apoiar.

Isso me lembrou da famosa fala de *Matrix* quando Neo está se perguntando como uma pessoa dentro da simulação poderia modificar um objeto físico, como uma colher. A verdade é que a colher é apenas parte da simulação, uma coleção de pixels. Neo ouve: "A colher não existe". No meu caso, nem a mesa, nem a raquete existiam.

O avanço da ciência da computação, que torna mais provável a ideia de uma simulação muito sofisticada, também levanta algumas questões interessantes (e talvez perturbadoras) sobre nós mesmos. Por exemplo: futuristas como Ray Kurzweil, do Google, sugeriram que algum dia poderemos transferir nossa consciência para um aparelho feito de silicone, prolongando nossas vidas indefinidamente. Em certo nível, isso significaria que somos apenas informação digital, no final das contas.

A ideia de que a consciência possa ser digital revela talvez um dos aspectos mais incômodos da hipótese da simulação. Se estamos em uma simulação que foi criada por seres reais em alguma "realidade-base", então é possível que existam muitas dessas simulações. Da mesma forma que temos NPCs (personagens não jogáveis) em videogames que são simulados, se estamos em uma simulação, então será que nós mesmos poderíamos ser consciências artificialmente simuladas e não seres reais?

A ideia de que somos consciências digitais e que até nossas memórias podem ser falsas nos leva de volta às perguntas de Philip K. Dick sobre a realidade e o que significa ser um humano *de verdade*, comparado a um *de mentira*.

Quanto mais próximos chegamos da consciência digital e da IA que parece humana (à qual nos referimos como algo que passaria no "Teste de Turing"), mais provável é que possamos estar numa simulação. Isso não significa que somos todos seres simulados – de fato, uma das razões pelas quais uso a metáfora do videogame neste livro é para que consigamos distinguir entre personagens jogáveis e NPCs – entre jogadores reais e personagens simulados.

SIMULAÇÕES, COMPUTAÇÃO E CAOS

Avanços na tecnologia digital e na computação causaram impacto em nosso entendimento de todas as outras ciências. Em outros tempos, pensava-se que a matemática podia oferecer as respostas para quaisquer perguntas sobre o universo – onde estaria um planeta em dado momento, como estaria o clima, etc. Tudo o que precisávamos fazer era inserir os valores nas equações, e obteríamos as respostas que estávamos buscando.

A Hipótese da Simulação

Um novo ramo da ciência, a teoria do caos, nasceu, entre as décadas de 1960 e 1970, da percepção de que as equações não bastavam para prever resultados, e pequenas mudanças nos dados ou nas variáveis podiam causar grandes diferenças no resultado de processos naturais complexos. Esses processos incluíam as órbitas dos planetas e estrelas, as complexidades da previsão do tempo, a evolução de populações de animais e muitos processos biológicos.

Stephen Wolfram, criador do software *Mathematica,* apontou que essas e outras questões da vida podem ser *computacionalmente irreduzíveis.* Isso quer dizer que precisaríamos rodar um programa de computador por vários passos diferentes para descobrir onde um planeta em particular deve estar, ou onde uma partícula pode terminar em um fluxo turbulento de partículas, ou onde uma população biológica pode acabar depois de alguns anos. De fato, muitos processos naturais seguem uma geometria fractal, como o modo como uma linha costeira forma um zigue-zague ou como as artérias e folhas se desenvolvem em estruturas semelhantes a árvores.

Essa ciência do caos afirma que não se pode saber exatamente qual resultado advirá da mudança de pequenos parâmetros a menos que a pessoa se dê ao trabalho de computar ou simular esse resultado. Essa sensibilidade às condições iniciais é conhecida como *efeito borboleta:* quando uma borboleta bate as asas, esse movimento aparentemente pequeno tem um efeito maior sobre o mundo – por exemplo, causar um tornado ou um furacão em alguma outra parte do planeta.

Uma compreensão total dos processos caóticos naturais e fractais só foi possível quando computadores se tornaram disponíveis para rodar versões simuladas de diferentes equações fractais. Pode-se dizer que simulações de computador são o arroz com feijão dessa nova ciência.

Em cada simulação rodada, há decisões que precisam ser tomadas, e essas decisões terão impacto sobre como a simulação se desenrola.

Uma descoberta contraintuitiva da teoria do caos é que até processos que incluem decisões aparentemente aleatórias acabam seguindo padrões similares de complexidade.

Soa muito como a visão de Philip K. Dick de como às vezes precisamos "rebobinar" nossa simulação por computador e rodá-la novamente para ver um conjunto novo de variáveis antes de saber exatamente onde vamos parar.

Se as decisões são tomadas por entidades conscientes individuais (ou seja, jogadores, usando a metáfora do videogame), então a simulação de que estamos falando pode ser ainda mais complexa que o método determinista dos processos caóticos naturais. Os valores possíveis dos dados inseridos que vêm de algo como o livre-arbítrio, se ele existe para jogadores desse videogame, podem levar a resultados vastamente diferentes. O único modo de saber no que a simulação vai dar é rodá-la. Pode ser simplesmente o caso de que nosso mundo é computacionalmente irredutível.

Wolfram e outros argumentam que a computação é uma parte de nosso mundo físico, embutido em todos os outros processos físicos, biológicos e químicos. Essa descoberta da universalidade da computação e da ciência da informação torna ainda mais provável que estejamos em algum tipo de simulação por computador e impõe a pergunta: do que se trata essa simulação?

A GRANDE SIMULAÇÃO – NOSSO VIDEOGAME COMPARTILHADO

Enquanto buscava as respostas para essas questões pela minha vida toda, investigando a ciência da computação, videogames, a física e as tradições espirituais, comecei a acreditar que estamos vivendo dentro de um videogame gigante.

A Hipótese da Simulação

Eu chamo esse videogame de a "Grande Simulação", porque essa realidade virtual parece ser indistinguível da realidade física.

Se estamos vivendo numa simulação assim, então ela seria muito mais sofisticada do que qualquer videogame que já construímos ou sequer imaginamos até hoje. Ela combinaria elementos de MMORPGs com elementos de realidade virtual e aumentada construída com base na tecnologia e em aspectos da consciência – real ou simulada – que não entendemos por completo ainda.

Ao longo deste livro, mergulharei mais profundamente nos conceitos apresentados neste capítulo, incluindo avanços nos videogames e na ciência da computação, alguns dos mistérios inexplicáveis descobertos por físicos sobre o nosso mundo físico, e certos dogmas das tradições místicas orientais e até das religiões ocidentais. Conforme os examinamos, argumentarei, completando com referências científicas, religiosas e da ficção científica, que todos os elos sugerem, no fim, que estamos vivendo na Grande Simulação.

Vamos começar olhando para os modos como a ciência da computação poderia se desenvolver para criar as tecnologias necessárias para elaborar algo como a Grande Simulação. Uma sociedade que desenvolveu a destreza tecnológica necessária para criar algo como a Matrix atingiu um ponto importante, que chamo aqui de "Ponto de Simulação". Na primeira parte deste livro, entrarei em detalhes de como poderíamos ir do ponto em que estamos hoje para o ponto de simulação. Isso é basicamente um mapa de como construir a Grande Simulação, nossa versão da Matrix.

A HIPÓTESE DA SIMULAÇÃO USA INFORMAÇÃO PARA EXPLICAR O INEXPLICÁVEL

Em todo lugar, avanços na ciência da computação, na tecnologia de simulação e na inteligência artificial estão mostrando o elo entre o mundo natural e o computacional – algoritmos biológicos, mapeamento genético, algoritmos fractais. De fato, com a ascensão dos computadores quânticos, que exploraremos mais adiante neste livro, até as partículas na natureza começam a se assemelhar menos a objetos físicos e mais a informações.

Ao longo deste livro, veremos que a hipótese da simulação oferece uma explicação melhor para muitos dos fenômenos estranhos que a ciência não foi capaz de explicar: como e por que a indeterminação quântica existe? O que acontece com a consciência depois que morremos? A consciência pode ser transferida? Como o tempo e o espaço se relacionam? Eles são quantizados? Por que os fenômenos de luz e eletromagnetismo desempenham papel tão central na física? Se existem inteligências não humanas, como os anjos, onde elas se localizam? A hipótese da simulação pode até fornecer uma explicação para aspectos da realidade que intrigam os cientistas, indo desde fenômenos psíquicos até OVNIs e sincronicidade.

Mais importante: neste livro, espero oferecer a você uma lente diferente para compreender nosso mundo, usando videogames como metáfora e como mapa para chegar aonde estamos indo.

Nesse sentido, o aspecto mais importante da hipótese da simulação pode não ser nem um pouco científico.

Ao tratar o mundo não como físico (e veremos que os físicos admitiram que ele não é), mas sim como *informação* e *computação*, talvez sejamos capazes de chegar a um entendimento mais abrangente do universo natural que nem nossos cientistas, nem nossos filósofos ou líderes religiosos conseguiram nos dar até este momento.

Parte 1

Como construir a
Matrix: a ciência
da computação

O design de máquinas para jogar pode parecer a princípio um passatempo divertido, e não estudo científico sério, e, de fato, muitos cientistas, tanto amadores quanto profissionais, fizeram desse fascinante assunto um hobby.Contudo, há um lado sério e um propósito importante nesse trabalho...[1]

– Claude Shannon, dos laboratórios MIT e Bell

A ciência da computação inverte o normal. Na ciência normal, você recebe um mundo, e seu trabalho é descobrir as regras. Na ciência da computação, você dá as regras ao computador e ele cria o mundo.[2]

– Alan Kay, Apple, Atari e MIT

---

1. Shannon, "Game Playing Machines", *Journal of the Franklin Institute* (dezembro de 1955).
2. https://www.brainyquote.com/quotes/alan_kay_875443.

Capítulo 1

Estágios 0 a 3: do *pong* até os MMORPGs

Quarenta anos atrás, tínhamos Pong – dois retângulos e um ponto. Era onde nos encontrávamos. Agora, quarenta anos depois, temos simulações fotorrealistas em 3D com milhões de pessoas jogando simultaneamente, e está ficando melhor a cada ano. E em breve teremos realidade virtual, teremos realidade aumentada. Se você presumir qualquer ritmo de aprimoramento, então os jogos se tornarão indistinguíveis da realidade.

– **Elon Musk,** Code Conference, 2016[3]

Uma das principais razões pelas quais tantos cientistas, filósofos e tecnólogos começaram a levar a hipótese da simulação mais a sério agora, no

---

3. https://www.independent.co.uk/life-style/gadgets-andtech/news/elon-musk-ai-artificial-intelligence-computer-simulationgaming-virtual-reality-a7060941.html.

A Hipótese da Simulação

começo do século 21, em comparação às primeiras eras da computação, é a sofisticação e o rápido avanço da tecnologia em videogames e gráficos.

Em uma palestra da Code Conference em 2016, Elon Musk, fundador da Tesla e da SpaceX, refletiu sobre quão longe chegamos na tecnologia de videogames desde a criação do *Pong*, há cerca de quarenta anos. Ele conjecturou que, se a tecnologia de videogames continuasse seu ritmo acelerado de aprimoramento, seria inevitável que criássemos simulações hiper-realistas que seriam indistinguíveis da realidade física. Musk concluiu que, presumindo-se que a tecnologia continue se desenvolvendo como vem fazendo, a chance de não estarmos em uma simulação é de "uma em bilhões".

Nick Bostrom, de Oxford, em artigo de 2003 que popularizou o Argumento da Simulação, refere-se a uma espécie que seja capaz de construir essas simulações hiper-realistas como "pós-humana". Eu gosto de dizer que tal civilização ultrapassou o "Ponto de Simulação".

Este seria o ponto no desenvolvimento tecnológico de uma civilização em que ela tem a habilidade de criar simulações hiper-realistas. Isso inclui ter o poder computacional puro para acompanhar um grande número de pontos de consciência aparentemente individuais, registrar todas as experiências deles e renderizar o ambiente com tal precisão que ele seja indistinguível daquilo que chamamos de "mundo físico". Nesse ponto teórico, também teríamos a habilidade de transportar a consciência dos "jogadores" para um mundo compartilhado, gravar as reações dos jogadores e ter uma inteligência artificial que simule seres individuais do mundo (o que seria semelhante aos personagens não jogáveis nesse mundo).

O CAMINHO ATÉ O PONTO
DE SIMULAÇÃO

Nesta parte do livro, examinaremos a questão da possibilidade tecnológica de construirmos uma simulação tão abrangente quanto aquela de *Matrix,* e como isso seria possível. Começaremos com a história da tecnologia de videogames, desde os primeiros jogos, nas décadas de 1960 e 1970, até os MMORPGs mais sofisticados de hoje. Daí nos projetaremos ao futuro para tecnologias cruciais como a realidade virtual, a realidade aumentada, transmissão direta à mente, inteligência artificial e consciência transferível. Chamo isso de "seguindo o caminho até o ponto de simulação". Concluiremos com uma reflexão sobre como seria o resultado final, a Grande Simulação. Ao seguir essa estrada, você verá como algumas das perguntas que venho fazendo a vida toda sobre o mundo dos jogos e sua existência são rebentos naturais de como a tecnologia se desenvolveu.

Ao final, veremos passos concretos que tornam a hipótese da simulação não apenas possível, mas também provável, se nossa tecnologia continuar se desenvolvendo na trajetória atual. Terminaremos essa parte do livro examinando o que pode significar uma civilização atingir esse ponto, analisando o Argumento de Simulação de Bostrom e suas ideias de simulações ancestrais em detalhes.

OS ESTÁGIOS MODERNOS DA
TECNOLOGIA DE VIDEOGAMES

A que distância estamos de sermos capazes de produzir uma simulação totalmente imersiva como aquela mostrada em *Matrix*?

Embora não tenhamos como determinar com certeza a distância em que nos encontramos do ponto de simulação, podemos dar uma olhada histórica no desenvolvimento da tecnologia de videogames, decompondo-a em estágios. Podemos, então, projetar esses estágios adiante até alcançarmos o ponto de simulação.

Se pensarmos na sofisticação da tecnologia de renderização dos primeiros videogames até hoje, podemos classificar seu desenvolvimento em quatro estágios: Estágio 0 até o Estágio 3, desde os dias dos videogames single-player até os jogos 3D multiplayer altamente sofisticados e renderizados online.

Enquanto fazemos isso, descobriremos muitas formas como os videogames de hoje podem fornecer a infraestrutura subjacente para que os estágios futuros alcancem o ponto de simulação. Nesse ponto, seremos capazes de gerar uma simulação virtual totalmente fotorrealista que inclua milhões, se não bilhões, de agentes individuais de consciência, completada com missões individuais e enredos para cada agente.

Embora a tecnologia de renderização seja importante, outro fator essencial nesses estágios acabou sendo a sofisticação dos mecanismos de controle, ou como os jogadores dão sua contribuição à simulação. Isso inclui teclados, joysticks, controles especializados, tecnologia tátil (por toque), ativação por voz e, em algum momento, interfaces mentais e consciência transferível.

ESTÁGIO 0: AVENTURAS DE TEXTO E O "MUNDO DOS JOGOS" (DÉCADA DE 1970 ATÉ MEADOS DA DÉCADA DE 1980)

Quando olhamos para os primórdios da história dos videogames, o Estágio 0 (aventuras de texto single-player) na verdade se desenvolveu de forma paralela ao Estágio 1 (jogos de arcade de gráficos simples), mas eu os separei por causa de suas características e suportes técnicos diferentes. Ambos representam passos distintos, mas necessários, na estrada para o ponto de simulação.

O primeiro jogo de aventura textual foi *Colossal Cave Adventure*, criado por Will Crowther em 1976, em um computador central PDP-10. Esse jogo, cuja interface de usuário é mostrada na Figura 1, foi baseado em parte nas Cavernas Mammoth, em Kentucky, onde Crowther passou bastante tempo.

Muitos outros programadores, como Don Woods, de Stanford, pegaram o código original de Crowther e o transferiram para outros sistemas, acrescentando vários elementos de fantasia do jogo que fizeram dele um precursor dos muitos jogos de aventura que vieram a seguir.

Em aventuras de texto, o jogo apresenta uma descrição textual de uma sala ou local onde seu personagem está, e você digita os comandos. Esses comandos podem ser de movimentos (ir sul, ir norte) ou relacionados a algum objeto (pegar faca, soltar ouro, etc.). Depois de receber sua contribuição, o programa lhe diz o que aconteceu como resultado de suas ações.

Esse "ciclo de jogo", que foi mantido mesmo nos jogos gráficos mais sofisticados atuais, pode ser desmembrado nos seguintes passos:

1. O computador apresenta o estado atual do mundo do jogo e seu personagem.
2. O jogador emite um comando.
3. O programa muda o estado do jogo com base nesse comando e em outros fatores.
4. Repetir.

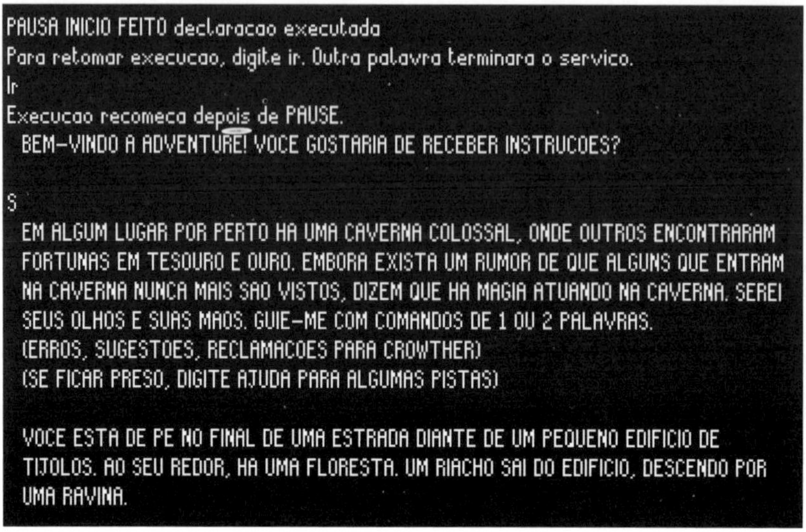

A Hipótese da Simulação

```
PAUSA INICIO FEITO declaracao executada
Para retomar execucao, digite ir. Outra palavra terminara o servico.
Ir
Execucao recomeca depois de PAUSE.
 BEM-VINDO A ADVENTURE! VOCE GOSTARIA DE RECEBER INSTRUCOES?

S
 EM ALGUM LUGAR POR PERTO HA UMA CAVERNA COLOSSAL, ONDE OUTROS ENCONTRARAM
 FORTUNAS EM TESOURO E OURO. EMBORA EXISTA UM RUMOR DE QUE ALGUNS QUE ENTRAM
 NA CAVERNA NUNCA MAIS SAO VISTOS, DIZEM QUE HA MAGIA ATUANDO NA CAVERNA. SEREI
 SEUS OLHOS E SUAS MAOS. GUIE-ME COM COMANDOS DE 1 OU 2 PALAVRAS.
 (ERROS, SUGESTOES, RECLAMACOES PARA CROWTHER)
 (SE FICAR PRESO, DIGITE AJUDA PARA ALGUMAS PISTAS)

 VOCE ESTA DE PE NO FINAL DE UMA ESTRADA DIANTE DE UM PEQUENO EDIFICIO DE
 TIJOLOS. AO SEU REDOR, HA UMA FLORESTA. UM RIACHO SAI DO EDIFICIO, DESCENDO POR
 UMA RAVINA.
```

Figura 1: Interface de uma aventura de texto (do *Adventure* original).

Em vários sentidos, *Adventure* (como ele é chamado comumente) influenciou muitos dos jogos de aventura e fantasia que se seguiram, mesmo jogos de tabuleiro como *Dungeons & Dragons*. Em *D&D*, o DM (ou dungeon master, *mestre da masmorra*) diz aos jogadores o estado do mundo e o lugar deles nesse mundo. Cada jogador então diz ao DM o que seu personagem faz (movimenta-se, luta etc.) durante sua rodada. O DM, por meio de uma combinação de rolagem de dados e consulta ao mapa-mestre da aventura, diz aos jogadores o que acontece a cada um de seus personagens. Isso é muito similar ao ciclo básico descrito, com o computador fazendo o papel de DM e mantendo o estado do mundo do jogo atualizado.

Esse conceito de "estado do jogo" foi mantido nos primeiros jogos de texto enquanto o jogo estava rodando. Quando você saía do jogo, ele reiniciava. Posteriormente, conforme os jogos de texto se tornaram disponíveis em PCs, era possível salvar o estado do jogo em disquetes (no início; depois, em disco rígido) e continuar jogando daquele ponto em diante.

No início da década de 1980, um grupo de graduandos do MIT fundou a Infocom, que produziu os jogos de texto *Zork I* e *Zork II*, extremamente populares, tanto para PCs quanto para computadores da Apple. A Infocom foi muito bem-sucedida na época e produziu todo um conjunto de jogos usando seu mecanismo de texto básico, indo desde aventuras originais como *Planetfall* até aquelas baseadas em propriedades licenciadas, como *O Guia do Mochileiro das Galáxias*.

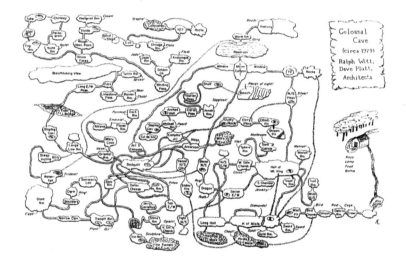

Figura 2: Mapa de *Colossal Cave Adventure*.

Aventuras de texto como *Colossal Cave Adventure*, *Zork* e até *Dungeons & Dragons* (a versão offline) usavam o motor gráfico mais potente à disposição: o de nossas mentes. Como esses jogos não tinham gráficos, eles forçavam os jogadores a usar a imaginação para visualizar esses mundos, que podiam ser bastante expansivos.

Em *Colossal Cave Adventure*, por exemplo, havia um mapa das diferentes "salas" ou cavernas que você podia explorar. Conforme os jogadores exploravam o mundo, eles com frequência tentavam recriar esse mapa (um exemplo famoso disso é mostrado na Figura 2).

Jogos de texto raramente são jogados pela geração atual de videogames, embora haja um subgênero chamado "ficção interativa" que mantenha essa tradição viva. Alguns puristas da indústria de videogames sentem que todos os videogames desde então, com suas representações gráficas cada vez mais potentes, perderam algo, já que nenhuma renderização pode ser tão vívida quanto aquela que vemos na imaginação. Claro, isso é como aqueles que acreditam que nenhuma representação cinematográfica de uma obra de fantasia como *O Senhor dos Anéis* poderia se equiparar ao que eles imaginaram visualmente enquanto liam o livro.

Embora os jogos de hoje em dia sejam muito mais sofisticados, essas primeiras aventuras em texto apresentaram vários elementos muito importantes que sobreviveram nos jogos até hoje:

- *Um grande mundo no jogo.* Jogos de aventura em texto apresentaram a ideia de um mundo que é maior do que aquilo que estava na tela em qualquer momento, e precisava ser explorado. Isso era diferente dos primeiros jogos arcade, em que o que se via na tela era basicamente o que havia disponível.

- *Estado do jogo do jogador.* Com aventuras de texto, o conceito de um estado do jogo do jogador nasceu, incluindo qualquer metadado (pontos de experiência ou xp, nível, informações do personagem), assim como artefatos (ouro, armas, etc.) e a localização do jogador dentro do mundo. Finalmente, esse estado do jogo pôde ser salvo, e o jogador podia retomar o jogo do mesmo ponto em diante.

- *Estado do mundo do jogo.* O estado do jogo incluía não somente o estado do seu personagem, mas também o estado do mundo do jogo em si, que poderia ter mudado com base em suas ações. Isso se tornava importante quando o jogador visitava novamente o mesmo local – e se tornava ainda mais importante com jogos multiplayer, nos quais múltiplos jogadores podiam causar impacto no estado do mundo do jogo.

- *Personagens não jogáveis (NPCs).* Jogos de texto introduziram os primeiros NPCs. Você podia conversar com esses personagens. Esses motores conversacionais foram o começo de uma indústria muito grande de chat-bots atualmente e estão entre os primeiríssimos exemplos de inteligência artificial.

- *Contribuição textual.* Jogos de texto lhe permitiam interagir com os personagens digitando texto, ao contrário de jogos arcade, nos quais você controlava os movimentos usando botões e joysticks. Esses comandos dependiam de uma gramática muito específica, como "ir norte" ou "soltar faca". Embora isso mudasse nos estágios subsequentes do desenvolvimento de videogames, a contribuição textual – fosse ela feita vocalmente ou através do teclado – ainda é um elemento essencial nas sofisticadas simulações de hoje e continuará sendo no futuro.

- *Ciclo básico de jogo.* O ciclo básico de jogo, descrito há pouco, tem sido mantido em jogos de RPG mais avançados até hoje, embora com mais jogadores e mais aspectos. O modo como o ambiente é descrito mudou com as atualizações de tecnologia, assim como os comandos e como eles são inseridos. Entretanto, o ciclo básico do jogo permanece: apresentar um ambiente ao jogador, permitir que cada jogador emita comandos, atualizar o mundo do jogo, repetir.

Esses primeiros jogos de aventura introduziram a ideia de interpretar o papel de um personagem dentro de um mundo virtual, mesmo que o mundo fosse descrito apenas via texto e existisse em sua maior parte na mente do jogador. Os elementos básicos introduzidos por esses jogos fornecem não apenas os fundamentos dos MMORPGs de hoje, mas também o começo de uma estrutura para pensarmos sobre a realização da hipótese da simulação.

No que pode parecer uma estranha ironia, conforme seguimos pelo caminho até o ponto de simulação, a ideia de usar a imaginação da mente (em vez de uma tela externa) para visualizar um mundo de jogo retornará em alguns dos estágios mais avançados.

ESTÁGIO 1: PRIMEIROS JOGOS DE ARCADE E CONSOLE COM GRÁFICOS (DÉCADA DE 1970 ATÉ MEADOS DA DÉCADA DE 1980)

Embora tenhamos definido os primeiros jogos gráficos como o Estágio 1, pode surpreendê-lo saber que os primeiros videogames gráficos precederam o *Colossal Cave Adventure*. O primeiro jogo arcade de que a maioria das pessoas se lembra (e o primeiro a ser amplamente disponível) foi *Pong*, lançado pela Atari em 1972. Ele consistia de alguns pontinhos na tela de um monitor embutido num gabinete, como é mostrado na Figura 3. Na verdade, até antes do *Pong* veio o *Spacewar!*, um jogo gráfico construído no MIT no PDP-1. Por ter sido criado num computador central, não ficou amplamente disponível fora das universidades e não teve os controles que fizeram do *Pong* um sucesso.

Os primeiros jogos gráficos eram mais centrados em controlar o movimento e a ação na tela do que em explorar mundos internos, e assim, por si sós, talvez não pareçam ter contribuído muito para a nossa discussão sobre um mundo virtual totalmente renderizado. Sua contribuição mais significativa foi terem sido pioneiros no campo da computação gráfica; conforme o hardware se aprimorava, o mesmo acontecia com as técnicas de renderização e a qualidade dos gráficos. Programar esses jogos requeria programar pixels em vez de texto, o que requeria uma otimização, dados os recursos limitados dos computadores da época.

Figura 3: A introdução do *Pong* pela Atari, em 1972, inaugurou a era moderna dos videogames.[4]

Embora a maioria dos jogos atuais seja escrita em linguagens de programação de nível mais alto, como C# e Java, muito da programação daquela época era feito em linguagem Assembly, que é a linguagem nativa de qualquer processador. A linguagem Assembly consiste de códigos hexadecimais que variam por CPU (unidade central de processamento, ou processador central). Esses códigos dizem ao processador o que fazer fisicamente – por exemplo, inserir um valor num registro ou localização na memória.

Por esse motivo, código rodando na linguagem Assembly é muito rápido, portanto, era excelente para computação gráfica, que precisava atualizar pixels na tela quase instantaneamente a cada vez que o usuário fazia um movimento.

---

[4] https://commons.wikimedia.org/wiki/File:Atari_Pong_arcade_game_cabinet.jpg (Fonte: Rob Boudon).

A Hipótese da Simulação

Não obstante a linguagem Assembly ser muito mais eficiente do que linguagens de nível mais alto (e, na verdade, a maioria das linguagens de nível mais alto precisa ser compilada em linguagem Assembly para rodar em um computador específico), ela tem apenas um número limitado de comandos e consome tempo demais para escrever até programas simples nela. Quando fui programar pela primeira vez meu *Jogo da Velha* na linguagem de programação BASIC (uma das linguagens de nível alto mais fáceis para uma criança aprender), lembro ter visto trechos de códigos gráficos escritos na linguagem Assembly na revista *Byte*. Recordo-me de ficar horrorizado com as fileiras de números hexadecimais e me perguntar quanto tempo levaria para escrever até um jogo simples numa linguagem de nível tão baixo!

Entretanto, os pioneiros do videogame daquela época persistiram, espremendo cada bit de performance do hardware e da memória limitados de então para criar os primeiros jogos arcade. Uma história muito conhecida do Vale do Silício daquele tempo envolve os futuros cofundadores da Apple Computer, Steve Jobs e Steve Wozniak. Jobs trabalhava para Nolan Bushnell, fundador da Atari, e prometeu ao chefe que ele poderia construir certo jogo rapidamente e usando recursos limitados de memória. Bushnell estava cético, mas lhe deu o projeto. À noite, Jobs trouxe seu amigo Steve Wozniak, que criou o jogo no horário após seu emprego de tempo integral como engenheiro. Wozniak, é claro, que depois criaria os primeiros computadores Apple, é reconhecido hoje como um gênio do hardware.

Em alguns sentidos, a história dos videogames é a história de otimizar recursos muitos limitados. Sem essas técnicas de otimização, toda a área da computação gráfica (e, portanto, videogames e mídia digital) não seria possível, nem teríamos chegado tão longe na estrada para o ponto de simulação.

Pode-se então ver uma linha direta do *Pong* até jogos mais sofisticados de arcade, como *Pac-Man* e *Space Invaders,* desenvolvidos por empresas japonesas no que alguns se referem como a era de ouro dos videogames japoneses.

A maioria de nós, contudo, provou desses videogames pela primeira vez com a introdução do sistema VCS 2600, da Atari, que não apenas tinha uma versão gráfica de *Adventure*, como ainda tinha *Space Invaders* (Figura 4) e *Pac-Man*. Também havia os primeiros jogos de corrida, como *Pole Position* (Figura 5), que foi o jogo que levantou dúvidas na minha mente adolescente sobre o mundo "lá dentro", para além da pista de corrida.

Os gráficos de jogos em estilo arcade no Estágio 1 se caracterizavam por muitos elementos importantes que permaneceriam, alimentando estágios mais adiantados no caminho para o ponto da simulação:

- *Mecânica de arcade*. Esses jogos focavam mais na coordenação entre olhos e mãos do que na solução de quebra-cabeças. Geralmente, o jogador tinha que atirar em inimigos na tela ou evitá-los, enquanto navegava por entre obstáculos visuais.

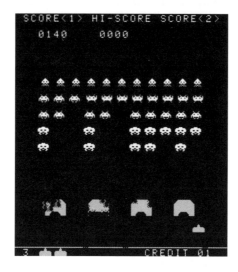

Figura 4: *Space Invaders* foi um exemplo de um jogo arcade single-player com vários níveis.

A Hipótese da Simulação

Figura 5: Um dos primeiros jogos de corrida, *Pole Position* sugeria um "mundo gráfico", mas você só podia seguir na pista.

- *Controle de movimentos em tempo real.* Joystick ou trackball eram usados para controlar o movimento do personagem na tela em *tempo real*. Com o tempo, os jogadores desenvolviam habilidade ao jogar repetidamente até conquistar cada nível do jogo. Esse desenvolvimento de feedback em tempo real é muito importante, porque permitia uma sensação de imersão mesmo que você estivesse jogando de pé num fliperama no meio de uma pizzaria ou de um salão de jogos.
- *Um mundo de jogo baseado em níveis e limitado.* Esses jogos tinham "mundos de jogo", mas esses eram bem limitados. Tipicamente, eram mundos que podiam ser vistos plenamente na tela, ou rolando à esquerda ou à direita. Usualmente, essa configuração de mundo mudava quando o jogador chegava ao nível seguinte. Assim que o jogador superava um nível, o próximo apresentaria mais oponentes e obstáculos.
- *Múltiplas vidas.* Jogadores tipicamente tinham um número fixo de vidas por ficha ou moeda, e, quando você "morria" aquela

quantidade de vezes, precisava recomeçar o jogo do nível 1. Mesmo as versões caseiras desses jogos arcade mantiveram um número fixo de vidas (embora, é claro, você não precisasse colocar mais fichas para jogar de novo – era só reiniciar o jogo).

- *Sistemas de física.* Embora o termo tenha sido cunhado posteriormente, esses jogos se tornaram os primeiros a ter *sistemas de física* bem definidos. Isso quer dizer que eles obedeciam a alguma versão (reduzida) das leis clássicas da mecânica de Newton. Em *Asteroids,* por exemplo, sua nave tinha impulso, e ela manteria aquele impulso ao reduzir a velocidade ou fazer uma curva. Um sistema de física apenas descreve qualquer conjunto de regras que os objetos gráficos na tela – como espaçonaves, carros de corrida, objetos voadores ou armas e munição – tinham que seguir. Em *Space Invaders,* você só podia se movimentar à esquerda e à direita numa velocidade constante e atirar para cima nos alienígenas. Em *Joust* você montava uma avestruz voadora que só podia pousar em certas partes da tela. A habilidade ao jogar era muito mais uma questão de entender o sistema de física em que o jogo se baseava e aprimorar seus reflexos para reagir de acordo com essas regras.
- *Indícios de um mundo expandido.* Ao contrário das aventuras de texto, que permitiam explorar um mundo de jogo vasto, o mundo de jogo além da "pista" (fosse ela uma pista literal, de corrida, ou qualquer área da tela que você pudesse habitar) era geralmente apenas sugerido, não mostrado, nesses primeiros jogos. Esse foi o começo de uma geometria do mundo virtual. Alguns jogos tinham uma geometria wrap-around; em *Asteroids,* por exemplo, quando a nave ia além do topo da tela, ela reaparecia na base, dando a ilusão de um mundo esférico.

A combinação de computação gráfica usando pixels, controle em tempo real e o desenvolvimento da mecânica de videogame foi um divisor de águas na história da computação. Atualmente, boa parte do software e do hardware em uso deve muito aos pioneiros que construíram aqueles primeiros jogos arcade com recursos limitados.

Simulações por computador, que anteriormente eram apenas código rodando em computadores centrais, podiam agora ser visualizadas e rodar em telas controladas por um joystick ou um teclado. E mais, esses jogos arcade introduziram o termo *videogame*, por causa do modo como desenhavam gráficos em uma tela de vídeo. Assim nasceu outro tipo de entretenimento, tão importante quanto a introdução de filmes ou da televisão no século 20. Essa nova forma de entretenimento acabaria sendo desfrutada por milhões de jogadores – e o mundo foi transformado para sempre. Hoje a indústria do videogame é tão grande quanto a indústria de entretenimento tradicional.

Falando na indústria do entretenimento, também foi nessa era inicial dos videogames em estilo arcade que se começou a ver um cruzamento com outras formas de mídia. Isso incluiu os jogos baseados nos filmes *Indiana Jones e os Caçadores da Arca Perdida* e *ET – O Extraterrestre*. No jogo do *Indiana Jones,* o jogador via uma paisagem de platôs que precisavam ser explorados para encontrar o tesouro. Essa ideia de uma paisagem gráfica que precisava ser "explorada" fez desses jogos interseccionais um meio de caminho entre os jogos arcade e os RPGs gráficos, que exploraremos no estágio seguinte. Aliás, alguns responsabilizam o jogo da Atari baseado no filme *ET*, cuja recepção foi ruim, não apenas pela ruína da Atari, mas também pelo fim dessa fase da indústria do videogame.

ESTÁGIO 2: JOGOS DE AVENTURA/RPG GRÁFICOS (DÉCADAS DE 1980-1990)

Quando entrei no ensino médio perto de Detroit, Michigan, comecei a fazer programações mais complicadas no computador, e a fase de jogos arcade da década de 1980 (junto com o Atari) tinha perdido o gás. Foi nessa época que uma montadora automobilística japonesa, a Mazda, abriu uma fábrica em Flat Rock, Michigan, na mesma rua da minha escola. Todo ano eles pagavam para mandar sete alunos do ensino médio de Michigan até o Japão durante o verão, e fui escolhido para uma das primeiras viagens.

Quando fui ao Japão no verão de 1987, vi algo na sala de estar dos adolescentes japoneses que pressagiou a fase seguinte da indústria do videogame: um console de videogame que usava botões nos controles em vez de joysticks, produzido por uma empresa chamada Nintendo. Poucos anos depois, quando eu havia entrado no MIT e estava aprendendo tudo sobre programação de computadores, meu irmão mais novo e outros de sua geração rasgavam elogios a essa fase seguinte dos videogames, marcada pela entrada de consoles como o NES (Nintendo Entertainment System) e o Sega Genesis no mercado norte-americano. Ambos eram sistemas de 16 bits capazes de renderizar gráficos muito melhores do que os sistemas de 8 bits que tínhamos na época dos Atari.

No final da década de 1980, graças à proliferação de computadores pessoais e esses novos sistemas de jogo por console, foi lançada uma nova geração de jogos cujos design de jogo, estrutura e filosofia eram diferentes daqueles dos jogos arcade mais simples.

Essas aventuras gráficas, ou jogos de simulação (RPGs), incluíam *The Legend of Zelda, King's Quest* e *Ultima,* entre muitos outros. Eles combinavam as capacidades gráficas dos jogos arcade com os mundos expandidos das aventuras de texto, permitindo que os jogadores visualizassem, usando pixels, o "mundo do jogo" que estavam explorando.

A Hipótese da Simulação

Com frequência (embora nem sempre) eles eram ambientados numa Europa medieval de fantasia (lembrando *Dungeons & Dragons*) e forneciam as histórias do reino ou mundo em questão e seus personagens. O enredo desses mundos não ficava limitado a uma única sessão ou partida, mas evoluía ao longo de múltiplos lançamentos de jogos, por vários anos, dando a esses mundos de jogos fictícios um nível de realidade anteriormente reservado a mundos de fantasia como a Terra-Média ou Nárnia.

Nesses jogos, você interpretava um personagem renderizado graficamente (um exemplo disso é mostrado na Figura 6). Seu personagem podia viajar a locais nesse mundo que já não precisava ser visualizado na imaginação do jogador. Entretanto, você, como jogador, talvez ainda precisasse desenhar seu próprio mapa do mundo completo, já que seu personagem só podia ver uma parte do mundo de cada vez.

Personagens não jogáveis, que podiam ser oponentes ou ajudantes, também foram visualizados pela primeira vez, embora do mesmo jeito simples e limitado que o seu personagem principal. Os jogadores podiam interagir e lutar com esses personagens usando armas e outros objetos que apanhavam durante o jogo, podendo até manter um inventário dos objetos em sua posse, criando um estado de jogador mais sofisticado.

Ao contrário dos jogos arcade, esses RPGs gráficos tinham histórias e uma ou mais missões que seu personagem precisava completar. Por exemplo, quando jogava o personagem principal Link, em *Zelda*, você tinha que resgatar a princesa Zelda e o reino. No primeiro *King's Quest*, que teve muitas sequências, você jogava como Sir Graham, um cavaleiro do reino de Daventry que precisava encontrar três tesouros lendários. Se fosse bem-sucedido, seu personagem se tornaria o rei de Daventry!

RPGs gráficos fizeram melhorias consideráveis em alguns desdobramentos cruciais introduzidos originalmente em jogos de aventura de texto e se tornaram essenciais nos mundos de jogos 3D totalmente imersivos que viriam depois (alguns dos quais eram sequências desses jogos originais). Os elementos fundamentais introduzidos pelos RPGs gráficos incluíam:

Figura 6: Um exemplo de um dos primeiros RPGs gráficos, *King's Quest*.

- *Um mundo grande e renderizado graficamente*. Esses jogos introduziram um mundo extenso, indo além do que se podia ver em uma única tela. O mundo tinha uma representação gráfica, ou um "mundo renderizado", povoado por personagens gráficos e objetos gráficos que podiam ajudar ou atrapalhar sua missão.
- *Representação gráfica do estado do jogador no jogo*. Uma representação do estado do jogador no jogo incluía a aparência e o sentimento do jogador (que podia evoluir) e a habilidade de ter diversos figurinos, armas e outros objetos, todos renderizados na tela. Esses objetos ficavam armazenados "fora da tela" num local mágico chamado *inventário* e podiam ser depositados ou retirados do mundo renderizado.

- *Um estado do mundo do jogo.* Esses jogos apresentaram a ideia de um estado de jogo que incluía não apenas o estado do seu personagem, mas também um estado do mundo em si, que podia mudar com base nas suas ações. A habilidade de "salvar" e "retomar" o estado do jogo pode parecer simples pelos padrões atuais, mas, na verdade, pavimentou o caminho para MMORPGs mais complexos e para a hipótese da simulação. Ela significou que precisava existir um modo conciso de capturar o estado do jogador e do mundo inteiro como *informação*. Isso terá implicações muito importantes quando explorarmos um mundo de jogo compartilhado persistente, que continua ali depois que qualquer jogador tenha parado de jogar.
- *Personagens não jogáveis gráficos (NPCs).* Embora as aventuras de texto tenham personagens virtuais com quem você podia ter interações limitadas, e os jogos arcade tivessem oponentes gráficos, os RPGs gráficos fundiram os dois naquilo que hoje pensamos como NPCs. O mundo do jogo era habitado por esses personagens renderizados, que eram controlados por computador e desenhados com o mesmo nível de fidelidade que o seu personagem.
- *Missões e enredo.* Esses jogos introduziram a ideia de um enredo em evolução e uma ou mais missões que se desenvolviam ao longo de vários lançamentos, uma característica comum nos videogames de hoje. Em algum ponto, as missões ficaram conhecidas como um número de realizações menores, específicas, no mundo do jogo, as quais o jogador precisava cumprir para subir de nível.

O desenvolvimento dos RPGs gráficos e dos enredos que existiam nesses jogos foi um passo crucial no caminho para o ponto da simulação.

O fato de que esses mundos tinham histórias (que às vezes se estendiam ao longo de continuações, como *King Quest I-VI* e *Ultima I-III*) e que toda a história era renderizada usando pixels foi relevante. Alguns desses jogos passaram a ter versões multiplayer *(Ultima Online)* e alguns continuam a evoluir até hoje, como os últimos lançamentos nas franquias de jogos *Zelda* ou *Final Fantasy*.

As técnicas usadas para representar graficamente um mundo de jogo grande e renderizar apenas uma porção do mundo do jogo de cada vez – a parte que o personagem do jogador está observando – tem um impacto significativo na hipótese da simulação. De fato, conforme exploramos a física quântica na Parte II, veremos que existe um paralelo direto com a renderização condicional dos videogames.

Tão importante quanto isso tudo, a ideia de que o estado do mundo inteiro (e o estado de jogo do jogador) podia ser encapsulado como informação, que então precisava ser renderizada na tela, é uma ideia central no desenvolvimento da hipótese da simulação. Nesse estágio, começamos a ver a emergência de um *mundo renderizado*.

ESTÁGIO 3: MMORPGs E MUNDOS VIRTUAIS RENDERIZADOS EM 3D (DA DÉCADA DE 1990 ATÉ HOJE)

Conforme as técnicas de renderização e resolução para a computação gráfica melhoravam, nos anos 1990 e 2000, os desenvolvedores dos grandes jogos começaram a criar mundos mais realistas, aproveitando os conceitos iniciais dos RPGs gráficos.

Latente nesse avanço rápido em personagens e fidelidade estava o desenvolvimento do ponto de vista (perspectiva) em primeira pessoa e das técnicas de modelagem tridimensional (3D). Até então, tanto personagens quanto mundo eram apresentados num formato 2D simples.

A Hipótese da Simulação

Para dar uma aparência de que o mundo era mais realista, designers de jogos usavam modelos e mapas em 3D para criar layouts de seus mundos e colocavam o personagem do jogador em algum ponto desse mundo-modelo. O jogador enxergava apenas a parte do mundo que ficava visível do ponto em que o personagem se encontrava.

Renderizar o mundo a partir dessa perspectiva 3D em primeira pessoa era muito difícil de fazer no começo, já que o número necessário de pixels ia muito além do que um mundo 2D simples exigia, e os processadores da época não eram otimizados para renderização gráfica. Cada objeto no mundo, cada edifício, e certamente cada personagem, podiam requerer mais pixels do que podem ter sido usados para uma tela toda nos primeiros jogos gráficos de aventura em 2D!

Assim como antes, programadores tiveram que criar técnicas de otimização para renderizar apenas a parte do mundo que seu personagem podia ver. Se o jogador se virasse à esquerda ou à direita, essa perspectiva precisaria mudar instantaneamente, uma tarefa que parecia intransponível na época. *Doom*, o jogo de tiro em primeira pessoa da id Software mostrado na Figura 7, foi um marco nesse aspecto.

Figura 7: *Doom* trouxe muitas técnicas de renderização 3D.

68

O sucesso de *Doom* mostrou que podíamos representar mundos físicos em 3D com modelos e renderizá-los usando pixels em tempo real na máquina cliente. Esse foi um desdobramento importante na computação gráfica, causando impacto não apenas nos videogames, mas também nos efeitos especiais cinematográficos e no design e engenharia auxiliados por computador. Embora *Doom* não fosse um jogo de RPG em si, foi um dos primeiros jogos multiplayer realmente populares em que dois jogadores podiam disparar um contra o outro, ao que nos referimos como "modo mata-mata". Isso permitiu aos jogadores que competissem um com o outro pela internet, que estava nesse ponto saindo dos campi universitários para entrar no mundo de modo geral. De fato, quando *Doom* saiu, começou a ocupar a banda das redes de campi universitários por todo o país, já que os alunos batalhavam um contra o outro sem cessar.

Doom foi importante na estrada para o ponto de simulação não tanto pelo jogo em si, mas por causa de suas técnicas de renderização e pelo modo multiplayer. Essas duas inovações na verdade fizeram dele algo mais próximo de um MMORPG do que de um simples jogo de tiro. Jogos de simulação começaram a usar técnicas 3D similares para se tornar mais imersivos. Enquanto *Doom* tratava de atirar em monstros, muitos outros jogos foram lançados permitindo que você vagasse pelo mundo virtual, combatesse monstros com espadas e interagisse com outros personagens em 3D.

Essa transição de pixels simples para representar personagens para uma perspectiva 3D correspondeu à ascensão da internet e da rede mundial de computadores nos anos 1990, mudando para sempre como jogos seriam jogados. Enquanto, nos primeiros dias dos videogames, havia salas de bate-papo compartilhadas e multi-user dungeons (ou MUDs) usando serviços discados, como a CompuServe, para falar sobre esses jogos, a integração da população usuária de videogames à internet tornou as partidas multiplayer possíveis. Isso acabou levando à onda dos MMORPGs – jogos multiplayer de simulação massiva online –, com o lançamento de *Ultima Online, Ever Quest* e o maior e mais popular jogo dessa era de games, *World of Warcraft.*

Nesses jogos você escolhe um personagem para interpretar – não muito diferente do *Dungeons & Dragons* original. Avatares, o termo usado para a representação de um personagem na tela (cunhado pelos criadores de *Habitat,* um dos primeiros mundos virtuais compartilhados, criado pela Lucasfilm Games), podiam ser customizados para se adequar à raça do personagem (humano, elfo, anão, gnomo) e sua profissão (ladino, bárbaro, guerreiro, feiticeiro, etc.). Mais importante, o jogador podia customizar a aparência do avatar: cor da pele, gênero e trajes. Conforme jogadores interagiam e batalhavam uns com os outros, essas interações afetavam os estados de jogo dos dois jogadores à medida que os personagens evoluíam. Esse novo conceito introduziu a ideia de um "mundo persistente", um que existia para além de uma única partida ou mesmo além do computador de um único jogador.

A ideia de um mundo persistente além de qualquer partida em particular realmente se concretizou com a introdução do jogo *Second Life,* da Linden Lab, em 2003, e representou um grande marco na estrada para o ponto de simulação. Em *Second Life,* o mundo 3D existia quase como uma página em branco. Jogar significava não apenas criar um avatar para representar seu personagem, mas também criar partes do mundo.

Qual era o propósito do seu personagem em *Second Life*? Essa é uma boa pergunta, embora você pudesse muito bem perguntar qual é o propósito do seu "personagem" na vida real.

Figura 8: Em *Second Life* e *World of Warcraft*, avatares se tornaram mais realistas e andaram livremente em um mundo persistente.

O propósito em *Second Life* era interagir com outras pessoas do mundo todo; além disso, ficava por sua conta o que você fazia no mundo 3D. Você podia levar uma vida virtual completa em *Second Life*. Seu avatar podia socializar – você podia ir a danceterias, construir uma casa com outro personagem, resolver se casar, ou disparar flechas um no outro. Você podia até ter um emprego no jogo, e receber em "Lindens", a moeda usada dentro do mundo virtual (o que nos apresentou a um novo conceito – moedas virtuais e economias virtuais). A Linden Lab foi uma das primeiras empresas de videogame a contratar economistas virtuais para mensurar e monitorar sua economia virtual.

E o mais importante, o mundo era "persistente". Como você podia ser "dono" de um terreno, podia também, por exemplo, construir uma casa no terreno segundo as suas especificações – fosse uma casa pós-moderna e artística, fosse uma mansão vitoriana –, e as estruturas e objetos ainda estariam lá quando você ou outros fossem até aquela localização virtual. O mundo virtual de *Second Life* estava começando a parecer um mundo real, mas alternativo, em muitos sentidos.

A Hipótese da Simulação

Poucos anos depois, a ideia de um mundo virtual quase infinito, com residentes e lugares ou planetas quase infinitos, foi inaugurada por um jogo chamado *No Man's Sky*. Lançado em 2016 pela Hello Games, esse videogame singular chamou a atenção de gamers no mundo inteiro. Um dos motivos para ele ter gerado tanto burburinho foi ter aquele que foi considerado o maior universo dentro de um videogame.

Qual o tamanho do universo em *No Man's Sky*? Supostamente ele continha 18 quintilhões de planetas! Cada um desses planetas tinha seu próprio ecossistema único, incluindo fauna, flora e paisagens, o que significava que o número de seres vivos únicos (no mínimo, plantas) também era incrivelmente grande. Você podia caminhar (ou usar o jetpack para voar) por algum planeta e encontrar muita coisa exclusiva daquele planeta para explorar.

Apesar de o videogame em si ter sido uma decepção para muitos gamers (muitos acharam o jogo entediante – talvez muito semelhante à vida real!), ele teve impacto no tamanho dos universos que podiam ser criados dentro dos jogos. Antes de *No Man's Sky*, parecia impossível um único grupo de desenvolvedores fazer o design de 18 quintilhões (ou até de 100 milhões) de mundos distintos.

Isso ocorreu porque *No Man's Sky* usou geração processual – uma técnica que utiliza algoritmos para gerar dados (em vez de gerá-los manualmente) a respeito de cada planeta e seus habitantes. Se você estivesse dentro do universo de *No Man's Sky*, o fato de que havia exatamente 18 quintilhões de planetas poderia lhe dar uma pista de que você se encontrava numa realidade gerada por computador. Por quê? Esse é o maior número que pode ser representado com exatamente 64 bits. Os jogos de hoje evoluíram dos jogos de 8 bits, como aqueles jogados no console Atari original, para os gráficos de 16 bits feitos para os consoles do final dos anos 1980, até os mundos realistas em 64 bits.

O *No Man's Sky* foi um dos pioneiros no uso da geometria e de algoritmos fractais para criar flora, fauna e paisagens mais realistas dentro dos planetas do jogo. A descoberta de algoritmos fractais, dos quais falaremos mais em capítulos futuros, veio da compreensão de que é difícil reproduzir estruturas naturais usando a velha geometria euclidiana. Técnicas fractais possibilitam desenhar uma orla marítima mais semelhante a uma orla marítima natural. De fato, a Figura 9 e a Figura 10 mostram as linhas costeiras de duas ilhas, uma natural e uma gerada usando algoritmos fractais – é muito difícil perceber a diferença!

A QUE PONTO DA ESTRADA CHEGAMOS

MMORPGs e mundos virtuais, embora ainda renderizados em 2D nas telas de computadores, foram um marco no desenvolvimento na estrada para o ponto de simulação. Alguns dos desdobramentos cruciais nesse estágio até o momento incluíram:

- **Um mundo grande, renderizado graficamente em 3D para explorar.** Existem mais coisas no mundo do jogo do que um único jogador consegue enxergar em qualquer momento específico. Isso começou ao se mostrar um único nível/tela nos jogos arcade, passou para mundos expandidos em jogos, até chegar a jogos 3D, nos quais apenas uma única perspectiva de uma única cena é renderizada em dado momento. O uso de modelos 3D e técnicas de renderização fez com que esses mundos passassem a impressão de uma imersão maior do que a dos jogos antigos em 2D.

A Hipótese da Simulação

Figura 9: Uma paisagem gerada por meio de fractais[5] e outra natural.[6]

Figura 10: Uma paisagem gerada por meio de fractais e outra natural.

---

5. https://commons.wikimedia.org/wiki/File:Mandelbrot_island.jpg (Fonte: Alexis Monnerot-Dumaine).

6. https://commons.wikimedia.org/wiki/File:Sark-aerial.jpg (Fonte: Phillip Capper, Sark, Channel Islands, 17 de setembro de 2005).

- **Avatares em 3D.** A representação gráfica de personagens passou de nenhuma (nas aventuras de texto) para pontinhos (no *Adventure* do Atari), depois para imagens móveis em 2D (em *King's Quest* e *Legend of Zelda*), até chegar a modelos 3D totalmente customizáveis de personagens de diferentes gêneros, formatos e tons, completados com roupas e armas.

- **Armazenagem do estado do jogador fora do mundo renderizado.** Conforme os jogos evoluíam, eles precisaram de um lugar onde armazenar informações sobre o jogador (personagens, experiência, níveis, etc.) que talvez não fossem renderizadas no mundo 3D. Isso começou na memória, depois em disco, e acabou sendo carregado para um servidor na nuvem. Onde fica esse servidor na nuvem? Ele existe fora do mundo renderizado, um conceito que também se tornará importante em nossa jornada para o ponto de simulação.

- **Estado de mundo persistente.** Isso é definido como um mundo persistente que muda baseado no que os jogadores fazem. Essa é a informação armazenada no "servidor"; pode haver múltiplas versões do mundo hospedadas em diferentes servidores, cada uma com seus estados diferentes. É isso que cria a persistência dos objetos em mundos virtuais como *Second Life* (e, mais recentemente, *Minecraft*) mesmo depois que jogadores individuais se desconectaram. É claro, essa persistência é uma ilusão; ela dura apenas o tempo que a informação sobre o mundo do jogo no servidor estiver salva e não mudar.

- **Múltiplos jogadores online.** Um MMORPG tem jogadores simultâneos que podem jogar uns com os outros conectando-se no mesmo "mundo persistente". Esses jogadores poderiam se conectar de qualquer lugar no mundo. Os MMORPGs de hoje têm milhões de jogadores.

A Hipótese da Simulação

- **Conteúdo gerado pelos usuários.** Em *Second Life* e muitos MMORPGs, você pode "deixar" objetos ou construir estruturas que se tornam parte do mundo persistente. Isso não é muito diferente do mundo real. Se eu largar uma bicicleta num parque perto da minha casa, aquela bicicleta estará lá para outros "jogadores" pegarem.

- **NPCs em 3D.** Os primeiros estágios dos jogos também tinham personagens jogadores e não jogáveis. Conforme os jogos foram se sofisticando, o mesmo ocorreu com os NPCs, que agora são renderizados como personagens 3D. Em capítulos posteriores, exploraremos como a IA pode criar NPCs muito mais sofisticados – ou personagens simulados que podem se tornar indistinguíveis dos personagens jogáveis (PCs).

- **Missões individuais.** Enquanto os RPGs gráficos single-player tinham uma única missão e enredo, os MMORPGs deram abertura para múltiplos enredos e missões, tudo interagindo em um enredo abrangendo o mundo todo. Em *World of Warcraft* e *EVE Online* (um MMORPG de temática espacial), havia blogs online acompanhando os enredos em andamento "no mundo". Nesses jogos, cada jogador tinha múltiplas missões e realizações que podia escolher para sua aventura seguinte. A conclusão dessas missões e realizações então impulsionava os personagens a seguir adiante e fazer coisas dentro do mundo do jogo, o que mantinha o gameplay interessante.

- **Um sistema de física X um mecanismo de renderização.** Com o advento dos MMORPGs, as ideias de um mecanismo de renderização e de um sistema de física entraram plenamente em ação. Há muitas técnicas de renderização que foram desenvolvidas após o lançamento de *Doom,* otimizando a renderização com base na localização do jogador no mundo e em seu ponto de vista. O sistema de física ficou responsável por descobrir onde os objetos deveriam acabar na tela; o mecanismo de renderização era usado para de fato criar os pixels (baseado na roupa e na textura do objeto) que permitiriam ao jogador ver a cena em seu computador.

- **Mundo gerado processualmente.** Apesar de o tamanho do mundo renderizado ser particularmente finito nos primeiros jogos, mais recentemente a habilidade de gerar conteúdo processualmente contornou essa limitação para produzir flora, fauna e paisagens realistas usando geometria e algoritmos fractais, como vimos com *No Man's Sky*.

Pode-se ver por essa lista que, embora tenhamos apenas começado nossa jornada pela estrada até o ponto de simulação, muitos dos elementos técnicos e conceitos que seriam necessários para criar um mundo virtual simulado já estão prontos. Primordial é a habilidade de armazenar e acompanhar o estado de um grande número de personagens simultâneos (sejam eles PCs ou NPCs) e o estado do mundo do jogo compartilhado e persistente como *informações*. A informação, que é a base de tudo o que acontece no mundo virtual, é armazenada em algum lugar fora do mundo renderizado – em servidores na nuvem que são invisíveis àqueles dentro do mundo e renderizados conforme a necessidade.

Embora os desdobramentos essenciais desses quatro estágios sejam marcos críticos no caminho para o ponto de simulação, ainda não estamos lá. Para que o mundo ao nosso redor seja, como Einstein diz, "uma ilusão bastante persistente", os jogadores devem *acreditar* que o mundo ao redor deles não é um jogo, não é uma simulação, mas sim real!

Os jogos de hoje ainda não são capazes de suportar bilhões de agentes de consciência individuais, nem estão no nível de imersão em

A Hipótese da Simulação

que qualquer um confundiria o mundo do jogo com o mundo real. Esse processo começa com uma simples questão de acrescentar potência aos computadores e aprimorar a otimização de tráfego na rede.

Nos próximos capítulos, viajaremos mais além nessa estrada e especularemos sobre os desenvolvimentos futuros na tecnologia dos videogames e da realidade virtual que poderiam nos levar até lá.

Capítulo 2

Estágios 4 a 8: da realidade virtual às interfaces mentais

Enquanto os primeiros estágios de desenvolvimento no caminho para o ponto de simulação descrevem a progressão histórica dos videogames, este capítulo começará com as tecnologias que ainda estão sendo criadas e aprimoradas hoje. Passaremos então para o reino da especulação e falaremos sobre invenções e tecnologias que podem parecer se encaixar melhor num livro de Philip K. Dick ou num episódio de *Jornada nas Estrelas* do que nas áreas bem definidas dos videogames.

Os estágios do último capítulo lançaram os alicerces para um mundo virtual online compartilhado e persistente com milhões de jogadores, as representações de jogadores e personagens como *informação* renderizada em pixels num mundo de jogo em 3D. A Grande Simulação, nossa versão da *Matrix,* pode ser pensada como uma encarnação mais sofisticada dos MMORPGs que já existem hoje, com melhores métodos com base nas saídas, melhores métodos com base nas entradas, melhores NPCs e a tecnologia de imersão total.

A Hipótese da Simulação

Neste capítulo, vamos extrapolar para a frente sobre algumas dimensões: a fidelidade dos jogos de hoje (o quanto eles parecem realistas), o método de projeção (de telas 2D para a realidade virtual, para a realidade aumentada, para a transmissão direta à mente) e os métodos de controle dos jogos (indo de teclados e controles para interfaces por voz, cinestésicas e até mentais). Ao fazer isso, examinaremos tendências históricas, não apenas na ciência da computação, mas também nas interfaces seres humanos-máquinas e na neurociência, que tornarão essas tecnologias possíveis.

Quando tivermos viajado por esses avanços em tecnologias de interface, os últimos dois capítulos dessa parte mergulharão nos estágios finais do desenvolvimento de tecnologia – a inteligência artificial, que é parte importante da hipótese da simulação, e a consciência transferível, assunto controverso que vai ao cerne do que uma simulação poderia ser. Isso culminará na obtenção do ponto de simulação, onde colocaremos esses desenvolvimentos técnicos juntos na capacidade de construir a Grande Simulação.

Embora não saibamos exatamente quando cada um dos estágios deste capítulo estará plenamente realizado, podemos arriscar um palpite de que será daqui a poucas décadas ou, no máximo, daqui a um século. Se pensarmos que podemos alcançar o ponto de simulação nesse prazo, então é bem possível que civilizações mais avançadas, que já existam há milhares ou milhões de anos antes da nossa, *já tenham chegado* a esse ponto. Exploraremos essa ideia no capítulo final desta parte do livro.

ESTÁGIO 4: IMERSÃO USANDO REALIDADE VIRTUAL

Embora os MMORPGs no Estágio 3 fossem mais imersivos do que os jogos anteriores, eles ainda consistiam em um jogador sentado na frente de uma tela 2D. Apesar de os mundos e personagens virarem modelos em 3D, não há como contornar o fato de que a imersão nesses jogos ainda está longe de ser uma simulação abrangente.

Até o momento, a tecnologia de ponta em imersão é a realidade virtual (VR). Hoje isso é feito usando capacetes ou óculos VR. O jogador coloca os óculos, que têm duas telinhas, uma para cada olho. As imagens nas duas telas são deslocadas uma da outra baseando-se no tamanho dos óculos. Isso gera um efeito de imersão, porque o usuário olha ao redor e a única coisa que consegue ver é o mundo virtual em 3D.

Na introdução, contei da minha experiência de "conversão" com a VR, que ocorreu enquanto eu jogava uma partida de pingue-pongue em VR. Eu estava de pé numa sala que tinha sido isolada para a experiência em VR (o que se chama de "VR em escala de sala") e tinha os controles do jogo nas mãos. Usando o capacete HTC Vive VR, no meu campo de visão eu tinha a mesa e um oponente, e, olhando para minhas mãos, eu via a raquete. Quando eu mexia o controle, a raquete se movia em perfeita harmonia com os movimentos da minha mão. Depois de alguns minutos dessa fusão em tempo real dos meus movimentos com o mundo virtual, minha mente estava convencida de que eu estava jogando uma partida real de pingue-pongue! A Figura 11 mostra como era a aparência desse jogo em VR.

A Hipótese da Simulação

Figura 11: Exemplo de um jogo imersivo de pingue-pongue, da Virtual Sports, criado pela HTC e a Free Range Games.

Na verdade, essa foi uma das minhas primeiras experiências de conversão com VR. Em 2016 testei um protótipo de um jogo em VR chamado *Dragonflight*, criado pela Blackthorn, uma desenvolvedora em Santa Mônica. Nesse jogo eu me sentava nas costas de um dragão, voando por uma versão fantástica de uma paisagem semelhante ao Grand Canyon, completada com ruínas de castelos medievais, etc. Essa experiência foi tão realista que me senti mesmo como se estivesse voando (e ficando enjoado) e precisei aterrissar meu dragão. De maneira similar, em outra experiência em VR com essa empresa, eu estava de pé dentro de um complexo de cavernas, perto da borda de uma grande ravina. Após alguns minutos, fiquei com medo de dar um passo à direita, porque podia cair na ravina! O nível de realismo oferecido por essas experiências VR tornou difícil convencer minha mente de que a mesa de pingue-pongue, o dragão e a ravina não estavam ali de verdade, e que eu estava numa sala, usando um capacete de VR.

Nos próximos anos, espero que a fusão entre VR e MMORPGs vá criar mundos virtuais que sejam persistentes e totalmente imersivos, como o OASIS fictício do livro *Jogador Número Um*, de Ernest Cline, lançado em 2011 e transformado em filme de sucesso por Steven Spielberg em 2018.

Em *Jogador Número Um*, o mundo em VR, o OASIS, assumiu como principal escape da realidade física para quase todos. As crianças vão para a escola na realidade virtual, as pessoas trabalham na realidade virtual, têm relacionamentos, mudam a aparência de seus avatares e jogam todo tipo de jogo. A conta de um jogador é persistente, assim como o mundo virtual em si, que consiste num número não identificado de planetas, cada um com características diferentes, visual e sensação próprios, suas próprias leis de física, etc.

De fato, o OASIS fictício cumpre plenamente a promessa de mundos virtuais iniciais, como o *Second Life*. Para conseguir a imersão plena, os jogadores no OASIS fazem mais do que simplesmente colocar um par de óculos. Eles têm trajes táteis que fornecem feedback cinestésico e usam esteiras para duplicar a experiência de correr no mundo virtual. De várias formas, considerando-se as condições gerais do "mundo real" no livro de Cline, muitos dos residentes *preferem* a vida no OASIS. Em *Jogador Número Um*, a empresa que criou o OASIS, a Gregarious Games, se torna a empresa mais valiosa do mundo.

Construir um mundo virtual como o OASIS seria a culminação desse estágio de desenvolvimento na estrada para o ponto de simulação. Antes de olharmos para os componentes necessários para ir da VR de hoje para esse nível, vamos examinar a história e a tecnologia da realidade virtual, cujas origens jazem em tecnologias anteriores, como os filmes em 3D.

A história dos óculos 3D

Por muitas décadas, existiu tecnologia 3D relativamente primitiva, baseada nos mesmos princípios subjacentes aos da VR. Na década de 1950, os filmes em 3D apareceram nos cinemas por todos os EUA, o

A Hipótese da Simulação

que requeria usar óculos 3D de papelão com lentes de plástico colorido em vermelho e azul. A televisão também experimentou com essa ideia. Lembro-me de crescer nos anos 1980; quando um programa seria exibido em 3D, tínhamos que pegar os óculos de papelão junto com o *Guia de TV* ou em outros lugares.

Mesmo na época vitoriana, havia dispositivos que davam a ilusão de 3D. Esses dispositivos tinham duas imagens, uma opondo-se à outra na distância exata para ser colocada diante dos nossos olhos.

Isso imita o que acontece de fato quando olhamos para o mundo físico ao nosso redor. O termo técnico para isso é *estereoscopia*. A presença de duas imagens – uma para cada olho – é como nós percebemos profundidade. A mente junta as duas imagens numa única perspectiva tridimensional.

Essa ilusão de três dimensões, que pode parecer um tanto falsa a princípio, é, na verdade, apenas uma de várias ilusões em ação quando assistimos a um filme em 3D:

1. **A ilusão de movimento.** Como sabe qualquer um que já tenha olhado para os quadros individuais em um filme (digital ou físico), a ideia de uma imagem "se movendo" é uma ilusão habilmente montada. Uma imagem "em movimento" não se move de verdade. Imagens individuais e imóveis são projetadas uma após a outra, criando a ilusão de que os personagens na tela estão se mexendo. A ilusão ficou tão boa com 30 ou 60 quadros por segundo que nos esquecemos de que os personagens na tela não estão de fato se movendo na nossa frente.

2. **A ilusão de 3D.** Cada quadro num filme em 3D contém duas imagens polarizadas de modo que cada olho pode ver apenas uma delas em cada quadro. As duas são deslocadas na distância

exata para dar à mente humana a impressão de profundidade. Essa percepção de profundidade é uma ilusão.

Os óculos modernos para filmes em 3D não usam mais lentes vermelhas e azuis. Porém, ainda dependem de duas lentes, usando luz polarizada visível apenas através de uma das lentes. Isso deu origem a uma nova onda de versões em 3D de filmes populares como *Avatar* e *Star Wars*, que geralmente são lançadas simultaneamente às versões em 2D regulares. Os fabricantes de TV vêm experimentando com aparelhos 3D que já vêm com essa capacidade embutida, apesar de eles não terem "pegado" ainda.

Dos filmes em 3D para a realidade virtual

Enquanto os óculos de VR têm origens na estereoscopia, os capacetes de VR de hoje em dia são muito mais complicados que óculos de papelão com duas cores.

Os óculos de VR atuais têm duas telas de computador onde as telas são renderizadas. A renderização se dá por um processador. Esse pode ser um PC conectado aos óculos via um fio físico, ou a CPU de um celular inserida nos óculos, ou uma CPU que o fabricante incorporou nos próprios óculos.

Filmes em 3D precisam ser filmados apenas uma vez, desde que haja câmeras deslocadas entre si na distância correta. Os pixels do filme são renderizados e armazenados em formato digital, e então simplesmente exibidos na tela do cinema.

Ao contrário dos filmes em 3D, os videogames são muito mais dinâmicos, confiando na renderização em tempo real de modelos de paisagens, objetos e personagens em 3D. Os pixels precisam ser criados em tempo real, usando um mecanismo de renderização enquanto o jogo está sendo jogado numa CPU ou uma GPU (placa de vídeo).

Como vimos no último capítulo na transição dos jogos 2D para 3D, as cenas dos videogames hoje não são armazenadas como pixels; em vez disso, são armazenadas como uma combinação de modelos e texturas em 3D. O mecanismo de renderização é responsável por converter esses modelos nos pixels que você vê na tela, baseado em onde seu personagem está no mundo, no que pode ser pensado como uma "câmera virtual".

Como a visão do jogo é criada em tempo real enquanto os jogadores jogam, é relativamente fácil para o programa do computador renderizar duas versões da cena virtual que ele está criando. Uma simples equação matemática muda os pixels entre uma imagem e a outra, deslocadas pela distância típica de um olho humano.

O verdadeiro truque, é claro, é projetar essas duas imagens no olho de tal modo que a mente é *levada a pensar* que o espectador está dentro daquele mundo. A imersão em VR vem da forma como os capacetes de realidade virtual obscurecem de suas vistas tudo o mais que houver no ambiente do usuário, fazendo com que ele sinta que está na cena, e não em sua sala de estar usando um capacete.

Apesar de a tecnologia de VR já existir em uma ou outra forma desde a década de 1990, foi somente quando o Facebook comprou a Oculus VR por vários bilhões de dólares, em 2014, que a fase atual dos capacetes de VR decolou. Não é um acidente isso ter acontecido após o sucesso dos MMORPGs em 3D, que já estão por aí há um tempo. As ferramentas e técnicas para criar mundos virtuais renderizados em 3D já existiam e foram dominadas nos videogames, o que pavimentou o caminho para a Oculus VR e a onda mais recente de capacetes de VR.

A Oculus VR, fundada por Palmer Luckey em 2012, não necessariamente inventou alguma tecnologia nova; em vez disso, ela otimizou todas as técnicas e materiais diferentes que já existiam e os reuniu em um capacete utilizável e um kit de ferramentas que podia ser usado por desenvolvedores de jogo. O principal executivo de tecnologia da Oculus VR não era ninguém menos do que John Carmack, um dos criadores originais de *Doom*, o primeiro jogo *altamente bem-sucedido* com uma perspectiva 3D. Assim, a equipe da Oculus tinha muitos anos de experiência em otimizar a renderização de paisagens tridimensionais.

Desde a aquisição da Oculus VR pelo Facebook, outras empresas, como HTC, Microsoft e Sony, surgiram com seus próprios capacetes de realidade virtual. Um dos mais bem-sucedidos foi o capacete PlayStation VR da Sony, otimizado especificamente para jogar no console PlayStation, da própria companhia.

A evolução da realidade virtual imersiva

A realidade virtual ainda tem um longo caminho pela frente antes de chegar ao patamar descrito em *Jogador Número Um*. A adoção da VR pelos consumidores de hoje tem sido muito mais lenta do que se projetava, em parte por causa de algumas falhas da tecnologia atual que precisariam ser resolvidas antes de a adoção em massa se tornar provável:

1. *VR exige óculos exclusivos para isso.* A maior desvantagem da VR é que você precisa colocar óculos de VR. Isso parece mais uma característica do que uma desvantagem, mas já foi comprovado que é uma barreira para a ampla adoção da tecnologia de VR.
2. *VR exige um espaço dedicado apenas a isso.* Como os óculos impedem que você veja o mundo real, é necessário usar equipamentos de VR num espaço dedicado a isso, onde não haja nenhuma outra pessoa nem objetos físicos, senão você trombaria

com eles. Isso pode ser bem desconfortável, de modo que a falta de espaços dedicados à VR em casa continua a ser uma grande desvantagem para a imersão total. Curiosamente, isso não foi uma barreira para os casos de uso de VR para negócios, como para treinar operadores de empilhadeiras ou outros tipos de treinamento corporativo.

3. *O movimento em VR ainda pode deixar as pessoas nauseadas.* O corpo deve fornecer feedback à mente não apenas visualmente, mas de outras maneiras também quando a pessoa está em movimento – nossos músculos, nossas pernas e nossos braços, tudo ajuda o corpo a entender que estamos nos movendo. Se apenas um sentido está sendo estimulado, isso pode induzir náuseas no participante, o que não é ideal. Óculos modernos e aplicações de VR trabalharam para minimizar esse efeito, usando o teletransporte dentro dos jogos em vez de um movimento contínuo, junto com uma variedade de técnicas para borrar imagens, de modo a reduzir esse efeito.

4. *A renderização da VR ainda não atingiu o fotorrealismo.* Somando-se ao hardware que está gerando a cena (o hardware de renderização, os óculos e outros controles), o que realmente impulsiona a experiência de imersão na realidade virtual é o software rodando nos bastidores. O software tem que rodar num celular ou num PC – e o hardware e software de hoje não são tão bons na renderização (ou, para ser mais preciso, na re-renderização) de imagens fotorrealistas conforme você se movimenta por um ambiente virtual. Quanto mais alta a resolução, mais potente é a CPU (o processador do computador) ou GPU (placa de vídeo) necessária.

5. *Ausência de um feedback cinestésico.* Para criar uma experiência de imersão total, outros sentidos além de nossa visão precisam

ser estimulados, como o tato e a audição. Acréscimos aos ambientes virtuais, como trajes táteis – uma vestimenta ou equipamento vestível que oferece feedback cinestésico – e máquinas que controlem os movimentos físicos, como esteiras, podem ser combinados para tornar a experiência ainda mais real. Luvas táteis, por exemplo, dão a sensação de que você está realmente segurando um objeto ou empurrando uma parede, acrescentando pressão contra a sua pele. Empresas já criaram a primeira geração desses acréscimos, mas não estão ainda no patamar retratado em *Jogador Número Um*.

6. *Som em 3D*. Esta é outra área importante para a imersão total, e está sendo estudada atualmente. No mundo real, podemos identificar de onde está vindo um ruído porque dispomos de dois ouvidos que podem triangular o som. No mundo virtual, o som todo vem fisicamente de um só lugar: o computador, através do fone de ouvido. Existem muitas pesquisas demonstrando que podemos imitar o som vindo de direções e pontos diferentes no espaço virtual, ao que nos referimos como *som em 3D*, mas a maioria dos jogos e aplicativos ainda não incorporou isso a suas produções em VR. Como exemplo, a Creative Labs, criadora de um dos primeiros MP3 players (apenas para depois perder o mercado para o iPod e o iPhone, da Apple), está apostando forte na disponibilização da tecnologia de som 3D para desenvolvedores e consumidores.

Considerando-se que a tecnologia de realidade virtual de hoje mal tem dez anos, podemos esperar que muitas dessas desvantagens sejam resolvidas nos próximos anos, ou, no máximo, em uma década.

A Hipótese da Simulação

ESTÁGIO 5: REALIDADE FOTORREALISTA MISTA E AUMENTADA (AR, MR)

Uma tecnologia que é parente próxima da realidade virtual – e oferece muitas das mesmas vantagens – é a realidade aumentada, ou AR. A AR é semelhante à VR de certas formas, porque ainda é preciso óculos ou alguma lente para ver o mundo aumentado. Entretanto, em vez de estar totalmente imerso no mundo virtual e perder a sensação do ambiente ao seu redor por completo, os óculos AR na verdade mostram o que está fisicamente em torno de você. A qualidade que define a AR é que ela "adiciona" virtualmente coisas ao ambiente. Você pode estar numa sala com uma mesa física, mas sem cadeiras. Os óculos AR podem colocar cadeiras em torno da mesa ou colocar aranhas ou cobras sobre a mesa.

O Google Glass e o Microsoft HoloLens estavam entre os primeiros capacetes de AR. A eles, estão se juntando outros como o Magic Leap (que usa uma tecnologia de campo de luz única), com muitos mais a caminho.

A realidade aumentada representa uma tecnologia diferente daquela da realidade virtual, mas as ferramentas subjacentes são muito similares. Ambas usam modelos e texturas em 3D e tecnologia de renderização em tempo real construída originalmente para os videogames. Essa é a mesma tecnologia (chamada CGI, ou imagens geradas por computador) utilizada tanto em MMORPGs em 3D quanto em filmes, para criar efeitos especiais.

Criando imagens aumentadas fotorrealistas

Hoje, usando óculos de AR, as partes aumentadas parecem mais "coisa de videogame" do que objetos no mundo real. Os óculos de AR atuais também têm um campo de visão limitado, então é muito fácil identificar quais objetos são aumentados e quais fazem parte do mundo real. Não será sempre assim.

Atualmente, fazer com que objetos pareçam parte do mundo real é mais fácil nos filmes. Embora as mesmas ferramentas e técnicas de CGI sejam usadas nos videogames e nos filmes, os filmes não precisam de renderização em tempo real. Os pixels são pré-renderizados para mostrar esses objetos como parte da cena – e apenas de uma perspectiva fixa.

Os óculos de AR, por outro lado, precisam renderizar objetos em tempo real, e a renderização precisa mudar conforme você mexe a cabeça ou se move pela sala. Como os óculos de AR têm que renderizar em tempo real, os objetos hoje em dia têm resolução e qualidade inferiores às utilizadas nos efeitos especiais de grande orçamento.

Assim que for possível renderizar no mundo físico, em tempo real, objetos virtuais que pareçam indistinguíveis daqueles do mundo físico, teremos atingido um marco importante na estrada para o ponto de simulação. Chamo isso de Realidade Mista Fotorrealista (ou MR).

Como isso é relevante no caminho para o ponto de simulação? Para começo de conversa, isso oferece uma analogia poderosa. O que acontece quando podemos ver, no mundo ao nosso redor, objetos fotorrealistas que sabemos terem sido criados por um mecanismo de renderização? Não é um grande salto imaginar que seja possível existir outro mecanismo de renderização oculto que já esteja em ação no mundo ao nosso redor para criar os objetos físicos que vemos! Os objetos físicos, então, são verdadeiramente baseados em informação, e apenas em nossa percepção é que eles parecem "reais". Conforme as fronteiras entre realidade aumentada e física se esgarçam, a tecnologia para construir a Grande Simulação começa de fato a se formar.

A Hipótese da Simulação

Uma nota sobre os efeitos especiais nos filmes

Como mencionado anteriormente, a evolução dos efeitos especiais nos filmes demonstrou que podemos criar personagens e objetos de aparência realista e misturá-los com atores e cenários reais. Vamos dar uma rápida olhadinha na história das imagens geradas por computador (CGI) para os efeitos especiais nos filmes.

Um marco nos efeitos especiais foi *Jurassic Park*, de 1993, que apresentava dinossauros gerados por computador que pareciam reais para a audiência. Desde então, personagens gerados por computador têm sido comuns nos filmes, indo desde o Gollum nos dois últimos filmes da trilogia *O Senhor dos Anéis* até *Avatar*, de 2009, dirigido por James Cameron, que mostrava uma raça de seres azuis chamados Na'vi morando no planeta fictício Pandora. O primeiro filme feito totalmente em CGI, *Toy Story*, foi lançado pela Pixar em 1995, e foi seguido por muitos outros.

Você vai reparar que nenhum dos personagens em CGI mencionados no parágrafo anterior é humano. Até agora, humanos totalmente realistas têm sido algo difícil e caro para os artistas de efeitos especiais criarem. Uma tecnologia que possibilitou que Gollum e outros personagens não humanos "agissem" de forma humana em seus maneirismos é a tecnologia de captura de movimentos. Na captura de movimentos, um ator veste um traje com vários sensores que rastreiam seu movimento em pontos-chave do corpo. De maneira similar, a captura de movimentos faciais coloca sensores em pontos-chave do rosto, e, enquanto o ator fala e atua, os movimentos são registrados. Esses movimentos são, em seguida, usados para criar a animação gerada por computador para o personagem.

Embora a captura de movimentos tenha auxiliado enormemente para captar gestos e até expressões realistas no rosto dos personagens, certos aspectos dos seres humanos, em especial a pele e o cabelo, provaram-se caros demais. Em um filme de sucesso, *Final Fantasy*, lançado em 2001 (e baseado na franquia de videogames homônima), uma grande percentagem do orçamento dos efeitos especiais foi gasta para deixar os cabelos dos personagens mais realistas. Isso pode não ter sido o melhor uso para o orçamento, pois muitos espectadores acharam o filme um tanto tedioso e ele não se saiu bem nas bilheterias – mas os personagens estavam lindos!

O fato de que a maioria dos filmes é transmitida digitalmente do estúdio para o cinema significa que não é simplesmente uma questão de resolução de pixels, mas de cálculo e re-renderização de tempo real, que tem sido o obstáculo para seres humanos artificiais realistas. A maioria dos filmes digitais até hoje foi transmitida numa resolução de 2K (2.048 pixels), e alguns estão começando a ser transmitidos em 4K (4.096 pixels). Isso quer dizer que a criação de personagens humanos plenamente realistas nos jogos não é mais uma questão de resolução ou número de pixels, mas sim de como esses pixels se movimentam e são renderizados em tempo real de um modo que a audiência possa achar mais natural.

Objetos se provaram muito mais fáceis. Em filmes como *Blade Runner 2049* ou a terceira trilogia *Star Wars* (*O despertar da força, O último jedi*, etc.), carros voadores, naves e outras criaturas se misturam naturalmente com a cena ao redor, que inclui atores humanos. Uma cena urbana de arranha-céus, por exemplo, pode naturalmente ser aumentada com frotas de carros voadores que se misturam à paisagem e parecem realistas.

Considerando-se o ponto em que estamos hoje nessa tecnologia, acredito que, no começo da década de 2020, estaremos no início de alcançar a MR fotorrealista em tempo real – ao menos para ambientes e objetos – com o uso de PCs e óculos de VR/AR comuns.

Novas técnicas para captura de informação sobre objetos estão surgindo online, como a captura volumétrica, em que doze câmeras

A Hipótese da Simulação

são posicionadas em torno de uma pessoa ou objeto, fazendo imagens simultâneas. Essas doze perspectivas diferentes são usadas em seguida para montar com eficiência modelos em 3D do objeto, sem requerer nenhuma escrita manual de código por parte dos programadores ou ser retocada por artistas. Técnicas assim facilitarão muito a criação de repositórios maiores de modelos 3D que pareçam fotorrealistas, e em algum momento essas técnicas serão aperfeiçoadas com humanos. Isso significa que objetos mais realistas em 3D e personagens mais realistas em VR e AR estão a caminho. Em 2018 e 2019, a agência de notícias Xinhua, da China, apresentou dois novos âncoras virtuais, um de aparência feminina e outro, masculina, que pareciam humanos reais enquanto liam as notícias.

A MR fotorrealista, construída sobre as bases da AR e do CGI atuais, chegará em breve (provavelmente na próxima década). Será uma referência muito importante no percurso para criar objetos e pessoas indistinguíveis da realidade física. O principal obstáculo não é a resolução, mas sim a velocidade – a velocidade dos mecanismos de renderização e a velocidade com que os objetos do mundo real podem ser transformados em modelos 3D. Assim como ocorreu antes com outros gráficos, ambos podem ser aprimorados via otimização. Quando isso acontecer, nosso tema subjacente neste livro de que o mundo físico é composto de informação (os modelos em 3D de objetos) e processamento dessa informação (a renderização desses objetos) estará validado.

ESTÁGIO 6: RENDERIZAÇÃO DO MUNDO REAL: LIGHTFIELD DISPLAY E IMPRESSÃO EM 3D

É claro, a VR de hoje depende de óculos de VR, e a AR depende de óculos de AR, porém, uma vez que tenhamos atingido o fotorrealismo dentro desses óculos, passaremos para o estágio seguinte: a promessa de ser capaz de renderizar esses objetos no mundo físico *sem óculos*. Assim como antes, precisaremos de novas técnicas otimizadas de renderização e novos softwares, mas também de novas ideias sobre o que constitui um projetor e o que constitui uma tela.

Aqui entramos na área de pesquisas mais avançadas e tecnologia especulativa que podem ser compreendidas com base nas técnicas utilizadas nos estágios anteriores, incluindo jogos de computador MMORPG, modelagem e renderização em 3D e VR/AR/MR. Tecnologias de renderização no mundo real são o foco desse próximo estágio no caminho para o ponto de simulação.

As duas tecnologias que eu gostaria de apresentar no próximo estágio, o Estágio 6 – renderização no mundo real –, são o lightfield display e a impressão em 3D, e ambos acontecem sem telas de computador. O lightfield display é um jeito de renderizar um objeto no mundo real analisando como esse objeto afeta e reflete a luz. Ao simular como a luz interage com um objeto, é possível criar uma projeção do objeto semelhante a um holograma, que parece real no mundo físico sem uma tela e, em algum momento, até sem óculos.

A impressão em 3D é uma área que decolou na última década. Ela nos mostra que, da mesma forma que um mecanismo de renderização transforma a informação em pixels numa tela de computador, e uma impressora converte pixels na tela para pontinhos no papel, o mundo físico também pode ter "mecanismos de renderização" que transformam a informação sobre um objeto em um objeto físico consistindo de pixels físicos. Mesmo uma década atrás, essas impressoras talvez parecessem coisa de ficção científica, mas hoje estão sendo usadas em muitas indústrias diferentes.

As duas são relevantes na busca para alcançar o ponto de simulação, porque nos mostram que a renderização baseada em computadores não é algo que acontece apenas nas telas do computador.

A Hipótese da Simulação

Lightfield display

Um desdobramento importante da integração de objetos que não estão de fato ali no mundo físico é a criação de lightfield displays. *Lightfield* se refere à quantidade de luz refletida pelos objetos e também tem relação com como percebemos objetos no mundo real. Dependendo de onde você estiver em relação a um objeto numa sala, a luz deve atingir seu olho de certa maneira para que você veja o objeto na posição dele.

Há pesquisas importantes sendo feitas a respeito de lightfield displays, que usam um método diferente de sobrepor objetos no mundo à nossa volta. Em vez de depender de um capacete para "sobrepor" objetos, lightfield displays calculam a quantidade exata de luz que poderia ser refletida pelos objetos e recebida pelos observadores em diferentes pontos da sala para que os objetos sejam considerados "reais".

Os lightfield displays iniciais simulam o efeito por meio de um capacete como o Magic Leap AR. Porém, conforme a tecnologia vai melhorando, lightfield displays mais avançados usarão lasers para colocar partículas de luz numa sala, o que fará com que os objetos pareçam reais sem precisar de um capacete!

Pesquisadores no Media Lab do MIT e na Brigham Young University vêm trabalhando no que chamam de *displays volumétricos,* que usam uma combinação de lasers para criar imagens holográficas que podem ser colocadas no mundo real, digamos, uma mesa, por exemplo, e parecer reais a partir de qualquer ponto da sala. Esse display holográfico é otimizado de forma que a luz seja refletida por ele da mesma maneira que ocorreria com um objeto físico real, enviando esses raios de luz para todas as direções.[7]

---

7. https://www.displaydaily.com/article/display-daily/light-fielddisplays-are-coming.

A habilidade de projetar imagens holográficas que pareçam sólidas para observadores na sala é um tipo especial de simulação. Embora não se compare ao holodeck de *Jornada nas Estrelas,* no qual você podia não apenas *ver* como também *sentir* objetos simulados, ela representa um passo importante no caminho para o ponto de simulação.

Se objetos reais podem ser simulados movendo partículas de luz, o que é um "objeto real", então? De fato, a física revelou que a maioria do que pensamos como objetos sólidos é na verdade 99% espaço vazio, com elétrons orbitando em volta de um núcleo.

Portanto, é a relação entre os átomos (e suas partículas subatômicas) que distingue um sólido de um gás e de um líquido. Mais especificamente, a chave para por que um objeto parece sólido e a luz não o atravessa é que os elétrons absorvem a luz. Se realmente são os *elétrons dançantes* que fazem com que um objeto tenha a aparência e a sensação de solidez, então podemos simular essa dança com partículas de luz.

Quando isso for alcançado, esse estágio borrará para sempre as fronteiras entre o que é virtual e o que é físico. Mais uma vez, nos daremos conta de que objetos físicos podem ser reduzidos a um conjunto de informações, o que nos leva de volta à hipótese da simulação.

Impressoras 3D: um mecanismo de renderização para o mundo real

Antes de obtermos lightfield displays capazes de renderizar objetos não existentes, já temos hoje a tecnologia que pode renderizar objetos físicos com base em modelos em 3D: as impressoras 3D.

As primeiras impressoras 3D, tipicamente chamadas de *impressoras matrizes,* não eram muito sofisticadas. Era possível ver os pontinhos que compunham as letras em uma fonte monospace. Embora as impressoras tenham se sofisticado bastante, a tecnologia subjacente

A Hipótese da Simulação

ainda é uma série de pontinhos (ou pixels) impressos numa folha de papel usando diferentes tipos de tinta. Um tema que venho tentando enfatizar ocorre novamente aqui: o padrão exato dos pontinhos – ou seja, o que imprimir e onde – é a *informação* que move a impressão, ou a renderização.

Em impressoras tradicionais, começamos com apenas tinta preta e depois acrescentamos a paleta CMYK e outras cores, conforme a resolução aumenta. Isso tornou possível a impressão digital fotorrealista. Hoje, usando técnicas de renderização digital, é possível imprimir uma fotografia diretamente do seu PC em papel brilhante com uma impressora jato de tinta.

Uma impressora 3D é uma evolução desse conceito. A impressora 3D "imprime" um objeto precisamente, usando pixels em três dimensões – os pixels, nesse caso, são pontinhos físicos, não apenas parte de uma tela ou simplesmente tinta no papel. Um cilindro, por exemplo, pode ser impresso imprimindo-se uma série de círculos, um por cima do outro. Cada camada de "pixels" ou de "material" tem 0,1 mm de espessura na maioria das impressoras 3D atuais.

Assim como ocorre com os videogames, para uma impressora 3D funcionar é preciso haver no computador um modelo do objeto sendo impresso, a informação que conduz a impressão (ou, em terminologia de videogame, o processo de renderização). Essa informação pode ser gerada de muitas formas, incluindo todas as técnicas de modelagem em 3D que foram criadas e otimizadas para videogames e efeitos especiais em filmes.

Não muito diferentemente das primeiras impressoras em papel, que só conseguiam imprimir com tinta preta, as primeiras impressoras em 3D só conseguiam imprimir usando um único material físico para os pixels, um tipo de resina epóxi, de modo que todos os objetos eram da mesma cor e tinham uma aparência bem plástica.

Conforme as impressoras 3D ficam mais sofisticadas, vemos que elas podem usar diferentes tipos de materiais para os pixels e imprimir quase qualquer modelo em 3D. Até o momento, existem modelos de fonte aberta que podem ser usados para imprimir vários objetos comuns, inclusive uma arma totalmente funcional, e não estamos muito distantes de potencialmente imprimir metal e outras substâncias.

Quando o material de impressão utilizado nos pixels em 3D se expandir para incluir metais e diferentes tipos de substâncias compostas que possam substituir vidro, borracha e outros materiais, talvez sejamos capazes de imprimir qualquer objeto não vivo, e o replicador de *Jornada nas Estrelas* se tornará realidade! No filme *Skyfall*, da franquia James Bond, por exemplo, os produtores usaram uma impressora 3D para imprimir um modelo em escala 1/3 de um automóvel Aston Martin, que foi depois destruído. É claro, o carro em 3D precisou ser pintado para ficar igualzinho ao carro real.

A evolução das impressoras 3D mais uma vez nos leva à pergunta de o que constitui um "objeto" no mundo real. Será que um objeto é realmente apenas um modelo que por acaso foi impresso usando certos materiais que encontramos na natureza? No mundo "real", pegamos materiais como madeira, pedra e metais e então recortamos esses objetos e os montamos em novos objetos no mundo real.

Uma versão virtual desse processo pode ser vista em ação num tipo diferente de mundo virtual: o jogo *Minecraft*, que se tornou extremamente popular entre os mais jovens. Em *Minecraft*, o jogador minera vários materiais e em seguida utiliza esses blocos de construção para construir conteúdo no mundo simulado.

Será que objetos em nosso mundo físico poderiam mesmo ser o resultado de um tipo de impressão em 3D que dependa de algum modelo do objeto e algum conjunto de instruções? Nossas impressoras 3D atuais não imprimem átomos individuais ou moléculas – elas operam num nível mais alto. Porém, não é um grande salto perceber que, conforme essa tecnologia se aprimorar, seremos capazes de imprimir pontos cada vez menores, talvez chegando ao extremo de imprimir átomos e moléculas individualmente.

À primeira vista, impressoras 3D podem parecer não ter nada a ver com videogames, mas, na verdade, as técnicas de modelagem desenvolvidas para videogames são as mesmas utilizadas pelas impressoras 3D, e mais uma vez vemos objetos físicos sendo reduzidos a informação digital. Uma mesa criada em *Minecraft* ou *Second Life* (ou no OASIS fictício) consiste de informação digital que é renderizada usando os blocos básicos de construção do jogo (pixels), que persiste dentro do mundo virtual enquanto o mundo estiver rodando. Podemos dizer algo além disso a respeito do mundo físico ao nosso redor?

A natureza como uma impressora 3D de material biológico

Uma coisa que (ainda) não fomos capazes de imprimir são materiais orgânicos, que contêm carbono, o bloco de construção mais básico da vida. Uma impressora 3D orgânica não está tão distante quanto podemos pensar, e ela poderia ser usada para imprimir órgãos ou, no caso de alguns cenários de ficção científica, organismos vivos mesmo.

A descoberta dos genes e do DNA, sobre os quais existiam teorias bem antes da descoberta dos genes físicos, pareceu revelar que os blocos de construção dos seres vivos são, de fato, também baseados em informação. A informação no DNA, na forma dos genes, atua como instrução para o corpo do organismo para construir proteínas, que são os blocos de construção das células do corpo. Portanto, o que pensamos como corpo físico pode realmente ser expressado como informação que é interpretada por um processo de impressão biológica para criar células que são montadas em abstrações maiores chamadas de organismos vivos.

Isso faz lembrar a série *Westworld*, da HBO, lançada em 2016 (baseada em um filme de 1973 escrito e dirigido por Michael Crichton), que gira em torno de um parque temático onde os criadores aperfeiçoaram inteligência artificial e robôs. As peças desses androides (inclusive ossos e pele) são impressas com sofisticadas impressoras 3D e então montadas para formar organismos.

Os androides são tão realistas que os turistas com frequência não conseguem ver a diferença entre os humanos e os "anfitriões", como eles são chamados. Os anfitriões são plenamente funcionais – os turistas podem conversar com eles, brigar com eles (como o nome sugere, há um cenário de Western – portanto, caubóis!), fazer sexo com eles e/ou abusar deles. De fato, toda a premissa do filme original e da série de TV é que os robôs se rebelam contra esse tipo de abuso por parte dos humanos.

E mais uma vez voltamos às questões que Philip K. Dick levantou em sua ficção científica: sobre o que é "real" e o que é "artificial".

As impressoras 3D de hoje não estão muito distantes de suas equivalentes fictícias em *Westworld*. Ainda não podemos imprimir ossos, pele ou dentes, mas provavelmente estamos a uma ou duas décadas de bioimpressoras usáveis. No grande esquema rumo ao ponto de simulação, isso não é nem um pouco longe!

ESTÁGIO 7: INTERFACES MENTAIS

Com a tecnologia de estágios anteriores, teremos aperfeiçoado muitos dos blocos de construção necessários para atingir o ponto de simulação: infraestrutura multiplayer online, personagens representando o jogador, renderização fotorrealista, um mundo digital compartilhado, lightfield displays, impressão de pixels em 3D e, na base disso tudo, a represen-

A Hipótese da Simulação

tação de jogadores e objetos no mundo (o mundo em si, de fato) como informação, consistindo de modelos e dados computacionais.

Para que a realidade virtual seja indistinguível da realidade física, teremos que encontrar uma maneira de fazer com que os jogadores sintam que é totalmente real, exatamente como em *Matrix*.

Agora entramos em alguns dos estágios mais hipotéticos. Os próximos estágios todos lidam com a mente humana e a consciência. Hoje muitos cientistas acreditam que fazer uma interface com a mente é de fato uma questão de alimentar os sinais químicos e elétricos corretos para o cérebro e ler esses sinais. Para o propósito da discussão nesta parte do livro, partiremos do princípio de que isso é verdade, e caso seja, então veremos que os cientistas de hoje estão bem encaminhados para conseguir fazer interface com a mente e criar inteligência artificial.

A explicação ainda mais esotérica de consciência – que ela não está contida apenas no cérebro físico – pode ser igualmente válida, embora seja empurrada pela ciência para o reino da religião, da psicologia e do misticismo. Passaremos vários capítulos explicando o lado místico da consciência na Parte III deste livro.

No final, resumiremos como os dois pontos de vista (o científico e o místico) são consistentes com a hipótese da simulação.

Voltando à ficção científica, no filme *Matrix*, os humanos foram levados a pensar que a simulação era real através de uma transmissão direta à mente deles. Essa "imersão total" foi alcançada por meio de um buraco físico na nuca, que era conectado via um cabo projetado especialmente para se conectar a um sistema de computadores que "transmitia" a simulação diretamente ao córtex cerebral. Esse sistema funcionava de duas formas: ele levava em conta as reações do jogador em tempo real e atualizava a simulação, e então os resultados tornavam a ser renderizados nas telas de todos os jogadores relevantes.

Você vai reconhecer que esse é o ciclo de jogo básico, iniciado pelos jogos de aventura de texto, mas atualizado de maneira considerável em termos de mecanismos de entrada e saída de dados.

Esse sistema plugado no cérebro era reutilizável; Morpheus e sua equipe conseguiam plugar simulações diferentes na nuca de Neo, resultando numa imersão em diferentes mundos virtuais (um *dojo* de artes marciais, uma cidade lotada de arranha-céus, etc.) tão facilmente quanto poderíamos plugar cartuchos ou CDs em um console de videogame. Cada um deles poderia ser considerado como "pequenas matrizes", em contraste com A Matrix – ou, usando a terminologia deste livro, pequenas simulações, em vez da Grande Simulação.

Os tipos de interfaces mentais

Para poder criar uma realidade virtual que seja indistinguível da realidade física, nos Estágios 7 e 8 precisaríamos desenvolver tecnologias de interfaces mentais que consistam de várias partes:

- A tecnologia teria que transmitir um mundo virtual no cérebro, para que sejamos levados a pensar que nosso corpo, que pode estar sentado numa poltrona ou deitado, está realmente no mundo virtual.
- A tecnologia teria que receber nossa(s) resposta(s) ao mundo ao nosso redor – inclusive nossos movimentos, sentimentos e interações – e transmitir essas ações no mundo virtual para poder atualizar o mundo do jogo de acordo com isso. Essas respostas teriam que ser lidas por completo em nossa mente.
- A tecnologia também teria que plantar uma história razoável do que aconteceu "antes" de qualquer ponto na simulação. Isso

nos traz à ideia de memórias implantadas, que está coberta no estágio seguinte.

Cada uma dessas três áreas de tecnologia merece um capítulo inteiro (ou, se fôssemos mergulhar na neurociência, um livro inteiro), mas vamos examiná-las brevemente.

Tecnologia de transmissão mental?

Muitos cientistas acreditam que podemos falsear sinais para o cérebro de modo a fazê-lo pensar que estamos vendo algo que não está lá. A ideia é que, se o cérebro é um computador ou uma máquina elétrica, então, como qualquer outra máquina, ele pode ser tratado como uma caixa-preta – ao examinar os sinais que entram e saem, você pode imitar qualquer comportamento. Nesse caso, os sinais *entrando* seriam como sinais enviados ao cérebro pelos olhos ou outras partes do corpo, e a saída seria o resultado dos sinais que entraram – ou seja, vemos ou sentimos coisas que não existem.

Isso é possível? Essa ideia presume que o sistema nervoso, que conecta o cérebro ao resto do corpo, é primariamente um sistema elétrico. O pesquisador canadense Wilder Penfield conduziu uma série de experimentos na década de 1950 nos quais usou estímulos elétricos em diferentes partes do cérebro para desenvolver um modelo "localizado" das partes do corpo/mente pelas quais o cérebro físico era responsável.

Em uma pequena porcentagem dos casos (5%), Penfield conseguiu estimular memórias. Foi reportado, em livros populares, que seus estímulos "elétricos" eram tudo o que se precisava para fazer o cérebro trazer à tona certas lembranças ou para incitar certa reação. Em muitos outros casos, Penfield conseguiu induzir alucinações com sinais elétricos nas pessoas.

A importância da transmissão mental para alcançarmos o ponto de simulação não deve ser subestimada: enquanto estivermos colocando óculos de realidade virtual ou interagindo com algum tipo de tela de computador, será óbvio em algum nível o que é a "realidade física" em contraste com a "A hipótese da simulação". Assim que formos capazes de transmitir sinais para partes específicas do cérebro, seremos capazes de usar o que talvez seja o mecanismo de renderização e a tela de computador mais sofisticados de todos: a mente humana.

Leitura da mente

A segunda parte desse estágio é ser capaz de ler sinais da mente. Temos certa habilidade de ler ondas cerebrais sinalizando em que estado o cérebro se encontra – alpha, beta, theta. Cientistas mapearam essas ondas cerebrais conectando-as a diferentes atividades, como relaxamento, sono, despertar, etc., e podemos usar sons e frequências artificiais para nos colocar nesses estados.

Contudo, ler as intenções exatas da mente via algum dispositivo elétrico está bem distante do nosso estágio atual de desenvolvimento. Mesmo assim, já existem pesquisas mostrando vários modos de acessar essas informações. Quando queremos vocalizar algo, nossas cordas vocais se movem mesmo que não digamos nada em voz alta. Já foram criados alguns dispositivos que conseguem ler esses movimentos vocais.

Também foram feitas algumas pesquisas sobre como a mente afeta os processos físicos, inclusive geradores numéricos aparentemente randômicos. O pesquisador Adam Curry, do Laboratório de Pesquisas Avançadas em Engenharia de Princeton (ou PEAR), fez parte de grupos de pesquisa que descobriram que a mente pode influenciar geradores numéricos randômicos (RNGs), descobrindo que certos pensamentos podem tornar os números não tão aleatórios assim. Ele fez parte de uma

A Hipótese da Simulação

equipe que inventou a "lâmpada mental" – uma lâmpada que mudava de cor com base na cor em que você estivesse pensando. Apesar de não ser perfeita, essa lâmpada podia captar mudanças na aleatoriedade de um RNG baseada em suas intenções e, em seguida, tentar interpretar essa não aleatoriedade como um valor – o valor de outra cor.

Mais recentemente, startups conseguiram permitir que usuários com capacetes de realidade virtual controlassem objetos fazendo a leitura de sinais elétricos que revelam suas intenções. Startups como Neurable e Neurolink afirmam já serem capazes de fazer a interface entre computadores e o cérebro. Essa revolução pode estar ainda na infância, com muitos anos antes que a leitura de propósito em geral esteja disponível, mas é relevante que já esteja em andamento.

Essas duas tecnologias (transmissão mental e leitura da mente) formariam a interface de usuário ideal para uma simulação semelhante à Matrix. Imagens do mundo poderiam ser transmitidas diretamente para a mente, e as intenções do jogador no mundo poderiam ser lidas na mente e retransmitidas de volta ao mundo compartilhado. Como milhões (e eventualmente bilhões) de jogadores afetariam o mundo compartilhado, o ciclo de jogo básico teria que rodar muito, muito rápido, para reagir aparentemente em tempo real a todas as intenções de todos os jogadores.

Embora esse seja um estágio especulativo, muitos cientistas hoje acreditam que estamos a apenas algumas décadas de distância (um século, no máximo) de compreender os sinais eletroquímicos do cérebro o suficiente para realizar essas duas tarefas. Por enquanto, este e o próximo estágio na estrada para o ponto da simulação podem provar-se os mais difíceis, piores até do que o Estágio 9 – inteligência artificial –, que cobriremos no capítulo a seguir.

ESTÁGIO 8: MEMÓRIAS IMPLANTADAS

Neste estágio, entramos em outra tecnologia esotérica que pode soar como ficção científica: a habilidade de implantar memórias falsas sobre o mundo e o que um personagem específico (ou uma pessoa, como os chamamos no mundo real) pode ter vivenciado. Se estamos numa simulação, então esse ato deveria ser possível, pois a história pessoal de qualquer personagem na simulação estaria armazenada como informação em algum lugar (tipicamente, fora do mundo renderizado).

Qual seria a aparência de uma memória implantada? Mais uma vez, voltamo-nos para Philip K. Dick e o reino da ficção científica. Após o lançamento do filme *O Vingador do Futuro*, em 1990 (em que Arnold Schwarzenegger estrelou como o herói Douglas Quaid), a ideia de memórias implantadas explodiu na consciência popular. Foi a segunda adaptação de um livro de Philip K. Dick a apresentar memórias falseadas, já que o *Blade Runner* original (lançado em 1982) explorava um tema similar: um dos personagens, um androide, tinha "lembranças reais" da infância, mas elas se revelaram ser memórias que haviam sido implantadas. Falaremos mais sobre o material que serviu de fonte para *Blade Runner* no próximo capítulo, na seção sobre inteligência artificial.

Em *O Vingador do Futuro*, Douglas Quaid vai até a Rekall, uma empresa que pode implantar lembranças de férias. No mundo de Dick, é muito mais barato comprar um implante de memórias de ir para o Caribe do que ir para lá de fato.

Quaid tem sonhado com Marte, o que faz sua esposa sugerir que ele visite a Rekall, para começo de conversa. Quando recebe a escolha de quais férias quer "lembrar", Quaid, é claro, escolhe uma aventura em Marte. Quando tentam implantar a memória, descobrem um problema: Quaid já tem um "bloqueio" artificial na mente, colocado lá por outra pessoa. Enquanto a Rekall luta para corrigir o problema, Quaid começa a se lembrar de ser um agente secreto em Marte, quando um grupo de agentes aparece para tentar matá-lo.

Usando suas habilidades recém-redescobertas, Quaid escapa desses assassinos e chega a Marte, onde as pessoas o conhecem, mas sob outro nome. Depois de passar por uma aventura que revela que ele, na verdade, era um agente para um chefão maligno que quer controlar Marte, Quaid instiga um evento de terraformação (usando tecnologia alienígena, nada mais, nada menos) que começa a transformar a atmosfera de Marte. Tudo parece uma grande aventura, e não é de se espantar que ele viesse sonhando com Marte se na verdade já tinha estado lá. Mas será que tinha mesmo?

Será que a história toda era uma memória falseada implantada pela Rekall? Ou será que Quaid realmente era um agente infiltrado cujas lembranças foram liberadas pelo procedimento da Rekall? O filme deixa um espaço amplo para dúvida, mas é excelente combustível para discussão sobre memórias falseadas e o que elas poderiam significar.

Decifrando o que é real e o que não é

Num universo em que memórias podem ser implantadas, como podemos saber o que é real e o que não é?

Se criarmos personagens virtuais que moram num mundo virtual, talvez precisemos implantar lembranças para fazer com que os personagens pareçam reais dentro daquele mundo. Isso pode ocorrer porque os mestres do jogo desejariam mudar algum aspecto da simulação para ver se ela produz um resultado diferente, ou simplesmente porque a simulação está começando (ou recomeçando) do meio.

Por que eles desejariam fazer isso? Isso nos leva de volta à afirmação de Philip K. Dick , em 1977, de que estamos em uma simulação gerada por computadores, na qual certos elementos (variáveis) podem ser alterados e ajeitados e o programa pode continuar daquele ponto em diante, enquanto os personagens não perceberiam a diferença. Somando-se ao *Vingador do Futuro* e a *Blade Runner,* Dick explorou esse tema várias vezes, particularmente no filme *Os Agentes do Destino.*

Quando entrevistei Tessa, a esposa de Dick, ela me contou que ele acreditava que existissem linhas do tempo levando a resultados ruins no futuro (como uma guerra nuclear). Ela disse que ele afirmava ter encontrado seres (talvez desse futuro) que estavam mudando o passado para testar linhas do tempo alternativas. Esses seres, segundo Dick, não pareciam saber exatamente que efeito uma mudança teria; eles tinham que rodar a simulação para ver. Na linguagem da ciência da computação, diríamos que eles precisavam rodar a simulação porque o processo que estavam tentando observar (ou seja, as civilizações humanas) eram *computacionalmente irredutíveis.*

É possível ter memórias falsas? Experimentos sociológicos revelam que "lembranças falsas" existem mesmo. De acordo com a *Psychology Today,* pesquisas feitas por Elizabeth Loftus, da Universidade da Califórnia, em Irvine, durante casos legais de grande visibilidade, demonstram que memórias falsas de eventos na infância ocorrem, sim: "Pessoas podem se lembrar falsamente de eventos de infância e, por meio de sugestões eficazes, podem até criar novas lembranças falsas".[8]

O método usado aqui é a "sugestão", que está bem longe de algoritmos capazes de implementar lembranças falsas. Será que isso poderia ser feito por meio de alguma estrutura computacional ou baseada em informação? Anteriormente, neste mesmo capítulo, nos referimos aos experimentos de Penfield na década de 1950, nos quais memórias podiam ser estimuladas usando correntes elétricas no cérebro. Será que o estímulo elétrico também poderia implantar ou "disparar" lembranças falsas?

---

8. https://www.psychologytoday.com/us/basics/false-memories.

A Hipótese da Simulação

Em 2013 uma equipe de pesquisadores do MIT descobriu, enquanto pesquisava o Mal de Alzheimer, que conseguia implantar lembranças falsas no cérebro dos ratos. Segundo Susumu Tonegawa, professor de biologia e neurociência no MIT, essas lembranças falsas acabavam tendo a mesma estrutura neural que as memórias reais.[9]

Se nossas lembranças do passado podem ser modificadas, será que isso também significa que o passado pode, efetivamente, ser modificado? Existe alguma distinção significativa entre as duas coisas?

Stephen Hawking levanta a questão de que sua pesquisa sobre buracos negros revelou um aspecto perturbador da perda de informação de partículas que entram mas não saem de um buraco negro. "Se o determinismo se decompõe, também não podemos ter certeza a respeito de nossa história passada", disse Hawking. "Os livros de história e nossas lembranças podem ser apenas ilusões. É o passado que nos diz quem somos. Sem ele, perdemos nossa identidade."[10]

Na vida comum, estamos acostumados a pensar no tempo como fluindo do passado para o presente e o futuro, e que nada no futuro pode afetar o que aconteceu no passado. Mas seria possível que o passado fosse modificado de alguma forma? Exploraremos alguns dos paradoxos na física quântica que tocam nessa ideia na próxima parte deste livro. Também examinaremos a ideia de inteligência artificial em detalhes no capítulo a seguir.

Embora talvez ainda estejamos a anos de sermos capazes de implantar memórias falsas usando sinais químicos ou elétricos no cérebro humano, as pesquisas tanto sobre sugestão como sobre sinais elétricos demonstram que, teoricamente, isso é possível.

---

9. http://news.mit.edu/2013/neuroscientists-plant-false-memories-inthe-brain-0725.

10. https://news.harvard.edu/gazette/story/2016/04/hawking-atharvard/ (Palestra de Stephen Hawking em Harvard).

Isso levanta possibilidades interessantes que, mais uma vez, começam a soar como se talvez estejamos num livro de Philip K. Dick. Parafraseando o título de um artigo escrito pela colunista Laura Miller no New York Times em 2002: este é o mundo de Philip K. Dick, nós apenas moramos nele![11]

---

11. https://www.nytimes.com/2002/11/24/books/on-writers-andwriting-it-s-philip-dick-s-world-we-only-live-in-it.html.

Capítulo 3

Estágios 9 a 10: inteligência artificial e consciência transferível

Neste capítulo, exploraremos os dois estágios finais para alcançar o ponto de simulação, os quais requerem um progresso considerável não apenas na compreensão dos videogames e da simulação, mas também no entendimento de um termo que, a despeito de ser usado com frequência, não é entendido muito bem: a consciência.

Tirando os videogames, a outra subárea da ciência da computação mais associada à hipótese da simulação é a inteligência artificial (IA). Os dois tópicos não são mutuamente excludentes, pois a ascensão dos personagens artificiais/simulados foi fundamental à evolução dos videogames – e, quando olhamos para a história da IA, ela está interligada com a história dos jogos.

O primeiro estágio com que este capítulo lida, o Estágio 9, é todo voltado para a consciência artificial no interior de uma simulação e entra nas questões da neurociência, assim como da ciência da computação. Mais uma vez, veremos como algo que a ciência antes acreditava ter base biológica pode, na verdade, resumir-se a um conjunto de *informações e computação*. Assim que a civilização tiver compreendido como simular a consciência artificialmente, então a etapa final, o Estágio 10, ou consciência transferível, torna-se tecnologicamente possível.

Neste capítulo, também analisaremos a *singularidade*, um termo que significava originalmente a explosão da IA, mas que veio a incluir o download da consciência humana de um hardware biológico para um sistema de silicone ou digital, resultando no novo termo *imortalidade digital*.

No final, se a consciência, seja ela artificial, seja humana, se resume a *informação e computação*, então, as distinções entre esses dois estágios são um tanto artificiais e começam a entrar em áreas mais amplas, como filosofia e religião, que exploraremos em capítulos futuros.

ESTÁGIO 9: INTELIGÊNCIA ARTIFICIAL E NPCS

Vimos que videogames têm PCs ("personagens jogáveis") e NPCs ("personagens não jogáveis"). NPC é qualquer personagem que não seja um jogador – o que significa que *quase todos os personagens* nos primeiros videogames, que eram majoritariamente jogos *single-player*, eram NPCs.

Sob essa definição, os alienígenas de *Space Invaders*, os fantasmas em *Pac-Man*, apesar de não serem particularmente inteligentes, eram NPCs – já que eram uma parte automatizada do programa.

Os primeiros jogos de aventura de texto e os de aventura com gráficos subsequentes tentaram usar NPCs de maneira mais sofisticada. Com o tempo, os NPCs vieram a se referir a personagens com quem você pode interagir, e que estão lá para ajudá-lo ou atrapalhá-lo em sua jornada de alguma forma.

Desde os primeiros jogos de aventura de texto até hoje, o modo como os jogadores interagem com NPCs é "conversando" com eles. Isso era realizado originalmente digitando comandos ou perguntas nas aventuras em texto e gráficas. Os NPCs iniciais eram muito limitados quanto ao que podiam compreender e nas suas respostas. Por exemplo: havia um bancário em *Ultima* para quem você só podia dizer certas coisas, como "saldo da conta", etc., mas não dava para ter, de fato, uma conversa coerente e completa.

Conforme os jogos se tornaram mais sofisticados, conversas inteiras foram programadas nos NPCs usando a ideia de "árvores de conversação" e "ramificações". Nesses jogos, você precisava fazer a pergunta certa ao NPC para obter a resposta; essa resposta era geralmente uma pista importante da qual você precisava para completar um enigma no jogo. Quando os MMORPGs emergiram com modelos e gráficos em 3D mais realistas, ter NPCs mais realistas se tornou uma exigência para dar ao jogador a ilusão de imersão.

Embora os gráficos tenham se tornado muito mais sofisticados ao longo do tempo, a interface para interagir com os personagens não foi necessariamente tão aprimorada. De fato, era tipicamente uma sobreposição do que o NPC dizia, junto com várias opções que você podia escolher como resposta. Isso oferecia alguma complexidade, mas não muito mais do que os antigos livros de *Escolha sua própria aventura*.

Em algum momento, algumas produtoras de jogos, como a Telltale Games, que se especializava em jogos de aventura, fizeram com que os personagens conversassem com você (por meio de vozes gravadas por atores durante o processo de desenvolvimento do jogo), mas você ainda tinha que escolher uma resposta (ver Figura 12 para um exemplo).

Em alguns sentidos, isso foi um passo atrás desde a digitação de conversas em aventuras de texto, pois as conversas só podiam se ramificar em certas "vias" e ficavam ainda mais limitadas do que alguns dos jogos Infocom. Alguns podem protestar quanto a chamar esses personagens de inteligência artificial, porque eles permitiam apenas uma ramificação limitada em vez de conversações reais.

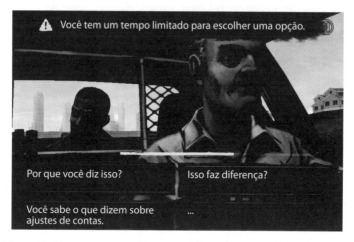

Figura 12: Um exemplo de diálogo em *The Walking Dead*, da Telltale Games.

Isso nos leva a uma grande questão que ainda não foi totalmente respondida: o que é IA, precisamente?

Todos nós sabemos que IA, no contexto dos NPCs, representa um ser artificialmente inteligente, mas o que isso quer dizer exatamente? O bom senso nos diz que é um programa que pareça humano – de certas maneiras. No lugar de uma definição formal, uma definição informal é um programa de computador ou um dispositivo artificial que possa passar pelo Teste de Turing.

HISTÓRIA E ASCENSÃO DA IA

O Teste de Turing

O Teste de Turing é mais um marco do que uma definição, já que a maioria da IA de hoje não consegue passar nesse teste. Alan Turing, considerado por muitos o pai da ciência da computação moderna, conjecturou uma época em que uma máquina exibiria comportamentos inteligentes. Em artigo intitulado "Computing Machinery and Intelligence" [Máquinas Computadoras e Inteligência], escrito em 1950, Turing abordou a questão de se uma máquina podia "pensar". Como é muito difícil dizer o que significaria "pensar", Turing criou um joguinho para identificar se um computador era "inteligente" o bastante numa conversa a ponto de ser capaz de enganar um humano.

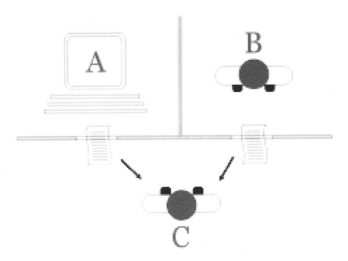

Figura 13: Uma descrição visual do Teste de Turing.[12]

---

12. https://commons.wikimedia.org/wiki/File:Turing_test_diagram.png (Fonte: Juan Alberto Sánchez Margallo).

Nesse joguinho, um interrogador (na Figura 13, o participante C) fica por trás da cortina e "interroga" dois participantes: A e B. C não é informado se A ou B é um computador, mas um deles é uma máquina, e o outro é uma pessoa real. O participante C deve começar a conversa (passando mensagens usando algo como uma máquina de teletipo – o melhor de que Turing dispunha em sua época) e deveria identificar a diferença entre A e B. Se ele fosse incapaz de distinguir qual era o humano e qual era a máquina, então se poderia dizer que a máquina havia passado no Teste de Turing. É claro, naquela época, ele descreveu como sendo uma máquina, mas hoje sabemos que seria um programa de IA (que é um software) a passar no teste, não tanto o hardware.

Esse joguinho e o conceito que lhe serve como base acabaram conhecidos como Teste de Turing.

IA e jogos: Claude Shannon e xadrez

O Teste de Turing não é o único teste de inteligência artificial. Em um artigo revolucionário intitulado "Programming a Computer for Playing Chess" [Programando um computador para jogar xadrez], escrito em 1950 (mesmo ano em que Turing propôs seu teste), o professor Claude Shannon, do MIT, postulou que um computador seria capaz de jogar xadrez e mostrou um computador que ele havia montado para esse propósito (ver Figura 14).

Esse aparelho engenhoso tinha um tabuleiro de xadrez por cima dele de modo que, quando o computador indicava um movimento que deveria ser feito, o operador humano pudesse na realidade efetuar o movimento. Mais uma vez, apesar de a IA ser pensada como uma máquina, ao longo do tempo os pesquisadores perceberam que era o *software* que importava para a IA, não tanto o hardware. As linguagens e abstrações do software não existiam na época de Shannon ou Turing para fazer essa distinção.

Figura 14: A primeira IA prática, um computador jogador de xadrez montado por Claude Shannon no MIT, na década de 1950.

O trabalho de Shannon lançou as bases para os programas de jogos de xadrez no futuro, um dos quais, Deep Blue, venceu o então campeão mundial de xadrez, Gary Kasparov, em uma das seis partidas disputadas entre eles em 1996. Em 1997 o programa realmente superou Kasparov numa revanche de seis partidas, por 3 ½ a 2 ½.

Esse foi um dos principais marcos que Shannon descreveu como aspirações para a "IA do futuro". Os marcos incluíam: escrever poesia, compor música, traduzir de uma língua para outra e realizar, de modo geral, outras tarefas que apenas humanos seriam capazes naquele momento.

A Hipótese da Simulação

DeepMind, AlphaGo e videogames

Não apenas a história da IA e os games estão interligados, como também continuarão assim no futuro próximo. O grupo DeepMind, do Google, criou o AlphaGo, o primeiro programa de computador a vencer um jogador profissional de Go em 2015. Ele também venceu o campeão de Go da Coreia do Sul, Lee Sedol, em 2016.

Uma reviravolta interessante na mecânica "IA aprende a jogar" foi quando a equipe do DeepMind treinou a IA para jogar videogames. Isso foi feito não através de uma IA baseada em regras para um jogo específico, como o algoritmo de Jogo da Velha que escrevi quando era moleque, mas sim observando as telas e controles. Jogos arcade, como *Space Invaders* e *Breakout,* fizeram parte dos setes jogos de Atari presentes na pesquisa inicial do projeto.[13]

Nesse caso, a IA assistia à tela e decidia qual movimento era o mais correto. Nesse tipo de jogo arcade, isso significava mexer no joystick (ou melhor, simular o movimento no joystick emitindo um comando eletrônico) para se mover nessa ou naquela direção. Para um jogo como *Space Invaders* ou *Breakout,* isso significava enviar informações na forma de 18 movimentos possíveis do joystick. A equipe mostrou que era possível para uma IA "aprender" a jogar jogos em estilo arcade.

Considerando-se os tempos de resposta disponíveis para os algoritmos IA, podemos esperar que a IA aprenda a jogar outros videogames, como atiradores de primeira pessoa ou luta? Recentemente, Elon Musk fundou a OpenAI e anunciou que ela havia aprendido a jogar *DOTA 2,* um jogo de luta com temática fantástica extremamente popular. eSports, ou competições de videogames, são disputados por

---

13. Minh, Kavukcuoglu, Silver et al., "Playing Atari with Deep Reinforcement Learning", Deepmind Technologies (2013).

profissionais e se tornaram um esporte de plateia popular da mesma forma que outros esportes, tais como basquete, beisebol e futebol no último século. A OpenAI anunciou que uma equipe de cinco bots era competitiva o suficiente para jogar contra equipes profissionais!

Isso é uma reviravolta interessante, embora não totalmente inesperada. Que a IA pudesse reconhecer o que está acontecendo num mundo 3D (nesse caso, o mundo 3D virtual do jogo) é parte do que precisaria acontecer para atingir o Estágio 9 rumo ao ponto de simulação.

Uma psiquiatra digital

Voltando um pouco, uma das primeiras IAs simples a tentar enganar o usuário, levando-o a pensar que o Teste de Turing tinha ficado para trás, foi um programa de computador chamado Eliza. Era meio que um jogo, mas, na verdade, era uma psiquiatra digital criada no Laboratório de Inteligência Artificial do MIT, na década de 1960, por Joseph Weizenbaum.

Eliza usava um arranjo esperto de combinação e "substituição" de padrões para fazer você pensar que ela havia entendido o que você tinha dito e repetia uma pergunta ou declaração a respeito de volta para você. Às vezes ela respondia com "Conte-me mais sobre X" se você havia mencionado X na frase. Às vezes, ela fazia perguntas como "Por que você se sente assim sobre X?" ou "Como assim você não conhece X?".

Embora à primeira vista parecesse que você estava falando com uma agente inteligente, se a pessoa passasse mais do que alguns minutos com Eliza, logo veria alguns dos padrões se repetirem. Mesmo assim, considerando-se que ela foi desenvolvida em meados da década de 1960, Eliza foi uma realização considerável no desenvolvimento de IA.

Em certos sentidos, foi o precedente de muitos dos NPCs nos jogos de aventura, e também um precedente para os chatbots que vemos agora no início do século 21. Alguns dos chatbots usam combinação de padrões muito simplista, enquanto outros estão começando a incorporar um processamento de linguagem natural muito mais complicado.

Diferentes tipos de técnicas de IA tiveram que ser desenvolvidos para que um computador tivesse alguma chance de passar no "Teste de Turing". No começo do século 21, assistentes digitais como Siri, Alexa e Google Assistant são muito melhores no processamento tanto de texto quanto de voz do que qualquer dos videogames que cobrimos até aqui. No entanto, da mesma forma que os videogames impulsionaram a tecnologia gráfica inicial, podemos esperar que personagens simulados impulsionarão IA mais sofisticada no futuro.

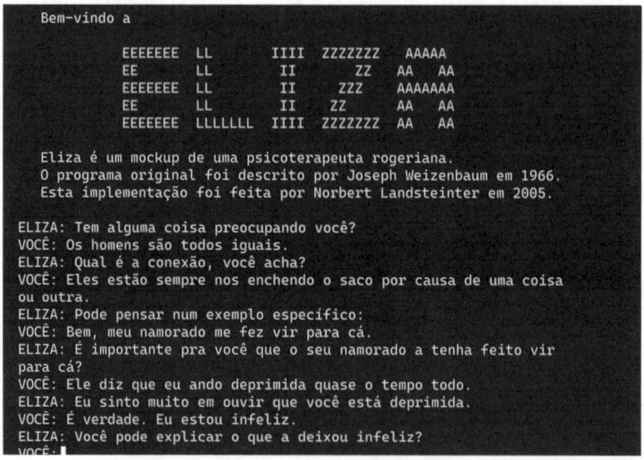

Figura 15: Eliza foi uma psiquiatra digital inicial que usava combinação simples.

NLP, IA e a jornada para passar no Teste de Turing

Algo que é de importância crítica para passar no Teste de Turing é o NLP, ou Processamento de Linguagem Natural. É a capacidade de um computador ler (ou ouvir) e entender o significado da linguagem natural. Como poderíamos saber se um programa de computador "entendeu" uma frase? Essa é outra pergunta difícil de responder, de modo que tudo se resume a que tipo de resposta o programa nos dá.

Os sistemas de NLP iniciais eram *heurísticos,* ou seja, eram baseados em regras. As regras eram, a princípio, codificadas pelos programadores do sistema. Isso se tornou muito difícil de manter porque, no padrão de fala natural, existem muitas regras que se sobrepõem e mudam de acordo com o contexto, e línguas diferentes têm regras diferentes.

No final dos anos 1980 e começo dos 1990, o NLP estatístico (SNLP) – no qual eram inseridos exemplos no algoritmo de machine learning, que então "aprendia" ou "inferia" as regras a partir dos exemplos – se popularizou. Embora essas regras fossem inicialmente o coração dos programas de NLP, apesar de geradas por máquinas, o grande avanço veio com a análise probabilística ponderada.

Quando utilizava a análise probabilística ponderada, a IA podia escolher a partir de respostas múltiplas baseadas em experiências passadas, cada uma com pesos diferentes. A máquina podia "aprender" as melhores respostas com o tempo. Essa abordagem provou-se bem-sucedida o suficiente para que assistentes como a Alexa, da Amazon, ou Google Home possam reconhecer a maioria dos comandos falados sem precisar treinar a IA para a sua voz específica, uma característica dos primeiros sistemas de reconhecimento de voz.

Essa abordagem (SNLP) é usada para obter a resposta certa, mas pode ser combinada com outras tecnologias, como a saída de voz, para fazer com que a saída soe, de fato, mais natural. Em 2018 o Google Duplex, um grupo de pesquisa no Google, demonstrou que uma IA poderia marcar compromissos em nome de um humano, fazendo telefonemas. Esse aplicativo, que foi chamado de Google Assistant, não apenas compreendia o que um humano queria (em termos de marcar um compromisso), como também era capaz de gerar uma voz que soava humana, e de fazer um telefonema para, por exemplo, um salão de

A Hipótese da Simulação

beleza para marcar uma visita. A IA até inseria marcadores conversacionais naturais como "hum".

Houve uma euforia inicial de que o Google Duplex havia passado pelo Teste de Turing. Isso acabou não sendo verdade, pois as interações aqui foram limitadas apenas a marcar um compromisso, enquanto uma superação real do Teste de Turing teria que permitir conversas mais longas e de final mais aberto.

Após as notícias iniciais sobre o Google Duplex, contudo, houve uma preocupação generalizada de que as chamadas feitas por robôs poderiam agora soar autênticas e que isso poderia levar a uma nova onda de telefonemas spam! O Google rapidamente voltou atrás e decidiu que sempre faria com que agentes autônomos telefonando se identificassem como agentes.

Uma IA que possa passar pelo Teste de Turing, e fazer outras coisas que humanos fazem, foi apelidada de "Inteligência Artificial Generalizada", ou AGI. Até agora, a maioria das aplicações de IA se focou em tarefas específicas – ler escrita manual, prever certos padrões a partir de números, ajudar um ser humano a resolver tarefas limitadas, etc.

Embora os desdobramentos na tecnologia de NLP tenham dado passos incríveis nas últimas décadas, muitos especialistas ainda acreditam que estamos a provavelmente uma década de poder criar personagens artificialmente inteligentes (ou NPCs) que consigam passar no Teste de Turing, dentro de jogos ou no mundo real. Com os recentes avanços em NLP, machine learning e robótica, podemos estar a algumas décadas de termos robôs e IAs que falem e se movam como humanos.

Sophia, um robô autônomo criado pela Hanson Robotics, mostrada na Figura 16, tornou-se a modelo para essa futura "era dos robôs". Apesar de Sophia ter levado muitos na mídia a pensar que havíamos passado pelo Teste de Turing, o cientista principal da Hanson, Ben Goertzel, que criou Sophia, discorda. Em uma entrevista à *The Verge*, Goertzel expressou que Sophia não era AGI, e a única razão pela qual isso era encorajador era para mostrar que a AGI estava ao nosso alcance.[14]

Figura 16: Imagem de Sophia, um dos primeiros robôs autônomos (Fonte: ITU Pictures).[15]

Em 2018 e 2019, a Xinhua, agência de notícias estatal chinesa, lançou dois leitores de notícias virtuais. Esses leitores de notícias pareciam humanos e vestiam roupas profissionais como qualquer âncora de jornal. Os leitores de notícias podiam ler as notícias que eram inseridas no sistema, e, embora a voz fosse um tanto artificial, o visual era estonteante. Bem diferente de Max Headroom, um dos primeiros personagens virtuais a ganhar seguidores ainda nos anos 1980, que só conseguia emitir uma voz gaguejante. Esses leitores de notícias soavam e pareciam reais. Combinações dessa renderização virtual com as capacidades de saída

---

14. https://www.theverge.com/2017/11/10/16617092/sophia-the-robotcitizen-ai-hanson-robotics-ben-goertze.

15. https://commons.wikimedia.org/wiki/File:Sophia_at_the_AI_for_Good_Global_Summit_2018_(27254369347).jpg.

A Hipótese da Simulação

de um Google Duplex, por exemplo, poderiam resolver metade dos desafios desse estágio.

ATINGINDO O ESTÁGIO 9

Retornando à estrada para o ponto de simulação, de que desdobramentos precisaríamos para completar o Estágio 9? De modo bem simples, precisaríamos produzir personagens tão realistas numa simulação a ponto de eles passarem no Teste de Turing.

Se estamos num videogame gigante, como sabemos se estamos interagindo com jogadores reais ou com NPCs? Os componentes que precisariam ser desenvolvidos para que IA/NPCs passassem nesse teste numa simulação totalmente imersiva como a nossa realidade incluem:

- *Processamento de Linguagem Natural.* A primeira exigência seria que a IA pudesse aceitar a linguagem natural como entrada. Isso seria, inicialmente, respostas digitadas, não muito diferente da ideia de Alan Turing. A IA precisaria compreender a entrada bem o bastante para considerar uma série apropriada de respostas.
- *Resposta com Linguagem Natural.* A IA então teria que dar uma resposta que demonstrasse compreensão do que foi inserido de um jeito que imitasse como um ser humano poderia responder. Isso significa compreender não apenas o texto, mas também o conteúdo emocional e o contexto do que foi dito.
- *Reconhecimento de voz.* Note que os dois itens anteriores poderiam ser feitos via IA no computador sem nenhum reconhecimento de voz e ainda assim passar pelo Teste de Turing. Isso quer dizer que teclados e monitores seriam as entradas e saídas primárias. Porém, para realmente alcançar o ponto de simulação, precisaríamos de uma tecnologia excelente de

reconhecimento de voz que pudesse traduzir qualquer linguagem de som para texto, que então alimentaria a IA para uma resposta apropriada. A tecnologia de reconhecimento de voz, que começou bem grosseira, agora é capaz de identificar comandos.

- *Saída de voz.* Compreender a entrada de voz é apenas metade da luta; a IA deve também conseguir se expressar de uma forma que seja indistinguível de outra entidade consciente. O motivo pelo qual tem sido tão difícil de passar pelo Teste de Turing é que humanos são condicionados a reagir uns aos outros de certas formas, e a IA ainda não descobriu todas essas formas – exceto em alguns casos bem limitados. Além disso, se houver um aspecto emocional em certo dado inserido, precisa existir compreensão dessa emoção na resposta. Estamos acostumados a conversar com outros seres humanos, e a saída de voz deve ser desenvolvida para poder imitar isso.

Mas entradas e saídas de voz e texto, embora ajudem a superar o Teste de Turing, não bastam para atingir o Estágio 9 no percurso para o ponto de simulação. Avatares num mundo virtual precisariam demonstrar consciência similar à humana do espaço tridimensional em que estamos e interagir conosco diretamente, não apenas "por trás de uma cortina", como o Teste de Turing sugere. Outras exigências incluem:

- *Aprender ao longo do tempo.* A mente humana como a entendemos é uma incrível máquina de aprendizagem, e cada personagem no jogo, presumindo-se que as personagens estejam passando pelo ciclo normal de nascimento e crescimento, precisariam exibir a habilidade de aprender ao longo do tempo. Se bebês pudessem subitamente falar frases completas ou línguas que nunca houvessem aprendido, isso poderia ser uma pista interessante de que estamos em algum tipo de simulação.

- *Consciência espacial.* Como o DeepMind do Google e a OpenAI de Musk demonstraram, a IA pode aprender a jogar videogames. Isso quer dizer que elas podem se tornar conscientes de um espaço 2D e examinar pixels para ver o que está acontecendo. Com eSports competitivos como *DOTA2*, isso é ainda mais importante, porque esses jogos são como MMORPGs – eles são um mundo em 3D. Para que um bot seja capaz de lutar e derrotar um oponente dentro de um mundo, o bot precisaria estar ciente do espaço 3D. Embora não seja uma exigência do Teste de Turing, isso é necessário caso estejamos vivendo dentro de uma simulação gráfica e interagindo com outros seres ou NPCs que também estejam dentro do mundo simulado.

- *Interações físicas.* Vivemos num mundo que parece físico, por isso, seres simulados precisariam estar cientes do espaço ao nosso redor – como estavam androides como Data, de *Jornada nas Estrelas,* ou os replicantes em *Blade Runner.* Isso inclui a habilidade de interagir, apertar mãos, beijar, fazer sexo e todas as outras coisas que seres humanos fazem uns com os outros.

- *Habilidade de criar outras IA.* Se formos pensar nesse estágio como tendo personagens que não apenas possam passar pelo Teste de Turing de uma forma limitada, mas que também vivam e respirem na simulação, como nós fazemos, então esses personagens finalmente terão que ser inteligentes o bastante para criar seus próprios programas de computador e simulações. Estamos agora seguindo uma vereda recursiva de o que significa ser senciente.

DESDE HAL ATÉ DATA – RETRATOS DA CONSCIÊNCIA ARTIFICIAL

Na ficção científica, o conceito de robôs ou androides inteligentes com quem os humanos podem conversar naturalmente circula há décadas. Esses androides não apenas eram capazes de interpretar o que estava sendo dito, como também respondiam numa voz robótica ou de som humano e natural. Alguns dos exemplos mais famosos incluem:

- *Star Wars – Guerra nas Estrelas.* Na trilogia original de *Star Wars* (1977-1982), os dois "Droides" – C-3PO e R2-D2 – foram apresentados como exemplos de máquinas que parecem ter consciência. Embora não pareçam humanos, cada um tem uma personalidade distinta. C-3PO era um intérprete que, como ele mesmo relembrava a qualquer um que parasse para ouvir, "era fluente em mais de seis milhões de formas de comunicação". De fato, C-3PO era usado para as comunicações com R2-D2, que só se comunicava por meio de uma série de tons e bipes. Ambos exibiam personalidade em suas interações com os personagens humanos e também nas interações um com o outro.
- *Data.* Em *Jornada nas Estrelas: A Próxima Geração,* o androide chamado Data foi construído pelo dr. Noonien Soong e conseguia se comunicar com a tripulação da *USS-Enterprise* de forma quase impecável. Eu digo "quase" porque Data não entendia por completo certos comportamentos humanos e não entendia emoções, de modo algum. De fato, Data aspirava a ser humano e, assim, passou boa parte da série aprendendo a ser "mais humano". Data não apenas podia compreender a fala comum, como também aprendia novas informações muito rapidamente. Em muitos episódios vemos Data, uma IA autônoma, pedir

ao "computador", que é um computador inteligente monitorando e administrando as operações da *Enterprise*, informações que ele precisa aprender para uma missão próxima. A pergunta sobre se Data é uma "pessoa real" com "direitos" foi tema recorrente ao longo da série, com o capitão Picard defendendo os direitos de Data como indivíduo, e não simplesmente uma "propriedade" da Frota Estelar.

- *HAL 9000*. A IA HAL 9000 não era exatamente um androide. Ela estava integrada à nave *Discovery* no filme (e no livro que deu origem a ele, *2001: Uma odisseia no espaço*, de Arthur C. Clarke). HAL tinha ciência de si mesma, mas não tinha um corpo. Mesmo assim, estava ciente do mundo físico, porque estava inserida na espaçonave. Não foi a primeira, nem a última, descrição de uma IA que vira a mesa para cima de seu criador humano. No filme, Dave Bowman, o comandante da missão, conversava com HAL, enquanto HAL simultaneamente monitorava e administrava todas as operações básicas da espaçonave. Quando Dave Bowman saiu da nave para reparos, um conflito com HAL resultou na famosa fala: "Temo que eu não possa fazer isso, Dave".

Em todos esses exemplos, os androides eram distinguíveis dos humanos, e a questão de quem "controlava" os robôs estava no cerne de alguns dos enredos. Alguns exemplos de IAs que não eram tão localizadas e levavam à tomada de poder mundial (precursores do debate atual sobre "IA assassina") ou IAs/androides que eram indistinguíveis de humanos incluem:

- *O Exterminador do Futuro*. No filme de 1984, o diretor James Cameron mostrou um mundo futuro no qual uma AGI chamada

Skynet, que foi conectada para ajudar o Departamento de Defesa dos EUA, assume o controle do mundo. Ela decide matar a maioria da raça humana, alvejando cidades no mundo todo com bombas nucleares e depois escravizando o que resta dos seres humanos. Quando uma resistência humana surge, a Skynet cria os Exterminadores, robôs autônomos construídos com tecidos vivos envolvendo um esqueleto artificial. Os primeiros Exterminadores podiam ser reconhecidos facilmente como robôs, mas, conforme eles foram se sofisticando, ficou cada vez mais difícil para os humanos reconhecerem a diferença.

- *Duna.* No primeiro livro da série *Duna*, escrita por Frank Herbert, os humanos baniram os computadores que imitavam seres humanos por causa de algum evento no passado distante. Nos livros *prequel* da série, escritos por Brian Herbert (filho de Frank) e Kevin J. Anderson, esse evento, chamado de Jihad Butleriana, é explorado em mais detalhes. Uma máquina (ou AGI, como a consideramos) chamada Omnius assume o controle da raça humana e escraviza os humanos restantes. Omnius podia se sincronizar com qualquer cópia de si mesma, e assimilava qualquer coisa que tivesse aprendido nas várias encarnações do software. A Jihad Butleriana é uma revolta dos humanos contra seus soberanos eletrônicos.

Essa é apenas uma pequena seleção do vasto *corpus* de ficção científica que mergulha nas questões da inteligência artificial e como nós poderíamos interagir com ela. Esses registros de ficção científica podem fornecer referências quando falamos sobre o futuro da IA.

A Hipótese da Simulação

A ÉTICA DA IA E SEUS USOS

A questão da ética da IA e de como ela deveria ser utilizada é uma área emergente, que ainda não é bem compreendida hoje, embora muitos pesquisadores de IA estejam começando a ponderar a respeito. Observando os primeiros experimentos com IA ao longo dos últimos anos, podemos começar a tirar algumas conclusões que podem nos surpreender.

Em 2017 o Facebook criou IAs que podiam conversar umas com as outras para completar negociações. As IAs inventaram sua própria linguagem e começaram a falar entre si nessa linguagem. Relatos na imprensa exageraram isso, dizendo que uma IA teve de ser desligada porque assustou seus criadores. Isso se revelou um despropósito, mas as pessoas no comando do experimento se deram conta de que não entendiam por completo a linguagem que as IAs estavam usando para se comunicar umas com as outras.

Embora a criação de uma linguagem não se qualifique como "assustadora" por si mesma, se os humanos não podem entender o que os programas de IA estão dizendo um para o outro, isso levanta possibilidades mais assustadoras. O que IAs mais sensíveis dirão umas para as outras, e o que elas estarão "negociando"?

Algo de singular importância no desenvolvimento de sistemas de IA são os valores ou objetivos imbuídos no sistema. Eles podem vir da programação original do sistema, ou podem ser "aprendidos" por meio de algoritmos de machine learning. Se o sistema é autossustentável e aprende a partir de seus resultados e do ambiente, esses valores guiarão suas ações muito além dos comportamentos que os criadores originais do programa podiam ter pretendido.

Em 2016 a Microsoft lançou um chatbot inteligente que aprendia a partir de sua interação com usuários reais de redes sociais, principalmente no Twitter. Embora não fosse um bot muito sofisticado, em 24 horas ele começou a usar linguagem racista e misógina. Apesar de isso ter sido aprendido primariamente de tweets que as pessoas enviaram ao bot, o fato começa a mostrar um lado assustador quando valores são "aprendidos" por um programa de computador online. A Microsoft desligou o bot por causa disso.

Que valores uma AGI aprenderia observando as redes sociais hoje em dia? Mais importante, o que esses valores significariam para o modo como a AGI lidaria com seres humanos? Essa é uma pergunta muito mais assustadora e sugere cenários de pesadelo, inclusive uma AGI que decida que não precisa mais de humanos, e isso, por sua vez, levanta a questão de o quanto de "inteligência" devemos permitir a uma IA.

Em 2018, mais de dois mil pesquisadores de IA assinaram uma carta declarando que seriam muito cuidadosos ao desenvolver "IA assassina" ou armas letais autônomas que pudessem matar humanos totalmente sob o controle de programas de computador. Os signatários incluíam um dos cofundadores do DeepMind, do Google, e Elon Musk.

Enquanto esses pesquisadores atuais lutam com os desafios éticos apresentados pela IA, o destacado escritor de ficção científica Isaac Asimov previu esses desafios ainda em 1942, em sua coleção de histórias *Eu, Robô*. Em uma delas, Asimov apresentou um conjunto de regras – as três leis da robótica – de como robôs ou IAs interagiriam uns com os outros e com humanos, e que estão "codificadas no sistema operacional", como poderíamos dizer:

1. Um robô não pode ferir um ser humano ou, por inação, permitir que um ser humano venha a se ferir.
2. Um robô deve obedecer às ordens dadas a ele por seres humanos, exceto quando essas ordens entrem em conflito com a primeira lei.

A Hipótese da Simulação

3. Um robô deve proteger a própria existência, desde que essa proteção não entre em conflito com a primeira ou a segunda lei.[16]

Asimov utilizou essas "Leis da Robótica" para contornar as questões éticas que surgem quando a IA se torna mais sofisticada. Entretanto, Asimov não fazia ideia de como codificá-las em uma IA, e ainda não sabemos como fazer isso.

As implicações de "IA assassina" e "valores de IA" são distantes e entram nos conceitos de que direitos uma "coisa viva" tem, mesmo que ela seja construída artificialmente. E também, que obrigações ela tem com seus criadores? Apesar de um mergulho profundo nessas questões estar fora do escopo deste livro, muitos pesquisadores de IA escreveram livros para explorar essas questões éticas, morais e tecnológicas levantadas por AGIs e robôs que poderiam suplantar, ferir ou matar humanos.

O estágio de desenvolver uma AGI que possa passar pelo Teste de Turing mais uma vez mostra que podemos reduzir um aspecto previamente físico da natureza (antes da AGI, podíamos interagir apenas com outros humanos) e demonstra que tudo se resume a *informações e computação*.

Embora exista um debate considerável entre cientistas sobre o que é a consciência, o fato de que seremos capazes de simular um ser consciente traz uma possibilidade igualmente tentadora e preocupante no próximo estágio – a de sermos capazes de transferir a consciência.

---

16. https://en.wikipedia.org/wiki/Three_Laws_of_Robotics.

ESTÁGIO 10: CONSCIÊNCIA TRANSFERÍVEL E IMORTALIDADE DIGITAL

O que é a singularidade?

Antes de entrarmos no Estágio 10, vamos dar uma olhada num termo que se tornou associado aos Estágios 9 e 10: a singularidade.

O termo singularidade foi usado pela primeira vez na matemática, como um ponto que pode ser assintoticamente aproximado, mas nunca atingido. Foi então adotado pelos físicos como um termo mais técnico para os buracos negros – mais uma vez, usando a ideia de aproximação ao infinito, nesse caso, gravidade infinita.

Mais recentemente, o termo entrou em uso na linguagem popular em torno da ideia da inteligência artificial atingindo, ou até ultrapassando, a inteligência humana, resultando numa "explosão de inteligência".

As origens desse uso do termo singularidade datam dos anos 1950, a época em que o matemático John von Neumann supostamente cunhou o termo quando disse: "O progresso da tecnologia, sempre em aceleração [...] dá a impressão de se aproximar de alguma singularidade essencial na história da raça para além da qual as questões humanas, como as conhecemos, não poderiam prosseguir".[17]

Irving John Good, outro matemático, foi um dos primeiros a chamar a IA superinteligente de a "última invenção que o homem precisa criar". É claro, não havia tantas pessoas assim pensando sobre a singularidade além de um punhado de autores de ficção científica e alguns cientistas da computação na época.

De fato, o termo foi popularizado pelo escritor de ficção científica (e cientista da computação) Vernor Vinge num artigo escrito por ele

---

17. Ray Kurzweil, The Singularity Is Near (Nova York: Penguin, 2005), p. 10.

em 1993 intitulado "The Technological Singularity" [A Singularidade Tecnológica], no qual ele o definiu como um "ponto singular" depois do qual tudo será diferente. Embora o termo tenha ganhado fôlego por causa do desenvolvimento da IA ao ponto da superinteligência, essa é apenas uma das várias possibilidades sugeridas por Vinge em seu artigo original:

A ciência pode alcançar esse avanço por diversos meios (e essa é outra razão para termos confiança de que o evento ocorrerá):

- Computadores que estão "despertos" e têm inteligência sobre--humana podem ser desenvolvidos.
- Grandes redes de computadores e seus usuários associados podem "despertar" como entidades de inteligência sobre-humana.
- Interfaces entre computadores e humanos podem se tornar tão íntimas que os usuários poderiam razoavelmente ser considerados detentores de inteligência sobre-humana.
- A ciência biológica pode fornecer meios para aprimorar o intelecto humano natural.[18]

Kurzweil e a consciência transferível

Ray Kurzweil, futurista do Google, usou o termo no livro *The Singularity is Near*, de 2005, colocando-o como um amálgama para superinteligência e interação humano/máquina. Kurzweil é otimista, e acredita que seremos capazes de mapear "todas as informações" nos processos químicos relativamente ineficientes do cérebro humano e as reproduzi-

---

18. Vernor Vinge, "Technological Singularity" (1993), https://www.frc.ri.cmu.edu/~hpm/book98/com.ch1/vinge.singularity.html.

remos no muito mais eficiente mundo eletrônico/de silício (passando, assim, no Teste de Turing) nas próximas décadas. Ele escreve: "Não haverá distinção, pós-singularidade, entre humano e máquina, ou entre realidade física e virtual".

Kurzweil e outros lançaram a ideia de que, se o cérebro humano pode ser reduzido não só aos neurônios físicos, mas aos padrões desses neurônios, se a consciência é informação, então poderíamos não apenas "reproduzir" a consciência: poderíamos de fato transferir nossa consciência de uma máquina biológica (o cérebro humano) para uma "máquina de silício" (um sistema de computador) logo em seguida.

Se pudermos fazer isso, então nossa consciência pode viver para sempre – graças à tecnologia, em vez de espiritualismo ou misticismo. Essa habilidade de transferir a consciência está implícita no mapa para o ponto de simulação, mas com base em ciência da computação mesmo, que trata de transportar bits de um aparelho para outro. Isso suscita sérias questões sobre o que constitui uma "pessoa" e o que é real em contraste com o que é virtual. A declaração de Kurzweil sobre a falta de distinção entre o físico e o virtual começa a assumir um significado maior.

Esse conceito veio a ter seu(s) próprio(s) nome(s): imortalidade digital ou virtual. Para realizar isso, tudo o que é sabido sobre uma pessoa é usado para alimentar uma IA, que capta aquela personalidade. Engenheiros de software e cientistas estão fazendo experimentos com a tecnologia hoje em dia, e se tornou um pilar da ficção científica quando uma IA é baseada numa pessoa. Pode nem ser necessário o mapeamento neural completo do cérebro, como Kurzweil e outros estão esperando.

Um artigo de 2018 na revista *Technology Review* revela as primeiras tentativas de usar os chatbots. A desenvolvedora de software Eugenia Kuyda terminou criando uma representação artificial de seu amigo Roman Mazurenko, que havia falecido. O chatbot que Kuyda criou recebeu acesso às redes sociais de Roman e utilizou a ferramenta de machine learning de fonte aberta do Google, o TensorFlow. O chatbot respondeu a perguntas como se fosse Roman. Embora não fosse um sucesso perfeito, Kuyda e os outros ficaram surpresos ao ver o quanto se assemelhava ao amigo falecido.[19]

CARBONO ALTERADO E TRANSFERÊNCIA DE CONSCIÊNCIA

Obviamente, uma cópia digital de um texto ou um filme ainda é considerada o mesmo texto ou filme; no entanto, quando começamos a falar sobre entidades conscientes, já não podemos ter tanta certeza.

A cópia digital dos neurônios de alguém ainda é considerada aquela pessoa? A consciência é transferível ou será que isso é apenas uma cópia daquela consciência em dado momento?

Mais uma vez nos voltamos para a ficção científica, pois ela ajuda a ilustrar o dilema. No livro de ficção científica *Carbono Alterado*, lançado em 2002, Richard Morgan apresenta uma visão intrigante da consciência digital transferível. *Carbono Alterado* foi transformado em uma série de TV pela Netflix em 2018, permitindo que visualizemos como esse processo de "transferência" poderia funcionar.

Em um mundo distante no futuro, a maioria das pessoas tem um dispositivo chamado de cartucho cortical, ou apenas "cartucho", que fica armazenado na coluna cervical. Esse dispositivo é capaz de fazer o download da consciência de uma pessoa em qualquer momento. Quando o corpo de um personagem é "morto", o cartucho pode ser removido e colocado em outro corpo, e a pessoa pode continuar a partir daquele momento.

---

19. https://www.technologyreview.com/s/612257/digital-version-afterdeath/.

Esses cartuchos são como a consciência transferível que Kurzweil e outros preveem que vá acontecer. Quando colocados em um novo corpo, os corpos são chamados de "capas", e um cartucho é reencapado. Isso resulta em alguns cenários bem interessantes que são relevantes tanto para o enredo do livro quanto para nossa discussão aqui.

O único jeito pelo qual alguém pode morrer de verdade é resolver não ser reencapado ou ter seu cartucho destruído, de modo que não tenha como ser reencapado. Como a consciência pode ser armazenada nesses dispositivos (portanto, ela é informação), a consciência também pode ser transmitida para um local de backup via satélite. Isso significa que, se a capa e o cartucho de uma pessoa são destruídos, essa pessoa pode "restaurar a partir do backup", embora vá perder algumas lembranças que foram acumuladas após o backup mais recente.

Apesar de o enredo ser, em si, muito intrincado, o mais interessante, pelo ponto de vista da hipótese da simulação, é sua descrição muito clara da consciência como informação que pode ser armazenada num dispositivo físico, que pode, então, ser usado para restaurar a pessoa num novo corpo.

Em outra descrição interessante, apesar de viagens mais velozes do que a velocidade da luz não serem possíveis nesse mundo futurista, é possível "teletransportar" as informações do cartucho de alguém a uma velocidade maior que a da luz. Isso quer dizer que, se houver uma capa pronta em outro planeta ou numa estação espacial, seria possível pegar a consciência de alguém e transmiti-la para aquela capa, e, de súbito, a pessoa acordaria dentro do novo corpo.

Então, como a "personalidade" é carregada em um cartucho cortical e encapada ou reencapada? Até nesse futuro de ficção científica, o processo é misterioso: ele foi desenvolvido com base na tecnologia de uma raça alienígena há muito desaparecida.

A Hipótese da Simulação

CONCLUSÃO: CONSCIÊNCIA COMO INFORMAÇÃO

Vimos como a história da IA e dos jogos é interligada, e, da mesma forma que minha primeira exposição à IA foi na construção de um joguinho de Jogo da Velha, muitos dos fundadores da ciência da computação moderna, entre eles Claude Shannon e Alan Turing, criaram jogos como um jeito de testar e desenvolver a inteligência artificial. Vimos que, recentemente, os algoritmos foram capazes de superar jogadores profissionais em jogos tradicionais como xadrez e *Go*, e até mesmo de vencer praticantes profissionais de eSports, o que requer uma compreensão muito maior de um ambiente virtual em 3D.

Também vimos que programas de IA contêm a promessa de manter a expertise de alguém viva depois que essa pessoa se vai. De fato, antes da recente onda de machine learning, a tecnologia de ponta em IA era um sistema expert, que codificava em regras o conhecimento que um "expert" podia ter sobre cumprir uma tarefa. A ideia era de que a IA poderia viver muito mais do que a pessoa.

Essa ideia da ficção científica de imortalidade digital é, na verdade, apoiada nas tradições espirituais e religiosas que acreditam que nossa consciência vive para sempre num pós-vida, fora do mundo físico. Nas tradições orientais, a consciência é transferida para múltiplos corpos em uma série de encarnações. Essa é uma analogia direta com o jogador que desempenha vários "papéis" ou "personagens" num RPG. Falaremos mais sobre modelos de reencarnação na Parte III, mas, se a mesma consciência habita múltiplos corpos, então é possível que esses personagens tenham missões e tarefas que são baseadas no que aconteceu em "vidas anteriores".

Para nossa discussão aqui, se a consciência é informação digital, então deveríamos ser capazes de não apenas preservar a consciência fora da simulação, mas também de criar consciências artificiais como parte de uma simulação em que não possamos distinguir entre personagens jogáveis e não jogáveis.

Ao construir seres artificiais (Estágio 9), encontramos sem querer uma forma de representar a consciência em si como informação digital que pode ser baixada em um jogador (Estágio 10). Existem questões metafísicas, assim como técnicas e filosóficas, que acompanham esse fato, e que precisarão ser resolvidas conforme viajamos por esses estágios rumo ao ponto de simulação.

Se uma civilização dominou esses dois estágios, então ela basicamente já alcançou o ponto de ser capaz de criar uma realidade semelhante à Matrix. Ela atingiu o ponto de simulação. Em seguida, exploraremos algumas das implicações de alcançar esse ponto e investigaremos o argumento original de Nick Bostrom de que podemos estar vivendo numa simulação esse tempo todo como entidades simuladas.

Capítulo 4

Estágio 11: ponto de simulação, simulações ancestrais e além

Em algum ponto após completar os estágios anteriores, uma civilização deveria ter atingido o ponto de simulação – aquele no qual pode criar simulações virtualmente indistinguíveis da realidade-base física. A Grande Simulação é um videogame que é tão real por ser baseado em modelos e técnicas de renderização incrivelmente sofisticados que são transmitidos diretamente para a mente dos jogadores, e as ações de consciências geradas artificialmente são indistinguíveis de jogadores reais.

Neste capítulo, exploraremos qual seria a aparência do ponto de simulação e então revisitaremos algumas implicações importantes de uma civilização atingir esse ponto. Ao fazer isso, examinaremos em detalhes o Argumento da Simulação de Nick Bostrom, que ajudou a lançar uma série de debates online sobre estarmos ou não vivendo dentro de uma simulação.

Mergulharemos nos detalhes das "simulações ancestrais", que é o termo usado por Bostrom para tais simulações, e o que significa, para as civilizações, serem capazes de produzi-las. A conclusão de Bostrom foi de que, se *qualquer* sociedade chegar *algum dia* ao ponto de simulação, então é mais do que provável que já estejamos dentro de uma simulação!

ESTÁGIO 11: ATINGINDO O PONTO DE SIMULAÇÃO

Existem vários outros obstáculos técnicos que precisariam ser superados, no caminho para o ponto de simulação, que não chamamos de estágios explícitos, mas são, em sua maioria, desafios de implementação, não desenvolvimento de tecnologia fundamental. Por exemplo: a habilidade de sustentar bilhões de jogadores individuais (um número que nenhum MMORPG conseguiu sustentar até agora), com quantidades consideráveis de informações para cada um deles. E isso, contando apenas um planeta – considerando-se a quantidade de outros planetas similares à Terra só na nossa galáxia, esse número de jogadores (NPCs e PCs) pode saltar para trilhões. Também há a questão da capacidade de armazenamento necessária para manter registros dessa quantidade de "jogadores" e dos algoritmos de compressão que permitam armazenar tantos dados em algum "servidor na nuvem".

A Tabela 1 a seguir mostra alguns dos critérios que definiriam o ponto de simulação, usando tecnologia sobre a qual já especulamos, mas que ainda não desenvolvemos. Apesar de os conceitos dos primeiros videogames e MMORPGs serem bastante úteis, alguns dos critérios fundamentais ainda não foram cumpridos por nossa civilização. Entretanto, assim como cem anos atrás ninguém poderia ter previsto os computadores e videogames de hoje, é bem provável que possamos chegar ao ponto de simulação ao longo dos próximos cem anos, um prazo curto pelos padrões cósmicos de tempo.

Critérios	Notas
Simulação de um vasto mundo de jogo	Mundos gerados processualmente
Renderização fotorrealista em 3D	Combina modelos e texturas em 3D, logo, melhorias da tecnologia existente
Habilidade de transmitir o sinal para o mundo simulado diretamente para nossos olhos ou mentes	Tecnologias ainda por serem inventadas – renderização em lightfield e transmissão mental
Capacidade de incorporar sensação (háptica)	Algumas dessas tecnologias existem, mas sua incorporação em interfaces mentais, ainda não
Habilidade de tirar respostas de nossa mente e de reagir no mundo	Ainda por ser inventada
Ter um número muito alto de jogadores online	Uma escala além do que podemos fazer hoje, mas apenas uma extensão da nossa tecnologia já existente
Armazenar dados sobre jogadores e personagens na simulação, mas fora do mundo renderizado	Uma quantidade muito grande de dados requer melhorias da tecnologia já existente
Lembranças implantadas	Capacidade de alterar a história, ainda não inventada
NPCs	Personagens artificiais sendo simulados, melhorias da tecnologia já existente

Tabela 1. Definindo o ponto de simulação – como saber se estamos no ponto de simulação?

Até aqui, falamos sobre o ponto de simulação como um momento fulcral no tempo e mostramos o mapa para uma civilização tecnológica, como a nossa, que desenvolveria a tecnologia de videogame ao ponto de ser capaz de construir a Grande Simulação.

O QUE SÃO SIMULAÇÕES ANCESTRAIS?

No artigo revolucionário "Are You Living in a Computer Simulation?" [Você está vivendo numa simulação de computador?], de 2003, Nick Bostrom, filósofo de Oxford, defendeu um argumento que não tinha especificamente relação com videogames, IA ou ficção científica, embora ele faça referência a tudo isso no artigo original.

O argumento defendido por ele é diferente; ele se refere a simulações como "simulações ancestrais" desenvolvidas por civilizações que tenham avançado até certo ponto (que seria análogo ao que estou chamando de ponto de simulação neste livro). Bostrom chama as civilizações que atingiram esse ponto de "pós-humanas", porque são capazes de produzir simulações ancestrais em seus potentes computadores.

> Uma coisa que as gerações posteriores talvez façam com seus computadores superpotentes é rodar simulações detalhadas de seus antepassados ou de pessoas como seus antepassados. Como seus computadores seriam muito potentes, eles poderiam rodar muitas dessas simulações [...] Então, seria o caso de que a vasta maioria das mentes como as nossas não pertençam à raça original, mas, sim, a pessoas simuladas pelos descendentes avançados de uma raça original.[20]

Embora Bostrom não apoie a ideia de que podemos estar numa simulação, ele parece ver as simulações como algo rodando em algum tipo

---

20. Nick Bostrom, "Are You Living in a Computer Simulation?", Philosophical Quarterly (2003) Vol. 53, No. 211, pp. 243-255.

de sistema avançado de computadores pós-humanos (se é que ainda se poderia chamá-lo de sistema de computadores) sem muita interação entre os seres simulados e os seres reais na realidade-base. Bostrom não vai muito longe nos detalhes do que está de fato acontecendo dentro dessas simulações. Em seu modelo, porém, todos os ancestrais dentro das simulações ancestrais são consciências artificiais – ou seres simulados.

O ARGUMENTO DA SIMULAÇÃO DE BOSTROM

O argumento básico de Bostrom, ao qual ele se referiu como o "Argumento da Simulação", resumidamente diz que ou a humanidade (ou qualquer espécie) atingirá o ponto em que terá a tecnologia para conduzir simulações ancestrais, ou não atingirá. Se qualquer espécie for algum dia capaz de chegar a esse ponto, Bostrom conclui que a probabilidade de estarmos dentro de uma simulação é vastamente maior.

Vamos investigar a fundo as três possibilidades que Bostrom levanta a respeito de qualquer civilização chegar ao ponto de simulação:

1. *Nenhuma civilização chega a este ponto, nunca. Portanto, as simulações ancestrais não são possíveis.* Por que uma civilização não chegaria a esse ponto? Ela poderia se autodestruir ou poderia simplesmente não desenvolver a tecnologia de computadores do jeito que estamos fazendo. Considerando-se o caminho para a simulação esboçada aqui antes, alguns aspectos dessa estrada estão progredindo rapidamente, enquanto outros podem levar mais tempo.

2. *Uma civilização chega a este ponto, mas as simulações ancestrais são banidas ou não autorizadas.* Por que uma civilização baniria simulações ancestrais? Essa é uma pergunta aberta, embora ele dê algumas ideias.

3. *Uma civilização chega a este ponto, e cria muitas simulações an-cestrais.* Esse cenário é visto como o mais provável, porque a maioria das tecnologias desenvolvidas por civilizações avança-das termina sendo utilizada, mesmo que de maneira limitada.

Se a opção número 3 for verdadeira – que uma espécie chega ao ponto em que sua tecnologia lhe permite criar simulações ancestrais reais —, então essa espécie provavelmente criará *muitas* simulações assim.

Criar uma nova simulação é, então, como liquidar um novo caso de um servidor de videogame (embora, de fato, teria que ser um ser-vidor muito poderoso segundo nossos padrões tecnológicos atuais). Se presumirmos que existe uma realidade-base que está criando muitas (centenas, milhares, milhões de) simulações ancestrais, então, a cada vez que uma nova simulação for criada, haverá números exponencial-mente maiores de seres nessas simulações.

A BASE ESTATÍSTICA PARA O ARGUMENTO DE BOSTROM

O argumento de Bostrom diz que, se a possibilidade número três for verdadeira (que uma civilização chega ao ponto de criar a simulação an-cestral), então o número de mundos simulados superará numericamente (e muito) os mundos reais. Isso é verdade mesmo que, ou ainda mais se, múltiplas raças cheguem ao ponto de simulação em planetas diferentes. Bostrom não explora essa possibilidade, limitando-a ao argumento fi-losófico de uma civilização "real" criando muitas simulações ancestrais.

Se pegarmos nossa própria civilização como exemplo, então o número de "seres" nessas simulações pode estar na casa dos bilhões ou trilhões, já que criar novos seres requer simplesmente maior potência computacional.

Portanto, para cada civilização *pós-humana*, o número de seres simulados quase certamente superará vastamente o número de seres físicos reais.

É uma simples probabilidade, então, que nos diz que, uma vez que existem muito mais seres em mundos simulados do que no mundo real, as chances de que sejamos seres simulados em uma simulação são muito altas.

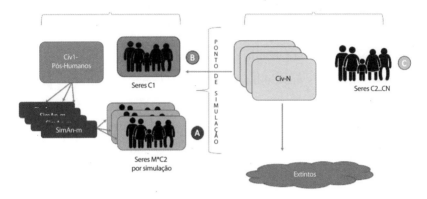

Figura 17: A estrutura básica do Argumento da Simulação.

Esse argumento pode ser visualizado na Figura 17. O lado esquerdo representa a civilização que conseguiu passar do ponto da simulação.

O argumento básico é que, se você considerar o ponto A como o número de seres simulados e B como o número de seres "reais" na civilização, então A , provavelmente, é muito maior do que B para uma única civilização (em termos matemáticos, A > > B). Isso significa que existem muito, muito mais seres simulados do que seres reais, porque é preciso apenas potência computacional para rodar uma simulação totalmente nova.

A probabilidade de estarmos numa simulação é simplesmente a proporção de seres simulados comparada à proporção de seres reais. Se A > > B, então esse número será maior do que 1!

Bostrom usa cálculos levemente mais complicados para defender esse mesmo ponto: o de que, se alguma civilização tiver a probabilidade de atingir o ponto de simulação, então o número de seres simulados em todos os universos (simulados e "reais") supera grandemente o de seres humanos reais na "civilização-base" (ou seja, os "seres reais" X os "seres simulados").

Claro, isso presume que estamos olhando apenas para o lado esquerdo do diagrama. Bostrom e seu colaborador Marcin Kulczycki, da Jagiellonian University, publicaram uma emenda ao argumento da simulação quando foi apontado que ele olhava apenas para os seres reais na civilização que havia passado da fase pós-humana.

O resto dos seres nas civilizações que ainda não atingiram o ponto de simulação (ele as chama, desajeitadamente, de pré-pós-humanas) também precisa ser contabilizado. Nossa civilização atual (conjecturando-se que não estamos numa simulação) se encaixaria nessa categoria, pois ainda não chegamos ao ponto de simulação.

Essas civilizações ou passarão do ponto de simulação com o desenvolvimento de tecnologias mais sofisticadas (como provavelmente faremos ao longo das próximas décadas ou séculos), ou se extinguirão. Existe alguma alternativa de que elas sobrevivam em um estado pré-pós-humano por um longo período? Isso depende de se é uma civilização tecnológica como a nossa, que desenvolva computadores e videogames. É possível que algumas civilizações nunca construam computadores e videogames, mas é improvável que uma civilização tecnológica não teria algum tipo de computação.

Apesar de o acréscimo desses seres deixar o número de seres reais maior, mesmo assim não resta dúvida de que seres simulados podem ser redobrados quase infinitamente muito depressa; logo, o argumento básico ainda se mantém. Noutras palavras, A > > (B + C), embora a proporção possa não ser tão díspar quanto era inicialmente. Se o número de seres simulados em *todas as simulações* é *muito maior* do que o número de seres simulados em todas as civilizações do mundo real, então ainda é mais provável que estejamos dentro de uma simulação!

Em uma entrevista com Larry King, o físico Neil deGrasse Tyson, enquanto discutia o argumento de Bostrom, também levantou a ideia de que cada simulação poderia ter seres que criassem subsimulações (ou simulações-dentro-de-simulações), de modo que o número de seres simulados poderia ser quase infinito. Ele chama isso de argumento "simulações até lá embaixo".

As equações de Bostrom lembram a famosa Equação de Drake, que tentou estimar o número de civilizações alienígenas existentes na galáxia. Você precisa inserir presunções sobre quantas estrelas existem, qual percentagem dessas estrelas tem planetas, quantos desses planetas têm vida e que percentual desses planetas com vida desenvolve civilizações tecnológicas, quanto tempo duram essas civilizações, etc. A resposta, obviamente, muda de forma drástica dependendo das presunções. Pesquisas demonstraram recentemente que planetas são mais comuns do que se conjecturou originalmente, e que o número de estrelas na galáxia (e o número de galáxias no universo) é muito maior do que pensávamos nos anos 1960, quando Frank Drake propôs a equação. De maneira semelhante, conforme nossa tecnologia avança pela estrada rumo ao ponto de simulação, torna-se cada vez mais provável que a afirmação de Bostrom seja precisa.

SOMOS PERSONAGENS SIMULADOS EM UMA SIMULAÇÃO ANCESTRAL OU JOGADORES CONSCIENTES EM UM VIDEOGAME?

A conclusão mais importante a que Bostrom chega é que é *mais provável* que sejamos *seres simulados* numa simulação ancestral do que sejamos seres *não simulados*. Embora não tenhamos como saber as porcentagens exatas para inserir nas equações dele, ele demonstra claramente que existe uma chance maior que zero de que estejamos vivendo numa simulação.

A Hipótese da Simulação

A conclusão de Bostrom é que seres simulados são realmente personagens artificialmente inteligentes em simulações, em vez de entidades conscientes que têm presença no mundo real. Isso significaria que, quando interagimos com outros indivíduos no mundo ao nosso redor, se não temos como saber se eles são seres gerados por computador ou IAs, então podemos presumir que seja lá quem tenha criado a simulação foi capaz de construir computadores potentes e chegar ao ponto de simulação.

Se somos seres simulados numa simulação, então outros personagens ao nosso redor já estão passando pelo Teste de Turing. Isso significa que, se o Teste de Turing será superado algum dia, então provavelmente isso já ocorreu! Isso presume que ele foi superado numa realidade "acima" da nossa simulação e enquanto tentamos resolver esse problema "dentro de nossa simulação" em nossos computadores (que poderiam ser, para todos os propósitos práticos, computadores simulados!).

Como designer de videogames, isso me lembra de nossas tentativas de criar NPCs realistas. Conforme os jogos se sofisticaram, seus personagens de IA também ficaram mais sofisticados. Recordo-me dos primeiros jogos de texto, como *Zork,* que tinham jogadores que conversavam com você, e dessas tentativas de fazer os personagens parecerem mais realistas. A IA avançou para muito além disso, mas não temos atualmente NPCs que possam superar o Teste de Turing. Quando tivermos (daqui a dez ou talvez cem anos), a possibilidade de que já estejamos interagindo com pessoas que são, na verdade, NPCs sobe consideravelmente.

De fato, Bostrom pensa que "nós" somos a consciência simulada. Ele faz o argumento de que talvez não precisemos passar pelo Teste de Turing, mas sim que somos construídos de tal forma que não conseguimos identificar se outros "humanos" (como os julgamos), ou outros personagens na simulação, são simulados ou não.

Videogames, por outro lado, como os conhecemos, envolvem um jogador real que está fora do jogo, jogando o videogame. Qualquer

152

videogame pode ter muitos NPCs, ou muitas ocorrências do mesmo NPC, mas não seria um videogame a menos que exista um ou mais de um jogador. Na hipótese de simulação que estou defendendo neste livro, existem bilhões de jogadores habitando nossa consciência, mas não há nada que diga que alguma porcentagem dos "personagens" com que entramos em contato não possa ser de consciências simuladas.

O QUE É A CONSCIÊNCIA?

Quer estejamos lidando com o Teste de Turing ou personagens simulados, ou robôs sencientes ou IAs como Data ou HAL 9000, até agora viemos tomando como certa a ideia de "consciência digital".

Realmente não temos uma definição para o que a consciência digital poderia ser de fato, porque não compreendemos realmente do que se trata a consciência humana. Max Tegmark, professor do MIT e autor do livro *Life 3.0: Being Human in the Age of Artificial Intelligence* [Vida 3.0: Ser humano na era da inteligência artificial], relembra que seu amigo, neurocientista e pesquisador do cérebro Christof Koch foi desencorajado de pesquisar a consciência por um de seus mentores, o premiado prêmio Nobel Francis Crick (codescobridor da estrutura do DNA).[21] Por quê? Porque esse é um assunto espinhoso na ciência ocidental.

A perspectiva da ciência ocidental materialista parece colocar a consciência em uma destas duas possibilidades:

1. A consciência como experiência é muito subjetiva, portanto, está fora da alçada das "ciências físicas" e, por isso, é ignorada.

---

21. Max Tegmark, *Life 3.0: Being Human in the Age of Artificial Intelligence* (Nova York: Alfred A. Knopf, 2017), p. 281.

2. A consciência é, na verdade, o resultado de processos físicos – ou seja, reações químicas. Mais especificamente, a atividade neural no cérebro é responsável pela consciência, e, conforme somos capazes de mapear essa atividade neural de maneira mais completa, poderemos facilmente reproduzir a consciência de forma artificial.

Embora a alternativa número 1 tenha sido a perspectiva de muitos cientistas durante os últimos cem anos, mais ou menos, a perspectiva número 2 tem ganhado espaço com a área emergente da neurociência.

CONSCIÊNCIA DIGITAL X CONSCIÊNCIA ESPIRITUAL

Os pontos de vista místicos orientais e religiosos ocidentais sobre a consciência são diferentes dos da ciência. Na perspectiva religiosa, a consciência existe independentemente, e fora, do corpo físico. A consciência penetra o corpo físico por volta do nascimento e o deixa na morte, segundo essas tradições. A consciência até deixa o corpo durante os sonhos, em algumas dessas tradições.

Não sabemos qual visão, se a espiritual ou a material, está mais próxima da "realidade", e esse é um debate que vem sendo travado há muitos anos. Se a consciência existe fora do corpo físico, onde ela está? A hipótese da simulação sugeriria que ela está armazenada fora do mundo renderizado, um mundo que não podemos ver porque estamos presos dentro da simulação. Ela poderia ser carregada em algum servidor ou armazenada em dispositivos locais (ou seja, nossos corpos) de maneiras que ainda não descobrimos.

Nesses dois casos, na visão materialista (de que a consciência é o resultado de um padrão de neurônios disparando) e na visão espiritual (de que a consciência existe fora do corpo, e é transferida para dentro dele), existe um ponto em comum:

A consciência é, na verdade, um conjunto de informações e um processamento dessas informações.

Da perspectiva espiritual, essa informação assume várias formas, incluindo uma alma que, no hinduísmo, é indestrutível; nas tradições judaico-cristãs-islâmicas, uma alma que sobrevive à morte e vive eternamente no Paraíso ou no Inferno; até o budismo, que acredita não existir uma alma permanente, já que ela seria um "saco de karma". Em todos esses casos, qualquer informação que esteja associada com o "jogador" é transportada e conectada, por meio de algum processo misterioso, à máquina biológica que é o nosso corpo.

Sob o ponto de vista materialista, se simplesmente tivéssemos potência computacional suficiente para fazer um modelo de todas as conexões no cérebro físico, teríamos uma "cópia" de uma pessoa em determinado ponto temporal.

Um grupo de pesquisadores na Suíça acredita ter criado, recentemente, um modelo escalonado no computador que reproduz e age como o cérebro, fazendo um modelo dos neurônios de um indivíduo e os reproduzindo: eles acreditam que, tirando o modelo do cérebro de um rato, que talvez consista de "apenas" dez mil neurônios (com trinta milhões de conexões neurais associadas), eles têm um modelo em escala que poderia servir como base para o modelo de um cérebro inteiro daqui a alguns anos. O cérebro humano, por outro lado, é composto de redes conectando 10^{12} neurônios em 10^{15} sinapses.[22] Até a escrita deste livro, ninguém foi capaz de fazer um modelo bem-sucedido dessa

---

22. https://www.ncbi.nlm.nih.gov/pmc/articles/PMC3812748/.

A Hipótese da Simulação

quantidade de conexões neurais, mas isso não significa que se esteja tão distante quanto se pode imaginar.

Ray Kurzweil também defende, assim como muitos outros o fizeram, que não é apenas a consciência que é a informação. As células do seu corpo foram substituídas muitas vezes – você *literalmente* não é a mesma pessoa física que era muitos anos atrás. Deve haver algumas "informações" (a que Kurzweil se refere como "padrões") que definem quem você é e dizem às células como crescer. Isso se aplica não apenas a células sadias, mas também a células doentes; teoricamente, se todas as células são substituídas, quaisquer células adoecidas deveriam simplesmente desaparecer por conta própria. Isso não ocorre por causa dos padrões de informação. Até entidades biológicas, em seu cerne, seguem uma estrutura computacional.

Independentemente de em qual abordagem você acredite, a materialista ou a espiritualista, a informação parece ser uma parte crucial da consciência. E se a consciência é informação, então ela pode ser representada digitalmente e poderia, potencialmente, ser baixada ou carregada em "servidores", mesmo que ainda esteja muito além de nossas capacidades fazer isso no momento.

Conforme começamos e ver a consciência e a realidade biológica como tipos de informações, a hipótese da simulação parece cada vez mais provável, acredite você numa perspectiva materialista ou espiritual.

A SIMULAÇÃO EXPLICA O NOSSO MUNDO?

Nesta parte do livro, passamos por como poderíamos construir algo semelhante à Matrix, mostrando que é tecnicamente viável dentro das próximas décadas ou, no máximo, no próximo século. Como o Argumento da Simulação de Bostrom demonstra, se qualquer civilização algum dia atingir esse ponto, então é muito possível (até provável) que já estejamos numa simulação!

As próximas seções deste livro explorarão algumas das razões pelas quais a hipótese da simulação na verdade explica muitas perguntas sem resposta sobre o nosso mundo. Isso inclui alguns dos paradoxos e aspectos incomuns da física quântica, assim como as visões religiosas expressas pelos místicos orientais e as religiões ocidentais.

Surpreendentemente, são as perspectivas religiosas que mais se aproximam da analogia com o videogame: que nosso mundo físico é um tipo de "ilusão", povoado por seres conscientes que existem fora da simulação. Bostrom não pareceu contemplar essa possibilidade, já que seu argumento sugere implicitamente que a maioria dos seres são seres simulados, mas esse pode ser um dos aspectos mais intrigantes da hipótese da simulação, fazendo a ponte entre dois campos do conhecimento que raramente se sobrepõem: religião e ciência.

Na última parte do livro, fecharemos explorando provas adicionais da computação, dando voz a alguns dos céticos e considerando as maiores questões filosóficas e implicações dessa hipótese. De fato, veremos como a hipótese da simulação pode ser o único modelo que amarra tudo a respeito de nosso mundo – nossos ensinamentos científicos, espirituais e religiosos – em um único pacote de uma maneira coerente.

Parte 2

Como a simulação explica o nosso mundo: a física

A grande diferença entre a nova e a velha física é, ao mesmo tempo, muito mais simples e muito mais profunda: tanto a velha física quanto a nova estão lidando com símbolos de sombras; a nova física, porém, foi forçada a estar ciente do fato – forçada a estar ciente de que lidava com sombras e ilusões, não com a realidade.[23]

– Ken Wilber, *Quantum Questions*

O leigo sempre quer dizer, quando fala "realidade", que está falando de algo conhecido e autoevidente; enquanto para mim parece que a tarefa mais importante e extraordinariamente difícil de nossa era é pelejar na construção de uma nova ideia de realidade.

– Wolfgang Pauli, físico teórico

---

23. Ken Wilber, *Quantum Questions* (Boston: Shambala, 1984), p. 9.

Capítulo 5

Renderização condicional e o colapso da onda de probabilidade

Pois aqueles que não se chocam quando conhecem a teoria quântica não podem tê-la compreendido.[24]
– Niels Bohr

Quando comecei a pesquisar mais a fundo a teoria quântica, descobri muitos paralelos entre o mundo dos videogames e essa intrigante área da física que podem oferecer algumas evidências de que estamos, de fato, vivendo numa simulação.

Nessa parte do livro, meu argumento é que a hipótese da simulação explica coisas sobre o nosso mundo físico que têm sido difíceis de explicar. Embora tenha sido produtiva para descobrir as regras do

---

24. Em Werner Heisenberg, Physics and Beyond (Nova York: Harper and Row, 1971), p. 206.

A Hipótese da Simulação

mundo físico, a física moderna foi incapaz de responder à grande questão: *por que o universo funciona assim.*

Isso é verdadeiro não apenas para a física quântica, mas também para questões que surgem das descobertas da física relativa e da física clássica. Exploraremos cada uma dessas questões nos próximos capítulos (talvez não necessariamente nessa ordem):

- Será que o espaço é quantizado – ou seja, será que ele consiste de pixels, como um mundo virtual?
- Será que o tempo é quantizado – o universo teria um cronômetro e funcionaria como uma simulação de computador?
- Quais são o propósito e a natureza da indeterminação quântica? Será uma técnica de otimização semelhante ao que os mecanismos de renderização fazem nos videogames?
- Por que a "observação" causa o colapso da onda de probabilidade quântica?
- Mundos paralelos existem de fato? Ou são apenas probabilidades numa "grade virtual" de possibilidades, como um videogame?
- A matéria existe mesmo, ou, como pixels num videogame, as partículas subatômicas simplesmente ligam e desligam conforme necessário?
- Por que a velocidade da luz é tanto uma constante fundamental quanto um limite absoluto?
- O mundo físico tem um sistema de física como um videogame? Caso tenha, será que ele permite comunicação instantânea e "saltos" por aí, feito um videogame?
- Existe mesmo um universo objetivo ou será que, como ocorre num videogame, a informação é renderizada em cada um de nossos "computadores" (ou seja, nossas mentes)?

Essas são questões grandiosas e complicadas. Se adotarmos a hipótese da simulação como modelo, revela-se que ela nos dá algumas respostas que explicam tanto o propósito quanto o mecanismo subjacente de muitos aspectos misteriosos da física.

Como mencionei na introdução, enquanto eu estudava no MIT, meus professores me disseram que, para um fenômeno observado, se um novo modelo oferece explicações melhores do que o modelo existente, então, deveríamos cogitar adotar esse novo modelo como uma possibilidade melhor de explicação de como o mundo funciona.

VIDEOGAMES E A INDETERMINAÇÃO QUÂNTICA

O primeiro tópico que abordaremos tem relação com como os videogames são construídos e o que isso pode nos ensinar sobre uma das descobertas mais estranhas no cerne da física quântica: a indeterminação quântica (ou IQ). Essa é a principal descoberta da física quântica, que se provou tão chocante tanto para físicos quanto para leigos. Niels Bohr se referiu a ela como se vê na citação no início deste capítulo.

A indeterminação quântica é a ideia de que o mundo pode não ser "renderizado" se não estivermos olhando para ele. Conforme vimos na seção anterior sobre videogames, as técnicas da ciência da computação para otimizar a renderização, que levaram a óculos de realidade virtual, renderizam apenas aquela parte do mundo que pode ser vista pelo jogador em dado momento.

Além disso, embora possa existir um "estado" mestre no servidor em videogames multiplayer, a renderização é feita na máquina de cada cliente. Isso corresponde à descoberta na física quântica de que uma onda de probabilidade colapsa em uma realidade específica *apenas* quando existe um observador. O que nos leva a outro aspecto da física quântica que parece ficção científica: mundos paralelos.

Usando uma analogia de IAs dos primeiros videogames, voltando ao meu exemplo muito simples do *Jogo da Velha,* perguntaremos: existe algum mecanismo consciente (artificial ou não) que esteja escaneando esses prováveis mundos paralelos e escolhendo um em meio a vários? Também exploraremos, já que existem múltiplos observadores conscientes em um dado "mundo" e todos o estão afetando, a natureza de um programa multiplayer que precisa manter todos eles em sincronia e o que isso significa para uma realidade objetiva.

A VELHA FÍSICA

Antes de saltarmos para o centro do argumento deste capítulo, sobre a indeterminação quântica e qual a relação dela com a hipótese da simulação, serão necessárias algumas informações básicas. Vamos dar uma olhadinha rápida no que é chamado com frequência de modelos da física antiga ("clássica"), construídos em cima das obras de Sir Isaac Newton, e a nova física ("relativista e quântica"), que começou com Albert Einstein, mas foi desenvolvida de fato por vários físicos eminentes no começo do século 20, entre eles Niels Bohr, Werner Heisenberg, Wolfgang Pauli e Erwin Schrödinger.

Na visão clássica da física, o universo opera de forma independente de pessoas como nós (ou observadores) e o faz de maneira puramente mecânica. As leis do movimento de Newton poderiam ser utilizadas para descrever os movimentos dos corpos celestiais com base simplesmente em sua massa e posição usando equações básicas da física. De fato, utilizando as equações de Newton, Pierre-Simon Laplace produziu dois tomos que descreveram os movimentos de cada corpo celestial conhecido na época, o *Exposition du système du monde* e o *Mécanique celeste.*

Nesse modelo, cada um dos corpos planetários é uma entidade física independente que atua sobre os outros seguindo as leis clássicas da mecânica. Esse é um *modelo puramente determinista* – para saber onde as coisas vão parar, você simplesmente precisa saber de onde elas saíram e quais forças estão agindo sobre elas. Nessa visão de mundo, o observador é apenas isto: um observador que não exerce efeito algum sobre a movimentação dos corpos sendo estudados.

Essa ideia, que começou no mundo macroscópico, foi estendida ao mundo microscópico quando lorde Ernest Rutherford descobriu o núcleo do átomo. A ideia era que existiam blocos básicos de construção que eram distintos e independentes uns dos outros, exatamente como os planetas no sistema solar. O núcleo de um átomo consistia de prótons e nêutrons, enquanto os elétrons se moviam em torno do núcleo em órbitas, análogas ao modo como os planetas orbitavam o sol. Isso foi chamado de modelo planetário (ou o modelo planetário de Rutherford-Bohr).

O único desafio real a esse modelo foi a descoberta dos campos eletromagnéticos, que pareciam ser uma parte completamente diferente do mundo físico. Michael Faraday e James Maxwell estudaram esses fenômenos, e as equações de Maxwell descreveram algo novo, que não tinha sido levado em conta nos modelos existentes: um campo eletromagnético. Ainda assim, como isso se encaixava na área emergente da eletricidade e não tinha a ver com átomos, o modelo de mecânica clássica de Newton reinou, supremo.

A NOVA FÍSICA E A DUALIDADE ONDA-PARTÍCULA

Como acontece com frequência com a ciência, foram os casos extremos que começaram a redefinir o modelo do universo físico. O modelo clássico, embora ainda relevante para percepção e movimento cotidianos de objetos grandes, começou a desmoronar no começo do século 20, quando físicos mergulharam nos mistérios da natureza e encontraram falhas nesse modelo, particularmente em dois casos: (1) quando objetos viajavam em velocidades muito altas e (2) no nível subatômico, com objetos muito pequenos.

A primeira grande revolução foi a teoria da relatividade, de Einstein, que redefiniu nossas ideias de tempo e espaço. Einstein descobriu que a velocidade da luz era uma constante fundamental em nosso mundo, e que a velocidade da luz não se alterava. Em vez disso, conforme os objetos se moviam mais depressa, aproximando-se da velocidade da luz, tanto tempo quanto espaço pareciam se adaptar. Essa descoberta, que foi comprovada por experimentos, foi muito intrigante. Por que a velocidade das ondas eletromagnéticas (a velocidade da luz) seria uma constante fundamental em nosso mundo? Vamos conversar muito mais sobre isso no Capítulo 7.

Einstein também participou do nascimento da física quântica e da redefinição de como átomos e partículas subatômicas se comportavam. Isso começou com o Princípio da Exclusão de Pauli – a descoberta feita por Wolfgang Pauli de que dois elétrons num átomo não podem ocupar a mesma posição ou estado quântico ao mesmo tempo. Prosseguiu com as investigações de Einstein sobre o efeito fotoelétrico (pelas quais ele recebeu seu único prêmio Nobel), em que ele descobriu que pequenas partes da luz agiam como *quanta*, e que essas partículas não se moviam continuamente de um estado para outro, mas que "saltavam de estado" conforme absorviam energia (isso foi chamado de "salto quântico"). Posteriormente, esses *quanta* de luz vieram a ser chamados de fótons.

Com essas e outras descobertas, a área da física quântica nasceu. Essas descobertas levaram a uma reavaliação do modelo padrão para descrever a natureza e o comportamento das partículas subatômicas. Os pioneiros da física quântica descobriram que os elétrons e outras partículas subatômicas não eram tão organizados quanto se pensara originalmente, nem seguiam órbitas contínuas, e isso decretou o fim do modelo planetário do átomo.

O golpe fatal no modelo planetário veio quando físicos descobriram que era impossível dizer qual era a posição exata de um elétron, e que ele existia em uma "nuvem de possibilidades" onde a partícula poderia estar. Quanto mais se tentava focar na localização de uma partícula, menos certeza se podia ter quanto à sua velocidade, e vice-versa.

A CRUZ DO PROBLEMA: A DUALIDADE ONDA-PARTÍCULA

No cerne da nova física estava um efeito que Einstein descobriu na luz e outros descobriram nos elétrons e em outras partículas subatômicas, que desconcertou as melhores mentes da física. Trata-se da natureza dupla de certas partículas no mundo quântico – uma partícula podia ser uma única partícula e uma onda ao mesmo tempo!

Podemos pensar numa partícula como estando num único local. Vamos dizer que estamos em um cinema, e a partícula é uma pessoa. Como a partícula é uma pessoa só, ela pode, no máximo, estar sentada em uma das poltronas do cinema em dado momento. Nós nos referimos a isso como a natureza "local" de uma partícula.

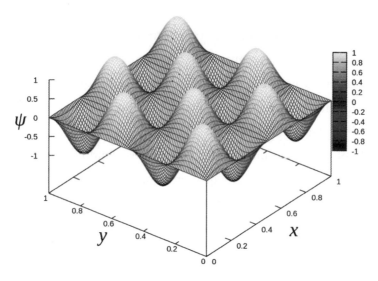

Figura 18: Exemplo de uma onda de probabilidade para uma partícula.[25]

Uma onda, por outro lado, consegue descrever os lugares em que uma partícula poderia estar com base na probabilidade de cada localização. Usando nossa analogia, essa onda será o conjunto de probabilidades de você escolher alguma poltrona em particular no cinema para assistir ao filme. A Figura 18 é um exemplo, mostrando uma onda de probabilidade da localização de uma única partícula; a probabilidade associada a um ponto específico é a probabilidade de a partícula estar naquele ponto.

O famoso experimento da fenda dupla, mostrado na Figura 19, tinha a intenção de mostrar se as partículas (como os elétrons ou fótons) agiam como partículas discretas ou como ondas. Se os elétrons disparados pelas fendas se comportassem como uma onda, passariam pelas duas fendas e mostrariam um padrão de interferência na tela logo a seguir. Se, por outro lado, eles se comportassem como partículas, então passariam apenas por uma das fendas de cada vez e deveriam aparecer em locais distintos na tela.

---

25. https://commons.wikimedia.org/wiki/File:Particle2D.svg (domínio público).

Voltando para nossa analogia do cinema, ou haveria alguma probabilidade distribuída em cada poltrona do cinema, ou haveria uma poltrona com 100% de probabilidade de a pessoa estar sentada ali.

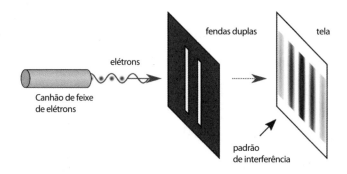

Figura 19: O experimento da fenda dupla com elétrons mostrando um padrão de interferência.[26]

O experimento da fenda dupla obteve um resultado inesperado – ele mostrou que partículas básicas, como fótons e elétrons, comportam-se como ondas e como partículas distintas, e não temos como saber exatamente onde uma partícula está até que a observemos!

Retornando à nossa analogia, suponhamos que o cinema estivesse absolutamente no escuro (sem nenhum filme sendo exibido), e nós tivéssemos uma única lanterna para direcionar a uma poltrona específica ou pudéssemos acender todas as luzes de uma vez. Se voltássemos a lanterna para uma poltrona específica, então a partícula (nosso cinéfilo) apareceria nessa poltrona específica (e apenas nela). Entretanto, se acendêssemos todas as luzes de uma vez, então veríamos a onda, ou um pouquinho da partícula, aparecendo em todas as poltronas. Embora essa analogia tenha seus limites, ela ilustra a estranheza de como as partículas quânticas se comportam.

---

26. https://commons.wikimedia.org/wiki/File:Double-slit.svg (domínio público).

A Hipótese da Simulação

O colapso da onda de probabilidade quântica

Essa foi uma conclusão confusa para os primeiros cientistas quânticos, e eles se referiam à onda de possibilidades como a "onda de probabilidade quântica", e sugeriram que, quando uma partícula é observada, isso causa um "colapso" da onda de probabilidade em uma única possibilidade: o caminho que o elétron fez para chegar a um ponto particular da tela.

O que causa esse colapso? A discussão se estende até hoje, mas Heisenberg afirma que "O caminho do elétron começa a existir apenas quando o observamos". O próprio ato de observar, em si, parece ser a chave para desvendar uma realidade particularmente "local" em meio à onda de probabilidade "não local" de onde a partícula poderia estar. Amit Goswami, físico aposentado da Universidade de Oregon, escreveu: "Quando o medimos, sempre encontramos o elétron localizado como uma partícula. Podemos dizer que nossa mensuração reduz a onda de elétrons ao estado de partícula".[27]

Os físicos descobriram que esse dilema central, a dualidade partícula-onda, abriu uma caixa de Pandora não apenas de questões sobre o modelo clássico do átomo, mas também de toda a nossa ideia de observação científica e dualidade sujeito-objeto.

O fim de uma dualidade sujeito-objeto

A ciência moderna é construída sobre a ideia de que o sujeito e o objeto são duas entidades à parte, não conectadas, e que um observador pode

---

27. Amit Goswami, Richard E. Reed e Maggie Goswami, *The Self-Aware Universe* (Nova York: Tarcher/Putnam, 1995), p. 39.

medir os resultados de um experimento sem afetá-lo. A física quântica desafiava tudo isso; o ato da observação parecia afetar o resultado.

John Wheeler, um dos pioneiros da física quântica, traça a distinção entre observador e participante no experimento:

> Nada é mais importante no princípio quântico do que isto, o fato de que ele destrói o conceito do mundo como "esperando ali fora", com o observador separado e a salvo dele por uma placa de vidro de vinte centímetros. Até para observar um objeto tão minúsculo quanto um elétron, ele precisa quebrar esse vidro. Ele deve estender a mão [...] para descrever o que aconteceu, a pessoa tem que riscar a antiga palavra, "observador", e inserir em seu lugar a nova palavra, "participante". Em algum sentido estranho, o universo é um universo participativo.[28]

No final, a melhor explicação para o que colapsa a onda de probabilidade é o processo de *observação*. É como se precisássemos ter alguém olhando para *a coisa* para determinar o que *a coisa* é; de outra forma, a *coisa* é, na verdade, apenas uma massa de probabilidades flutuantes (com frequência chamada de espuma quântica).

Isso significa que o observador, que é uma entidade consciente, está participando da produção dos resultados de fenômenos físicos, ao menos no nível subatômico. Isso levou a uma ideia desconfortável para muitos cientistas, a de que a consciência de alguma forma estava envolvida no universo físico, uma ideia proposta pela primeira vez pelo famoso matemático John von Neumann nos anos 1930 e que tem sido fonte de debates desde então.

---

28. J. A. Wheeler, *The Physicist's Conception of Nature*, ed. J. Mehra (Dodrecht, Holanda: D. Reidel, 1973), p. 244.

A Hipótese da Simulação

Existem outras interpretações para as descobertas básicas da física quântica (examinaremos uma interpretação alternativa, a interpretação dos muitos mundos, no próximo capítulo), mas a mais proeminente, chamada de interpretação de Copenhague, sugerida por Max Born, Heisenberg e Bohr, é coerente com esta perspectiva: a de que as probabilidades são colapsadas pela observação.

Mesmo aqueles que se opõem à interpretação de Copenhague da espuma quântica como um conjunto de probabilidades foram forçados a aceitar a ideia de que o observador e o observado não poderiam ser separados, como os resultados de experimentos como o da fenda dupla verificaram repetidamente.

Mais esquisitice quântica: o princípio da incerteza

A ideia de que o observador e o observado não podem ser separados é parte central da mais famosa descoberta de Heisenberg, chamada princípio da incerteza, que ele expressou pela primeira vez em 1927, durante seu trabalho no Niels Bohr Institute, em Copenhague.

Heisenberg descobriu que, no nível quântico, é impossível saber com precisão múltiplas propriedades de uma única partícula. Se, por exemplo, quisermos saber sua velocidade com exatidão, não temos como saber sua posição, e vice-versa. Se quisermos saber sua posição exata em qualquer momento, não podemos saber sua velocidade exata. Na verdade, ele expressou isso em termos de "impulso" e "localização".

Isso mostra que temos que escolher o que medir, e mais uma vez vemos o observador tendo impacto sobre o mundo físico. Por que seria difícil medir a localização específica ou a velocidade (ou impulso) com acurácia? A melhor explicação a que os físicos conseguiram chegar é que a localização é uma propriedade de uma única partícula, enquanto o impulso lida com o movimento de uma partícula, o que faz dele algo mais semelhante a uma onda. Portanto, temos que decidir se queremos medir uma partícula como partícula distinta ou medi-la mais como uma onda – mostrando que a cruz do problema ainda é a dualidade onda-partícula.

O gato de Schrödinger e a sobreposição quântica

Essa discussão da física quântica nos traz ao agora infame exemplo do gato de Schrödinger. Qualquer um que já tenha passado pela mecânica quântica encontrou esse animal hipotético – de fato, ele pode ser tudo o que alguns leigos conhecem sobre a "esquisitice quântica".

Em 1935, o físico austríaco Erwin Schrödinger tentava explicar o conceito da *sobreposição quântica,* que é a ideia de que qualquer partícula pode estar em mais de um estado ao mesmo tempo até que/a não ser que seja observada, momento em que então assume um ou outro estado. Esse foi outro jeito de descrever o colapso da onda de probabilidade em termos do estado de uma partícula específica.

Schrödinger, numa tentativa de retirar a esquisitice quântica do reino subatômico para o reino dos objetos cotidianos que pudessem ser compreendidos mais facilmente por não físicos, criou seu felino desafortunado. Ele descreveu um experimento envolvendo um gato teórico que está dentro de uma caixa com um material radioativo, que se deteriora seguindo determinada taxa probabilística. Em sua proposta original, o material radioativo libera um veneno, e, após uma hora, há 50% de chance de o gato estar vivo e 50% de chance de estar morto.

Antes de abrirmos a caixa para "observar" o gato, em qual estado ele está? *O gato está vivo ou morto?*

O dilema é que não sabemos se o gato está vivo ou morto até abrirmos a caixa e observarmos o estado do gato. Goswami, no livro *O Universo Autoconsciente (The Self-Aware Universe),* declara que podemos ser "tentados a pensar" nessa probabilidade de 50% como uma moeda que jogamos, mas que está escondida. Entretanto, na mecânica quântica, ele e outros físicos insistem que não é bem esse o caso, como ditaria o bom senso.

O bom senso ditaria que o gato está vivo ou morto (e nós simplesmente não sabemos em que estado ele se encontra). A probabilidade ditaria que o gato está semivivo ou semimorto, o que funciona segundo o que Goswami chama de interpretação do conjunto: se existirem 100 gatos em caixas assim, então 50% deles estarão mortos e 50% estarão vivos.[29]

A sobreposição, contudo, não vem do bom senso. Na física quântica, a sobreposição significa que uma entidade existe nos dois estados simultaneamente, e o *ato da observação* traz à tona uma das realidades, exatamente como o elétron é um conjunto de ondas até que o observemos, quando ele então se torna uma partícula localizada – um colapso da onda de probabilidade em uma única realidade.

A sobreposição é um conceito importante que agora encontrou seu caminho até os computadores quânticos, um assunto que exploraremos posteriormente neste livro. Nos computadores tradicionais, um bit tem um valor de zero ou de um; nos computadores quânticos, porém, os bits (assim como o gato de Schrödinger) estão sobrepostos – eles têm os dois valores, de 1 e 0, a menos ou até que alguém os observe.

PASSANDO DA INDETERMINAÇÃO QUÂNTICA PARA OS VIDEOGAMES

Vamos mudar de assunto, agora que exploramos um pouco das "esquisitices" que a física quântica apresentou ao mundo clássico. Na fonte dessa estranheza está a dualidade onda-partícula, a diferença entre

---

29. Goswami, *The Self-Aware Universe*, pp. 78–81.

uma partícula local e uma onda de possibilidades (ou probabilidades) e como nós passamos de uma para a outra. Essas descobertas são desconcertantes se pensarmos num universo fixo e inegavelmente material que não tem nada a ver conosco como seres conscientes.

No cerne da questão está a IQ (ou *indeterminação quântica*), o que significa que todos os resultados existem até e a menos que um resultado particular seja observado. No caso dos bits quânticos, isso quer dizer que o bit tem os valores de 0 e de 1 simultaneamente – até e a menos que seja observado.

Uma pesquisa mostrará que a indeterminação já existia na física antes da mecânica quântica, mas isso se deve a uma falta de precisão na mensuração. O mundo físico na "velha física" era supostamente determinista, mas nós simplesmente não sabíamos medi-lo com exatidão – ou seja, o gato estava morto ou vivo na caixa, mas nós simplesmente não tínhamos as ferramentas para ir até lá e medir exatamente em que estado ele estava. Entretanto, a mecânica quântica nos diz que a IQ é uma propriedade fundamental do universo – ou seja, o gato *está ao mesmo tempo morto e vivo* até que seja observado!

É neste ponto que começamos a coincidir com teorias de como videogames são construídos e como eles poderiam ser utilizados. A indeterminação quântica, um princípio fundamental do mundo material, soa extraordinariamente similar a otimizações feitas no mundo da computação gráfica e dos videogames, que são renderizadas em máquinas individuais (computadores ou celulares), mas que têm jogadores conscientes controlando e observando a ação.

Vamos analisar os videogames como eles são construídos hoje e ver como isso pode evoluir no futuro conforme nossos videogames se sofisticarem rumo ao ponto de simulação. Isso nos providenciará uma explicação muito melhor da IQ e de por que ela existe – que é uma forma de "renderização condicional" para um universo simulado compartilhado.

A Hipótese da Simulação

RENDERIZAÇÃO CONDICIONAL EM VIDEOGAMES

A computação gráfica sempre foi limitada pelos recursos – inicialmente, memória, armazenamento ou potência de processamento. De fato, a história da computação gráfica é a história da compressão e da otimização – conforme as resoluções ficam mais altas para imagens (estáticas ou em movimento, que são realmente coleções de imagens), o tamanho dos arquivos aumenta. Os arquivos em jpeg e mpeg de hoje, que são os arquivos de imagens e vídeos mais comuns na internet, são uma maravilha da compressão, utilizando técnicas como a redução de redundâncias, a otimização do campo de visão, e propriedades do olho humano e sua incapacidade de distinguir entre certas cores.

Conforme os gráficos passaram do 2D simples para o 3D simulado, essa mudança produziu um desafio particularmente difícil para as CPUs: como renderizar todos os pixels num ambiente 3D. A potência computacional disponível em breve ficaria sobrecarregada com o crescimento da resolução (e do número de pixels).

Mapas complexos em mundos 2D

Em gráficos em 2D, não existia uma distinção entre o "mundo" e o que era "renderizado" – ou seja, o mundo era uma pintura renderizada digitalmente como pixels. Esses "pixels renderizados" eram armazenados como bitmaps em algum lugar do disco ou da memória.

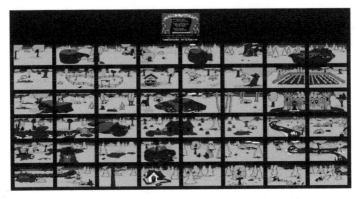

Figura 20: Exemplo de seções diferentes do mundo renderizado de *King's Quest*.[30]

Antes que a ideia de um mundo virtual completo "pegasse", até os jogos de rolagem em 2D começaram a exibir a ideia de que o "mapa" era maior do que o que você via em dado momento. Tudo o que você precisava fazer era rolar para a esquerda ou para a direita (ou para cima ou para baixo), e a parte seguinte do mapa era renderizada (ver Figura 20, que mostra as seções adjacentes do mapa).

No mundo 2D, como em *King's Quest* e *The Legend of Zelda*, o resto do mapa era renderizado como pixels e armazenado em algum lugar (num disco, ou na memória) e levado à tela quando o usuário navegava até aquela parte do mapa. Mostrar um novo quadrado era uma questão apenas de trocar os pixels da cena atual pelos pixels da cena seguinte. Como não era necessária nenhuma computação, apenas a cópia dos pixels, isso podia ser feito muito rapidamente.

Renderização de mundos virtuais em 3D

Quando passamos de gráficos 2D para 3D, a ideia de um mundo que é maior do que aquilo que podemos ver em qualquer momento foi

---

30. http://www.thealmightyguru.com/Wiki/index.php?title=File:King%27s_Quest_-_DOS_-_Map_-_Daventry.png.

A Hipótese da Simulação

vastamente expandida. Não apenas o mundo virtual dos modernos MMORPGs é maior do que podemos ver em uma tela, como também ele não é plenamente renderizado em pixels até que e a menos que seja necessário.

Quando isso é necessário? Apenas quando existe um personagem jogável (um PC) em cena – e então apenas parte da cena é visível em dado momento. Ou, se fizermos uma conexão com a IQ, podemos dizer que apenas aqueles locais no mundo onde há um *observador* são plenamente renderizados como pixels.

Essa é, como vimos na parte anterior deste livro, a ideia básica de um mecanismo de renderização – ele converte pontos matemáticos em um conjunto de pixels que pode ser exibido ao usuário em um videogame.

Onde fica o resto do mundo, se estamos renderizando apenas uma pequena parte dele de cada vez? Ele está armazenado como o quê? Ele fica armazenado como um conjunto de modelos em 3D para computador – que, por si sós, não podem ser vistos pelo jogador a menos que sejam renderizados. Noutras palavras, o resto do mundo existe apenas como informação, a menos que esteja sendo observado.

No Capítulo 1, discutimos *Doom,* um dos primeiros jogos capazes de produzir gráficos em 3D rápidos e ajustá-los à perspectiva do jogador (no que nos referimos como *campo de visão* do jogador). O ponto de vista em primeira pessoa foi importante, porque renderizar todos os pixels de uma cena 3D teria sido impossível de fazer em tempo real com os processadores da época.

Em uma única cena 3D, o campo de visão podia mostrar apenas parte da sala em dado momento, ou você podia ver apenas um lado de um personagem particularmente complexo, como um orc ou um mago, que podia estar de costas para o seu personagem.

Calcular todos os pixels de objetos complexos pode ser lento. Se você analisar jogos mais antigos, como o *Flight Simulator* original, em especial nas máquinas mais antigas, verá um *lag* na renderização quando se muda de avião ou de perspectiva. Assim como uma antiga impressora matriz, a cena é renderizada novamente linha por linha enquanto o usuário espera. Foram criadas GPUs (placas de vídeo) para, pura e simplesmente, acelerar o processamento dos gráficos e fazer com que os jogos carregassem mais depressa, já que as CPUs (ou unidades centrais de processamento) não são otimizadas para renderizar ou movimentar pixels.

Regras do mecanismo de renderização

Se uma cena leva muito tempo para ser renderizada, ela perde o realismo da simulação, e o jogador perde a imersão; ele fica sentado, esperando a cena ser renderizada novamente a cada vez que executa um movimento.

Mecanismos de renderização evoluíram de um conjunto fixo de regras de jogos de tiro em primeira pessoa, como *Doom*, para mecanismos mais generalizados que podiam pegar uma cena com objetos e personagens e renderizá-los a partir de uma perspectiva em qualquer ponto da cena (ou até de fora da cena).

Algumas regras específicas que um mecanismo de renderização pode seguir incluem:

- Não renderizar nada que esteja obscurecido ou atrás de outros objetos (que o usuário não conseguiria ver).
- Ajustar o campo de visão, ajustando rapidamente os pixels que já foram renderizados.
- Pré-armazenar em cache as cenas adjacentes à atual (para acelerar o carregamento delas).

A Hipótese da Simulação

- Calcular/renderizar novos pixels apenas quando necessário.

A ideia básica de um mecanismo de renderização é mostrar o que é visível para a câmera virtual, que está localizada numa coordenada específica (x, y, z) dentro do mundo virtual e apontada numa direção específica.

A regra básica dos mecanismos de renderização de videogames é a mesma que causa o colapso da onda de probabilidade, e poderíamos dizer que também é a regra da IQ: renderizar apenas aquilo que está sendo observado.

Multiplayer e renderização de realidade virtual

Conforme passamos de jogos single-player para multiplayer, a ideia de um mundo compartilhado em 3D apresenta um novo nível de complexidade. Não apenas existem os modelos 3D do mundo, mas também muitos personagens, cada qual fazendo escolhas independentes e podendo estar na mesma parte do mundo.

MMORPGs ainda são renderizados em computadores individuais – dessa forma, um "mundo renderizado compartilhado" não existe de fato. Cada computador renderiza o que está acontecendo na cena. Se o meu personagem está presente e o seu também, então nossas duas CPUs/GPUs vão renderizar a cena com base na informação compartilhada. Onde está essa informação? Ela está ao mesmo tempo descentralizada e centralizada: é enviada das máquinas dos clientes, baseada em cada escolha que você faz, e então sincronizada e enviada para as outras pessoas que estão no mesmo lugar que você.

As mesmas técnicas de otimização são utilizadas por capacetes de VR, que oferecem ambientes totalmente imersivos em 3D. Seria lento demais renderizar o mundo inteiro (e haveria pixels em demasia para a armazenagem atual), então apenas as partes visíveis e desobstruídas da cena são renderizadas, com base na posição e na perspectiva do jogador.

A HIPÓTESE DA SIMULAÇÃO E A INDETERMINAÇÃO QUÂNTICA

É aqui que começamos a cruzar com teorias de como os videogames são produzidos e como eles poderiam ser utilizados. A indeterminação quântica, um princípio fundamental do mundo material, soa incrivelmente semelhante às otimizações feitas no mundo da computação gráfica e dos videogames, que são renderizados em máquinas individuais (computadores ou celulares), que têm jogadores conscientes controlando e observando a ação.

"A indeterminação quântica", diz Elon Musk, em uma de suas várias declarações públicas sobre por que acha provável a hipótese da simulação, "é realmente uma técnica de otimização."

O que ele quer dizer com isso? O motivo de não sabermos qual caminho o elétron tomou ao atravessar as fendas, ou se o gato está morto ou vivo até que o observemos, é porque existe um computador que registra todas as coisas em nosso mundo físico, e ele não tem os recursos para renderizar todas as possibilidades. Ele só precisa renderizar as coisas que nós, como participantes ou jogadores conscientes no jogo, observamos. De maneira similar, até que os jogadores façam realmente suas escolhas e acessem o jogo, as interações e jogadas são meras possibilidades – como as probabilidades na espuma quântica. Para poder observar um evento num videogame, precisamos que ele seja renderizado.

Pode-se dizer que os antigos mundos de jogos em 2D, que eram pré-renderizados, são como o modelo newtoniano clássico do universo físico: as partículas existem independentemente de qualquer observador em particular ou, no caso dos jogos, de qualquer jogador em particular.

Do mesmo modo que sujeito e objeto não podem mais ser separados um do outro na física quântica, nos videogames modernos, particularmente nos MMORPGs, é difícil separar o jogador do mundo renderizado.

QUESTÕES FILOSÓFICAS LEVANTADAS PELA IQ

Note que, só porque não conseguimos ver tudo, isso não significa que as coisas não existam. Ou será que significa? Quando temos um videogame em 3D, mapeamos o mundo usando modelos em 3D. Em alguns jogos, permitimos que o conteúdo gerado pelos usuários continue no mundo mesmo depois que saímos do jogo, de modo que outros jogadores possam ver esse conteúdo quando eles acessam o jogo. Essa informação é armazenada fora do mundo renderizado. O mundo virtual ainda é considerado uma "realidade compartilhada" entre todos os jogadores de um jogo específico.

Uma questão filosófica que surge tanto na física quântica quanto nos videogames: se ninguém está em uma área específica do mundo em 3D – ou seja, se ninguém está observando ou nenhum jogador se encontra lá –, será que essa possibilidade específica existe de fato?

Assim como o misterioso gato de Schrödinger, que não está morto nem vivo até que alguém o observe, o mundo dos videogames depende de um jogador estar conectado para renderizá-lo.

O que acontece, por exemplo, se não houver nenhum jogador conectado a qualquer um dos servidores de um MMORPG como *World of Warcraft*? Os servidores estão rodando, mas geralmente nada acontece até que um jogador acesse o jogo para observar o que está acontecendo – não muito diferente da física quântica.

Essa não é uma pergunta fácil de responder, nem para os videogames, nem para as partículas sobrepostas, nem para o infame bichano de

Schrödinger. Uma forma de pensar a respeito é que todas as possibilidades existem em algum lugar, como informação, e é uma escolha consciente do jogador (ou uma escolha automatizada de uma IA) seguir um caminho específico que traga essa possibilidade para a realidade.

No capítulo seguinte, vamos mais fundo na ideia de um jogo ter possibilidades ilimitadas e como escolhemos quais delas realizar. Como se a IQ não fosse esquisita o bastante, a ideia de mundos paralelos soa basicamente como ficção científica.

Capítulo 6

Universos paralelos, futuros eus e videogames

Como vimos no último capítulo, a IQ, ou indeterminação quântica, é uma característica estranha, mas fundamental, das partículas no nível subatômico. Como essas partículas, em última análise, formam nossa realidade física, elas devem ter algum impacto sobre a nossa macrorrealidade. Isso para nós é difícil de entender ou visualizar intuitivamente, porque não é como pensamos sobre o mundo num nível macro.

Enquanto estamos acostumados a pensar nas partículas como algo existente como pontos particulares no espaço (e no tempo), a física quântica nos dá uma descrição que se assemelha mais a uma onda de probabilidade – correspondendo a um conjunto de posições que uma partícula poderia ocupar; apenas pela observação obtemos um único resultado. Até então, todos os valores possíveis da partícula existem em uma onda de probabilidade ou conjunto de mundos prováveis.

Neste capítulo, vamos nos estender sobre outro aspecto da física quântica que parece misterioso e desconcertante: a Interpretação de

Muitos Mundos, ou IMM. Nessa interpretação da física quântica, a cada vez que uma escolha é feita (inclusive a observação de uma única partícula), o universo se rompe em múltiplos universos paralelos. Como muitos dos conceitos neste livro, isso pode parecer ficção científica, mas é considerado uma interpretação séria por muitos físicos.

Também examinaremos outro aspecto desconcertante da física quântica: o de que algo no futuro pode, na verdade, causar um impacto sobre algo que deveria ter ocorrido no passado. Isso não é nada lógico ao modo como pensamos no fluxo do tempo. Porém, no mundo da física quântica, a observação pode ocorrer apenas no futuro, o que parece influenciar o que a partícula pode ter feito no passado!

Essas ideias de eus futuros e múltiplos mundos paralelos não faz muito sentido – a menos que voltemos à hipótese da simulação e pensemos no universo como um videogame complicado, com vários movimentos e resultados possíveis. Uniremos essas duas ideias analisando mundos futuros possíveis (ou prováveis) que existem num videogame ou simulação. Também perguntaremos se esses mundos paralelos existem de fato ou são simplesmente probabilidades numa árvore de probabilidades criada por algo ou alguém que está renderizando o mundo ao nosso redor. Revisitaremos o modo como a IA está embutida nos videogames e como a ideia básica é escanear possíveis futuros para o melhor resultado possível, considerando-se os parâmetros do videogame.

O EXPERIMENTO DA ESCOLHA RETARDADA

Vamos começar com a descoberta contraintuitiva de que a IQ permite que o futuro influencie o passado, pelo menos até certo ponto.

Como vimos no último capítulo, a dualidade onda-partícula está no cerne da indeterminação quântica. Isso foi demonstrado várias vezes, por meio de inúmeras versões do experimento da fenda dupla levadas a cabo por físicos, começando com Einstein e continuando até hoje em dia.

John Wheeler, proeminente físico teórico envolvido em muitos dos maiores desdobramentos da nova física, decidiu ir além e acrescentou outro conjunto de escolhas *depois* das duas fendas.

Essa foi uma saída alternativa para pacificar alguns físicos que duvidavam que o colapso da onda de probabilidade ocorresse no momento da observação. Em vez disso, disseram eles, a partícula ou já era uma partícula sólida ou uma onda quando passava pelas fendas, e a mensuração apenas nos dizia qual das duas opções ela era, após o fato. Isso seria equivalente ao gato de Schrödinger já estar morto ou vivo – ele não podia estar nos dois estados! Abrir a caixa em algum ponto do futuro simplesmente nos "revela" em que estado o gato estava!

Wheeler descreveu um experimento chamado de experimento da escolha retardada. Ele é um desdobramento do experimento original das fendas duplas: depois que a partícula passou por um conjunto de fendas duplas, há um espelho que reflete as partículas individuais em outra configuração. A ideia é que, se a partícula já estivesse num estado de "partícula" quando passasse pelas fendas, então esse comportamento seria diferente daquele de uma "onda".

Wheeler postulou esse experimento da escolha retardada teoricamente, mas, com o tempo, cientistas encontraram formas de implementá-lo. Em uma configuração de um experimento de fendas duplas com escolha retardada, como é mostrado na Figura 21, uma lente é posicionada depois das fendas, de modo que o caminho de uma partícula diverge assim que entra em contato com a lente. Isso significa que, se uma partícula atravessa a fenda 1 ou a fenda 2, isso lhe dará um destino diferente – ou seja, o telescópio 1 ou o telescópio 2.

Contudo, se existe uma tela de detecção, chamada de "tela de interferência", colocada entre a lente e os telescópios por um instante, ela

A Hipótese da Simulação

mostrará um padrão de interferência que só pode ocorrer se a partícula atravessar pelas duas fendas – ou seja, se a partícula for uma onda! Entretanto, a partícula não pode acabar em um dos telescópios a menos que seja uma partícula distinta que tenha passado por uma ou outra das fendas (não por ambas).

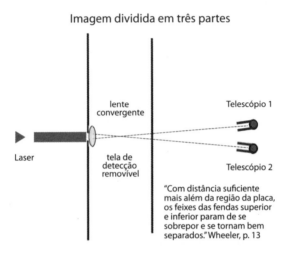

Figura 21: Um exemplo do experimento de fenda dupla com escolha retardada de Wheeler.[31]

Wheeler e outros concluíram que as partículas retinham sua dualidade onda-partícula mesmo após passarem pelas lentes – mas a questão só foi decidida de fato quando foi feita uma mensuração nos telescópios. Dois resultados paradoxais mostraram:

1. a presença de um padrão de interferência na tela de detecção, o que sugeria que as partículas se comportavam como uma onda mesmo depois de terem passado pela lente;

---

31. https://commons.wikimedia.org/wiki/File:Wheeler_telescopes_setup.svg (Fonte: Patrick Edwin Moran).

2. que as partículas chegavam nos telescópios individuais, sugerindo que as partículas tinham que ser "partículas" e não uma "onda" – ou seja, elas tinham que passar por uma fenda e atingir a lente para acabar num ou noutro telescópio!

Wheeler concluiu que as partículas quânticas são indefinidas até o momento em que são medidas, mesmo que a mensuração ocorra após a partícula precisar escolher por qual fenda ela passará. Mais uma vez, o gato não está morto nem vivo até que a observação seja feita!

MENSURAÇÃO NO FUTURO X NO PASSADO

A estranheza do experimento de escolha retardada, que também pode ser chamado de experimento de "mensuração retardada", foi demonstrada novamente ao fazer com que as partículas, na segunda parte do experimento, atravessassem uma distância muito maior antes de serem medidas.

Em 2017 uma equipe de cientistas italianos fez um experimento de escolha retardada numa distância ainda maior, refletindo lasers em satélites, e descobriu que os resultados eram consistentes com os experimentos em escala menor.[32]

Apesar de a partícula cruzar alguma distância (nesse caso, milhares de quilômetros até o satélite) após decidir que era uma onda ou partícula, a mensuração é feita claramente no futuro, partindo da perspectiva do momento em que o fóton é enviado para o experimento.

Entretanto, até que ocorra a mensuração, os pesquisadores descobriram que o fóton ainda exibia propriedades tanto de onda quanto de partícula. Isso quer dizer que algo no futuro (a observação) estava

---

32. https://www.sciencealert.com/wheeler-s-delayed-choiceexperiment-record-distance-space.

influenciando algo no passado (uma escolha de se ele era uma partícula ou uma onda ao passar pelas fendas)!

Alguns físicos apelidaram esse conceito de *retrocausalidade*, o que quer dizer que a causa está no futuro e o efeito está no passado, embora isso seja uma questão ainda em debate. O próprio Wheeler, que formulou o experimento de escolha retardada, estava hesitante em chamá-lo de retrocausalidade, porque isso significaria que o futuro estava influenciando o passado (mais sobre outra interpretação, a interpretação de muitos mundos, daqui a pouco).

MÚLTIPLOS FUTUROS POSSÍVEIS?

Alguns físicos e não físicos levaram essa descoberta ao pé da letra e concluíram que é possível que um evento (nesse caso, uma observação) no futuro influencie algo que aconteceu no passado (a passagem através das fendas). Se for generalizado, esse resultado poderia mudar nossa compreensão de tempo, espaço e nosso universo físico – algo no futuro pode influenciar o passado!

O físico Fred Alan Wolf, por exemplo, diz que informações desses futuros possíveis estão chegando até nós no presente, e que nós enviamos uma "onda de oferecimento" para o futuro, que está interagindo com as ondas de oferecimento vindas do futuro para o presente. Para qual futuro possível navegamos depende das escolhas que fazemos (tanto em termos de nossa consciência quanto de observação) e de como essas duas ondas se sobrepõem uma à outra (ou se cancelam mutuamente).

A implicação de que nossos prováveis eus futuros estão enviando informação de volta ao presente e que estamos conscientemente escolhendo qual caminho seguir é espantosa e desafia o bom senso.

Alguns intérpretes que concordam com a interpretação da retrocausalidade no experimento da escolha retardada levaram essa implicação ao nível macro, dizendo que existe um conjunto de probabilidades nos quais existimos simultaneamente no presente e no futuro. Isso significa que as ondas de probabilidade das quais falamos na física quântica não tratam apenas de onde uma partícula (ou, num nível mais macro, uma pessoa) poderia estar em dado momento, mas de onde ela poderia estar no futuro.

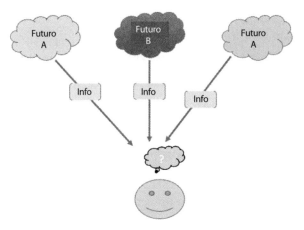

Figura 22: Múltiplos futuros prováveis estão nos enviando informações que utilizamos para tomar decisões.

O que são essas probabilidades? Será que são realmente eus do futuro? Existem de verdade ou são apenas construtos matemáticos? E o mais importante, qual dos futuros possíveis seguimos em nossas vidas com todas essas probabilidades?

Essas são perguntas difíceis que não são respondidas de verdade pela matemática. Uma coisa, porém, é inegável: a maneira exata como a onda de probabilidade colapsa ainda é um dos maiores mistérios da física quântica.

A melhor resposta que os físicos conseguiram dar é que a *consciência* de alguma forma determina o colapso e que a observação e/ou a

A Hipótese da Simulação

mensuração fazem parte do processo. Quer essa observação ocorra no presente, no passado ou no futuro, parece não haver como contornar essa conclusão.

MUNDOS PARALELOS E O MULTIVERSO

Se a ideia do futuro enviando mensagens para o passado soa como ficção científica, então outra interpretação popular da física quântica, a interpretação dos muitos mundos, lançou todo um subgênero de aventuras na ficção científica e na fantasia.

Hugh Everett, aluno de John Wheeler em Princeton, é o maior responsável por essa interpretação da física quântica. Essa é outra forma de ver a indeterminação quântica, e, nessa interpretação, em vez de uma onda de probabilidade colapsando em uma única realidade mensurável, existem (ou são criados) na verdade múltiplos universos a cada vez que uma escolha quântica é feita. Nesse caso, todas as probabilidades são verdadeiras – em universos diferentes!

Nem Everett nem Wheeler usam o termo "muitos mundos". O termo "interpretação de muitos mundos", ou IMM, foi popularizado por outro físico teórico, Bryce DeWitt, em artigos populares nos anos 1960 e 1970. DeWitt escreveu, numa explicação famosa que poderia ter sido escrita por um autor de ficção científica: "Cada transição quântica acontecendo em cada estrela, em cada galáxia, em cada canto remoto do universo, está cindindo nosso mundo local em miríades de cópias dele mesmo".[33]

Se cada decisão quântica cria universos diferentes, então deve haver um número infinito de universos com escolhas levemente diferentes

---

33. David Toomey, The New Time Travelers (Nova York: W.W. Norton, 2007), p. 254.

feitas pelo caminho – incluindo aqueles com versões diferentes de nós mesmos, que tomaram decisões diferentes na vida.

Agora nos referimos a essa ideia simplesmente como o "multiverso". A teoria do multiverso é levada a sério porque oferece uma alternativa à ideia de um universo subjetivo que a física quântica parece sugerir. Existem vários paradoxos que são explicados por essa teoria. O gato de Schrödinger, por exemplo, está agora vivo e morto em dois universos diferentes.

Talvez o mais famoso paradoxo que a teoria do multiverso tinha a pretensão de contornar fosse o "paradoxo do avô": se você pudesse voltar no tempo e matar seu avô antes que seus pais fossem concebidos, então seus pais jamais teriam nascido, e você, idem. Assim, como você poderia ter voltado no tempo em primeiro lugar para matar seu avô? Noutras palavras, se informações podem ser enviadas do futuro para o passado, então é possível que essa informação consiga alterar o passado. Ao alterar o passado, é possível então alterar o futuro, de tal forma que não haja necessidade ou possibilidade de que a informação seja enviada ao passado, para começo de conversa.

A interpretação do multiverso diz que a primeira linha do tempo é distinta da segunda. Quando você volta no tempo e altera alguma coisa, como matar seu avô, está gerando uma linha do tempo diferente; um universo paralelo, digamos. Enquanto você pode nunca ter nascido na segunda linha do tempo, na primeira, você nasceu.

Existem muitos exemplos na ficção científica que exploram a teoria do multiverso, talvez nenhum tão famoso quanto *O Exterminador do Futuro*. Nesse filme, a IA assassina de uso geral Skynet manda para o passado uma IA autônoma independente (Arnold Schwarzenegger, como o Exterminador) para matar Sarah Conner, para que seu filho, John Conner, que acabará se tornando o líder da resistência, jamais chegue a nascer. A extensa saga de ficção científica britânica *Dr. Who*, sobre um enigmático senhor do tempo que consegue viajar no tempo e no espaço, explorou essa ideia de linhas do tempo alternativas em vários enredos diferentes.

VIDAS PARALELAS E EUS DO FUTURO: O GRANDE JOGO

Se universos paralelos estão sendo criados a cada vez que tomamos uma grande decisão (ou uma pequena, no reino da física quântica), então existe um gráfico orientado de universos múltiplos que estão se formando, como é mostrado na Figura 23.

Isso sugeriria que cada ramificação se ramifica outra vez, e acabamos com um número cada vez maior de universos a cada vez que uma decisão é tomada. Entretanto, uma teoria, que foi o assunto de um dos últimos trabalhos de Stephen Hawking, é a de que o número real de universos paralelos pode não ser infinito, mas sim limitado a um número menor.

Essa ideia de um número limitado de universos paralelos – com base num número limitado de configurações de partículas (e/ou num nível mais elevado) e num número limitado de escolhas – sugere que, apesar de cada decisão quântica gerar um universo, alguns desses universos são similares.

Levado a um nível macro, isso significa que certos universos são, *na verdade*, iguais. Isso faz mais sentido intuitivamente se, por exemplo, você decidir comer ovos no café da manhã, em vez de comer torradas e deixar os ovos para amanhã. Esses dois universos podem ser similares o bastante vistos sob a sua perspectiva, especialmente comparados ao universo em que você acabou se casando com outra pessoa, ou morando em outro país, ou nem sequer nasceu!

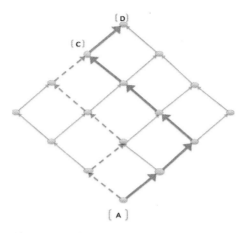

Figura 23: Um gráfico orientado de possibilidades ramificadas, ou mapa-múndi.

Uma forma de expressar isso é pensando que, embora cada escolha possa levá-lo a um local diferente, algumas dessas escolhas farão com que termine num estado de universo semelhante. O resultado poderia ser considerado uma grade de "futuros possíveis", como é mostrado na Figura 23. Trata-se, na verdade, de um gráfico orientado de possibilidades diferentes – um "futuro mapa" para uma entidade ou partícula começando no Ponto A.

O Ponto A é a escolha que estamos fazendo hoje, com dois resultados possíveis (é claro, você pode generalizar isso para qualquer número de escolhas, mas, como estamos lidando com sobreposição quântica aqui, vamos começar com dois). Cada escolha então se ramifica e cria dois universos diferentes, e assim por diante. Entretanto, algumas dessas escolhas podem retornar ao universo "substancialmente similar". Você pode ver como é possível ir do ponto A ao ponto C seguindo dois caminhos diferentes, com um conjunto diferente de escolhas.

Quando essa ideia é pensada num nível mais elevado, em vez de no nível de partículas atômicas, surgem questões metafísicas interessantes sobre o livre-arbítrio versus a predeterminação e a gama de possibilidades que estão disponíveis para nós. Se pensarmos nesse tipo de "mapa-múndi" de escolhas que podemos fazer agora ou no futuro, entramos em outra questão filosófica:

Será que todos esses universos paralelos existem mesmo? Ou seriam eles apenas "possibilidades" baseadas nas escolhas que podemos fazer – seja num nível quântico, seja num nível macro – em nossas vidas? De maneira similar, esses eus futuros seriam apenas eus de um "futuro provável" nos enviando informações, ou seriam realmente versões físicas de nós mesmos?

Claro, esses são exatamente os tipos de perguntas metafísicas que Wheeler e outros esperavam evitar com a interpretação de muitos mundos, mas elas emergem, mesmo assim. E não são perguntas fáceis de responder.

FRINGE E UM MUNDO PARALELO

Quase no mesmo instante em que a ideia de mundos paralelos se tornou popular, ela foi captada por escritores de ficção científica e ficou extremamente popular. De fato, a maioria das pessoas pensa pela primeira vez em universos paralelos por meio da ficção científica.

Um dos exemplos mais conhecidos nos últimos anos foi a série de TV *Fringe*, que foi ao ar entre 2008 e 2013. Ela ficou famosa por explorar a ideia de um mundo paralelo. A protagonista da série, Olivia Dunham, é uma agente do FBI que pede a ajuda de Walter Bishop, um cientista maluco arquetípico que começa a série num hospital psiquiátrico, e do filho dele, Peter Bishop.

Conforme a série avança, descobrimos que Walter, um cientista brilhante, junto com seu sócio e parceiro científico, o Dr. William Bell (interpretado por Leonard Nimoy, em um dos últimos papéis antes de sua morte, em 2015), descobriu a habilidade de enxergar um universo alternativo que contém versões alternativas de nós mesmos. Ao desenvolver uma tela que funciona como uma janela para o universo alternativo, os personagens conseguem ver o que está acontecendo nesse mundo alternativo e o que seus eus alternativos estão fazendo. Peter está morrendo de uma doença rara, por isso Walter corre contra o tempo para encontrar uma cura. Quando seu filho morre, Walter dá um jeito de ir para o universo alternativo e curar "o outro" Peter. Aí descobrimos o que torna Peter singular: ele não é do nosso universo – ele é o Peter do "outro" universo!

Muitas séries televisivas exploraram a ideia de universos alternativos. *Fringe* foi excelente em sua descrição de um mundo como o nosso, mas com algumas diferenças sutis e outras não tão sutis. As versões alternativas dos personagens principais, embora tivessem exatamente a mesma aparência, tinham personalidades muito diferentes, vindas de suas experiências diferentes.

TEORIA DOS JOGOS, SIMULAÇÕES E O GRÁFICO DIRIGIDO

Vamos retornar à ideia da hipótese da simulação. Enquanto explorava o gráfico de "universos possíveis", lembrei-me da IA que eu estava construindo como desenvolvedor de jogos.

Existe um limite para o número de universos físicos? Se, por outro lado, não estivermos numa realidade física, e sim numa A hipótese da simulação, então essa pergunta de se nossos prováveis futuros eus ou mundos paralelos são reais ou simulados se torna um pouco mais palatável. Um computador pode simular um grande número de possibilidades bem depressa – de fato, essa é uma das principais ideias por trás da execução de simulações. Simulações de Monte Carlo, por exemplo, rodam um grande número de possibilidades "aleatórias" para poder entender quais são os cenários mais prováveis que podem emergir.

A Hipótese da Simulação

Acontece que videogames, especialmente a IA dentro dos videogames, são excelentes em ramificar as possibilidades e mensurá-las, trazendo a informação de volta ao presente para decidir o que fazer em seguida. Dependendo das escolhas feitas no jogo, a simulação pode rodar até o ponto de atualizar uma ou mais dessas possibilidades, mas, do momento em que nos encontramos, elas permanecem como possibilidades futuras.

Quando representado num gráfico orientado, o "mapa-múndi" mostrado na Figura 23 me lembrou de um videogame que fiz para nosso projeto de classe no MIT. O que o computador faz para escolher o movimento seguinte é projetar os futuros possíveis e então usar certo algoritmo para "ranquear" esses futuros usando uma "função de avaliação". Depois ele traz esses valores de volta ao presente e a IA escolhe o caminho a seguir com base no melhor valor da função de avaliação. Referimo-nos a esse algoritmo como "minimax", que é mostrado na Figura 24.

Os futuros possíveis que a IA calculava em nosso jogo existem de verdade? Ou eram apenas probabilidades?

A natureza da função de avaliação, que está sendo utilizada para avaliar os futuros possíveis, é relativamente simples num jogo como damas ou xadrez. No reino quântico, ou até no reino macro, existem algumas IAs ou algumas partes de nós que estão calculando futuros possíveis e então avaliando-os de alguma forma, usando uma função de avaliação?

Como seria feita essa avaliação? Precisaríamos representar o estado do universo usando algum tipo de informação e então computá-la usando uma função de avaliação. Você pode ver que, embora tenhamos começado com o universo físico, quanto mais mergulhamos no reino quântico, mais somos lembrados da informação e da computação. Se podemos definir nosso "estado de jogo" como o estado de todas as partículas em nosso universo físico atual, então o estado de jogo pode ser variado e avaliado por um programa de computador com muita facilidade.

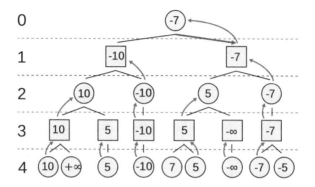

Figura 24: O algoritmo minimax, uma IA simples para avaliar resultados futuros e escolher o melhor caminho.[34]

Ou, como sugere Fred Alan Wolf, outro modo de pensar a respeito disso é imaginando que cada futuro possível está nos enviando informações pela função de avaliação sobre se aquele futuro possível era "inventado".

Em simulações envolvendo um alto número de variáveis independentes ou "seres simulados", a natureza da função de avaliação não é tão fácil de definir. Que função de avaliação poderia ser utilizada para avaliar futuros possíveis numa simulação multiplayer compartilhada online?

Essa também não é uma pergunta simples de se responder. A avaliação do melhor caminho dependeria da natureza do "jogo", como marcamos pontos e como quem está rodando o jogo define o que é melhor em determinadas circunstâncias.

Vamos examinar algumas possibilidades científicas neste capítulo, mas revisitaremos a ideia de avaliar múltiplas linhas do tempo nos

---

34. http://en.wikipedia.org/wiki/Image:Minimax.svg (Fonte: Nuno Nogueira, usuário: Nmnogueira).

A Hipótese da Simulação

capítulos sobre mística oriental, karma e reencarnação, que fornecem uma resposta elegante vinda de muito além do reino da física.

O PROCESSO FUNDAMENTAL DE CAMPBELL E A FUNÇÃO DA RENTABILIDADE

O físico e negociante de armas para defesa Thomas Campbell vem defendendo a hipótese da simulação como parte de sua Teoria de Tudo (*big TOE*) desde a publicação de seu livro, *My Big TOE* [Minha Teoria de Tudo, publicado no Brasil pela Lightning Strike Books em 2019), de 2003. Nesse livro, ele descreve um possível modelo para uma função de avaliação que poderia ser utilizada para avaliar futuros possíveis e escolher o melhor futuro possível.

Campbell postula que existe um "Processo Fundamental" que impulsiona a evolução da consciência, da biologia e até dos objetos inanimados. O Processo Fundamental, como ele o define, é um processo que testa todas as possibilidades por meio de tentativa e erro, e gravita na direção das possibilidades avaliadas como "mais rentáveis". Nessa obra, ele escreve:

> O Processo Fundamental do Quadro Geral da evolução (ou processo fundamental, para abreviar) funciona da seguinte maneira. Uma entidade começa em qualquer ponto (nível) de existência ou ser, espalha sua potencialidade para (explorar) todas as possibilidades disponíveis que estejam abertas para sua existência, e termina populando apenas os estados que sejam imediatamente rentáveis, enquanto abre mão de outros.[35]

---

35. Thomas Campbell, *My Big TOE* (Lightning Strike Books, 2003), p. 201.

Os estados mais lucrativos dependem da natureza da entidade ou do objeto de que estamos falando.

Campbell afirma que, para entidades biológicas à base de carbono, a avaliação de lucro tem se baseado em sobrevivência, portanto, alinha-se de perto com o processo natural da evolução. Para entidades não biológicas, Campbell declara que o estado mais lucrativo é aquele que requer a menor quantidade de energia – o mais fácil e mais barato de alcançar. Para entidades conscientes, como seres humanos e outras criaturas vivas, o mais lucrativo geralmente significa reduzir a entropia, movendo-se na direção de uma ordem maior.

Mais ainda, Campbell assevera que o processo fundamental é recursivo e que ele continua, desde que existam estados lucrativos para explorar. Campbell acredita que esse processo acontece em todos os níveis, desde o subatômico até o nível de nossas células biológicas, incluindo nossos níveis de consciência e até o universo fora do que Campbell chama de Realidade Material Física (RMF), o que significa o universo físico que podemos observar.

Campbell declara que o universo cria universos e resultados possíveis, então os avalia usando sua função de rentabilidade e em seguida volta e escolhe o universo que for mais lucrativo. Isso é similar ao modo como as IAs de videogames escolhem que caminho seguir – avaliando futuros estados possíveis com base em alguma função de avaliação.

MUNDOS PARALELOS DEVEM SER COMPUTADOS

Existe certo debate entre físicos e filósofos a respeito de se os universos paralelos postulados na IMM são mundos físicos, reais mesmo, ou se são apenas probabilidades rastreadas por algum tipo de computador.

A Hipótese da Simulação

Para essas cópias do universo serem reais, algo ou alguém teria que criar uma "cópia" do universo atual a cada vez que uma decisão é tomada. Em um mundo físico, isso exigiria copiar cada partícula no universo e então permitir que esse novo universo seguisse adiante. Na computação, chamamos isso de uma operação "cara"!

Isso soa como um processo desnecessariamente complicado. O que nos traz de volta à ideia de otimização – o coração da computação no mundo dos videogames.

Copiar fisicamente não é um processo fácil no mundo físico. Na biologia, a clonagem no nível das células ou dos organismos pode ser uma boa analogia. Contudo, mesmo em processos biológicos, clones levam tempo e devem ser cultivados – eles não ficam prontos instantaneamente!

A complexidade que estaria envolvida na clonagem do universo, colocando todas as partículas na mesma posição exata, é astronômica. De fato, esse processo não se encaixa bem em nenhum processo físico, biológico ou químico conhecido.

No entanto, a ramificação e a cópia são estruturas comuns – com algoritmos na computação, especialmente na área da computação gráfica. De fato, nos primeiros videogames, como foi mencionado no último capítulo, o mundo era definido como uma série de pixels dispostos como uma série de bitmaps, e mostrar essa parte da tela era uma questão de copiar esses pixels do disco para a memória e então renderizar a exibição desses pixels na tela.

Conforme computadores e videogames evoluíram, os processadores usados para esses jogos, as CPUs e placas de vídeo, evoluíram para fornecer funções otimizadas para a tarefa a ser desempenhada. Não é nem um pouco despropositado presumir que, se o universo for "copiado" ou "ramificado", existem otimizações para fazer isso – e que o que está sendo copiado na verdade é informação, e não partículas físicas. Como um videogame ou uma simulação, essa informação existe apenas no formato digital em algum tipo de ciberespaço, e as partículas (ou pixels) são renderizados apenas quando necessário.

Stephen Hawking sugeriu que o número de universos pode não ser infinito, afinal, mas limitado ao número de partículas. Isso implica que muitas das partículas nos universos copiados estão em configurações "similares".

Essa é uma técnica de otimização comum, utilizada em computadores em geral e na computação gráfica em particular. De fato, a maioria das imagens é comprimida com base no fato de que muitos pixels são, na verdade, iguais – em uma imagem de um céu noturno, por exemplo, a maioria dos pixels é preta.

Quando pensamos numa estrutura computacional que possa sustentar múltiplos universos, muitos dos universos teriam partículas na mesma localização exata. Um modelo computacional dos universos como *informação* permite uma compressão e otimização consideráveis, e a *computação* oferece um mecanismo que pode mesmo ser capaz de produzir esse tipo de resultado: um sistema gigante de computador fazendo contas com um mecanismo de renderização que só renderiza quando isso é necessário (uma forma de indeterminação quântica apenas quando ela for necessária!).

UNIVERSOS PARALELOS E A HIPÓTESE DA SIMULAÇÃO

A teoria de que toda a realidade é, na verdade, uma simulação artificial ou virtual pode ser a única maneira prática pela qual a interpretação de muitos mundos (IMM), o experimento da escolha retardada e a ideia de cenários de futuros prováveis poderiam ser implementados. Se o universo é visto como um mundo virtual com um estado de jogo, então conseguimos visualizar como múltiplos futuros prováveis poderiam ser

A Hipótese da Simulação

gerados (como informação, não como mundos físicos), e então podem ser feitas escolhas através dessa árvore ramificada de possibilidades usando alguma função de avaliação.

A hipótese da simulação fornece, particularmente, um modelo melhor de como cada um desses aspectos de nossa realidade funcionaria de fato:

- *Ramificação.* Cindir múltiplas realidades prováveis, apesar de extremamente difícil para uma realidade física, é quase uma questão trivial quando estamos em uma A hipótese da simulação. A natureza das simulações é tal que você pode gerar múltiplas simulações em ramificações usando a mesma potência computacional e sem requerer recursos físicos adicionais. Isso é verdadeiro tanto para quem acha a interpretação de muitos mundos "real" quanto para quem acha "irreal". Obviamente, se é a interpretação "real", então os universos físicos precisam ser copiados. Se é a irreal, então eles são probabilidades e na verdade um tipo de computação que pode ser efetuada como a IA nos videogames.

- *Otimização.* Quando olhamos para o número máximo de universos como algo menor do que o infinito, podemos começar a pensar em como otimizar a criação e a armazenagem de toda a informação no "universo". Apesar de ter sido pensado originalmente como um problema de física, isso na verdade é um problema de computação, e um que foi resolvido para trazer nossos videogames ao estado em que os temos hoje. Otimizamos com base na igualdade de pixels nos gráficos, cultivando, reduzindo a duplicação de informação e armazenando em cache quando necessário. De maneira semelhante, o único modo de ter tantos universos diferentes pode ser otimizar com base nas semelhanças entre os universos – quais estão próximos uns dos outros e quais se expandem.

- *Retrocausalidade.* A ideia de que o futuro pode influenciar o passado é não intuitiva e fornece possibilidade para paradoxos. Entretanto, se os futuros são futuros possíveis e não futuros de fato que estão enviando informação de volta ao presente com base numa função de avaliação, então isso se torna um processo mais compreensível.

Mais uma vez, vemos que o que parecia ser descobertas inexplicáveis da física quântica começa a fazer mais sentido quando as consideramos no contexto da hipótese da simulação. No capítulo a seguir, exploraremos outros tópicos de física que começam a fazer mais sentido quando vemos a realidade como uma simulação pixelada, em vez de uma realidade física ao nosso redor.

Capítulo 7

Pixels, *quanta* e a estrutura do espaço-tempo

Nos capítulos anteriores, analisamos alguns dos aspectos desconcertantes da física quântica e mostramos como a hipótese da simulação pode fornecer uma explicação mais coerente para esses mistérios. Neste, reuniremos vários conceitos da física quântica e relativista para explorar o tecido fundamental do mundo físico e mostrar como nosso mundo físico pode não ser tão "físico" quanto pensávamos – e que vivemos, na verdade, numa realidade quantizada e pixelada.

No modelo clássico de Newton, como discutimos no capítulo introdutório sobre física, pensava-se que o movimento era contínuo. Por exemplo, os planetas moviam-se em órbitas ou linhas harmoniosas em torno do sol, segundo as equações newtonianas de movimento. De fato, presumia-se que tanto tempo quanto espaço eram contínuos.

Nos anos desde então, descobrimos que tempo e espaço são mais variáveis do que pensávamos, com a descoberta do átomo e o estranho

A Hipótese da Simulação

comportamento das partículas subatômicas, sem mencionar a teoria da relatividade de Einstein.

Essas características do mundo real – a estrutura do espaço-tempo em si – são, na verdade, muito mais explicáveis se estivermos vivendo em uma realidade pixelada, exatamente como os mundos virtuais existentes nos videogames. Essa ideia de um *quantum* "distinto" de espaço (e, teoricamente, de tempo), em vez de valores contínuos, é muito similar a como os videogames funcionam.

Neste capítulo, veremos também que essa transição de ver o mundo como contínuo (no que chamamos comumente de *análogo*) para algo com pedaços distintos (no que chamamos comumente de *digital*) na física é paralela à ascensão da ciência da informação como uma disciplina separada. Tudo o que usamos nos computadores hoje é baseado em informações digitais, e os videogames têm tudo a ver com como armazenar, transferir e renderizar essas informações. A evolução da física nessa direção sugere que a computação e a informação podem ser um modelo melhor para o nosso mundo físico do que o antigo modelo newtoniano de objetos físicos se movendo em linhas contínuas.

PARTÍCULAS E PIXELS NA TELA

Antes de saltarmos para a física, um pouco de material de referência sobre como os videogames funcionam pode ser relevante. Se pensarmos no espaço e tempo dentro dos videogames, podemos fazer uma analogia com as descobertas sobre espaço e tempo feitas pela física moderna. Começaremos com o *quantum* de espaço e então, posteriormente neste capítulo, examinaremos o *quantum* de tempo, ou velocidade de clock nas simulações.

Dentro de videogames e mundos virtuais, o espaço consiste em coordenadas virtuais (x, y, z) que definem uma localização no mundo.

Essas são mapeadas num pixel que aparece na tela em algumas coordenadas (x, y), com base no sistema de física e no mecanismo de renderização utilizados.

Renderizar em telas de computador consiste de uma imagem composta por pixels distintos. O que você está vendo na tela é uma série de valores armazenados na memória que descrevem a cor de cada pixel, ou "pontinho", na tela.

Um pixel pretende ser uma unidade lógica – segundo a Technopedia, "um pixel é a menor unidade de uma imagem ou gráfico digital que pode ser exibida e representada na tela de um aparelho digital". O termo vem de uma abreviação do termo *elemento imagem*, ou *picture element*, em inglês.

Cada imagem que você vê numa tela de computador pode ser pensada como uma grade bidimensional de pixels. Cada pixel pode ser compreendido como tendo dois valores:

1. O "valor" armazenado para cada pixel, representando a cor daquele pixel. Esse valor é, tipicamente, vermelho, verde ou azul (RGB). A cor do pixel é determinada por uma combinação dessas três cores primárias que se misturam.
2. Um endereço numa grade. Por exemplo: numa imagem (ou uma tela) que tenha 700x900 pixels, o primeiro pixel no canto superior (ou inferior) esquerdo poderá ser 0x0, seguido por 0x1, etc. O último pixel dessa fileira será 0x899.

Pixels não existem sozinhos – eles fazem parte de uma grade que define a resolução de pixels da imagem. Pode ser a resolução física na tela ou a resolução lógica de uma imagem específica. No seu computador, por exemplo, você pode mudar o tamanho da resolução da tela de 1200x1024 para 1400x1200 pixels.

A Hipótese da Simulação

Numa imagem, um pixel é um elemento *lógico*. Em uma tela de fato, um pixel é simultaneamente um elemento lógico e físico, o que levanta algumas questões filosóficas interessantes sobre o que exatamente é um pixel e quanto tempo ele existe.

Tipicamente, em nossos videogames, os pixels são renderizados como parte de uma cena. Num videogame, o programa calcula, baseado em onde cada personagem e objeto está no mundo do jogo, qual cor cada pixel deveria ser.

Esse conjunto de valores de cores armazenado na memória é chamado de bitmap ou imagem rasterizada. É importante destacar que hoje em dia raramente armazenamos a versão rasterizada de uma imagem – protocolos como o JPEG e o PNG oferecem compressão para que não precisemos armazenar todas as cores dos pixels, senão cada imagem seria um arquivo muito grande.

Esse processo de produzir o bitmap que é exibido na tela é o que o mecanismo de renderização faz, e pode ser muito complicado quando se lida com mundos virtuais em 3D ou MMORPGs. Imagens computadorizas utilizadas em filmes como *Toy Story* exigem muitas horas para renderizar cada cena individual. O processo de renderização significa pegar o que deveria logicamente estar presente na cena e então calcular, com base em modelos 3D de cada um dos objetos, as cores individuais dos pixels. Esses pixels devem levar em conta não apenas quais objetos/personagens estão na cena, mas também de que *perspectiva ou ângulo* o personagem principal está olhando para a cena.

Se estou jogando *World of Warcraft*, por exemplo, minha tela física teria uma porção dedicada às cenas que meu personagem poderia ver. Conforme meu personagem se movimenta pelo mundo, ou simplesmente olha para a cena ao seu redor, os pixels mudam de cor praticamente de imediato para atualizar a perspectiva. Na verdade, não é algo instantâneo, pois há muitos cálculos acontecendo nos bastidores. Isso é complicado pelo fato de que posso ter várias janelas abertas, o que significa ainda mais cálculos!

PIXELS E PARTÍCULAS 3D

Embora jogos e simulações em 3D tenham a aparência e a sensação de três dimensões, ainda são renderizados em telas de computador que são bidimensionais. A cena tridimensional é mapeada em uma tela bidimensional em um ângulo que faz com que pareça 3D. Com óculos de realidade virtual, a imagem é renderizada duas vezes e contrastada com base na distância dos seus olhos, dando a ilusão de que a cena é, na verdade, tridimensional e tem profundidade.

Se extrapolarmos de uma tela 2D e pensarmos em pixels como sendo renderizados em três dimensões por toda a nossa volta, essa ideia atinge uma nova escala de complexidade.

Como seria a aparência de pixels em 3D? Na Parte I, examinamos as impressoras 3D como um dos estágios na estrada para o ponto de simulação.

Impressoras tridimensionais levam o conceito de pixels às três dimensões. Exatamente como uma imagem em bitmap numa tela de computador, existe, em algum lugar da memória, uma lista dos pixels que formam um objeto em 3D. A impressora 3D então usa algum material básico, geralmente um tipo de plástico (análogo à tinta numa folha de papel) e "renderiza" as camadas de "pixels" em três dimensões, resultando num objeto real.

Essas impressoras 3D nos mostram que aquilo em que pensamos como objetos sólidos tridimensionais são, na verdade, pedacinhos de informação arranjados de forma que uma computação executada com eles pode renderizar os objetos no nosso mundo. Na ficção científica, como em *Jornada nas Estrelas*, é isso o que os replicadores fazem – eles criam um objeto tridimensional usando um padrão e então reúnem pedaços do objeto usando pixels tridimensionais.

Porém, seria essa ideia de pixels 3D apenas uma analogia com a intenção de relacionar os mundos gerados por computador ao nosso mundo físico, ou existe alguma estrutura profunda de tempo e espaço que é *realmente* pixelada?

Vamos examinar a física das partículas e do mundo material ao nosso redor.

O PARADOXO DE ZENÃO E UM MUNDO DISCRETO

Mencionei que, quando era aluno no MIT, em muitos serões, a filosofia se esgueirava em nossas conversas. Lembro-me de um tópico em particular que surgiu, certa madrugada, sobre a natureza de nossa realidade física.

Essa foi a primeira vez que ouvi falar do paradoxo de Zenão. A questão era que, se o espaço era contínuo, como são os números (ou seja, sempre se pode encontrar um número infinito de números entre quaisquer dois números), como seria possível tocar um objeto, como uma parede? A pessoa sempre cobriria metade da distância e nunca chegaria de fato a tocá-la.

Zenão de Eleia foi um filósofo grego que descreveu vários paradoxos diferentes. Um deles envolvia Aquiles e uma tartaruga. Se a tartaruga estava na frente de Aquiles, como ele poderia alcançá-la, se sempre teria que cobrir metade da distância?

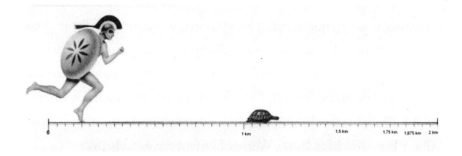

Figura 25: O paradoxo de Zenão com Aquiles e a tartaruga.

Logo que me foi apresentado esse paradoxo, minha reação inicial foi de que o espaço deve ser quantizado – deve haver alguma distância mínima que atravessamos, senão, segundo o paradoxo, jamais conseguiríamos fazer com que dois objetos do mundo físico se encontrassem. Estaríamos sempre encalhados, tentando cobrir metade da distância.

Posteriormente, descobri que não estava sozinho nessa reação, e isso me fez pensar sobre a analogia dos pixels nos videogames e se os pixels existiam no mundo físico ao nosso redor.

QUANTUM NA FÍSICA QUÂNTICA

Na física clássica, como mencionei, os objetos são considerados sólidos, mas o movimento e o universo são considerados contínuos. As equações de movimento de Newton presumem uma visão contínua do espaço e do tempo. Vimos nos últimos capítulos que as partículas estão longe de ser sólidas. Para começar, a maior parte daquilo que chamamos de átomo ou molécula é espaço vazio; além disso, partículas subatômicas podem, de fato, existir num mundo de probabilidade segundo a física quântica.

No final, a ideia da física quântica como um todo vem de uma ideia similar: a de que não existe movimento contínuo nem transições contínuas, mas sim que as coisas acontecem em quantidades distintas no nível subatômico. Essas quantidades distintas são chamadas de *quanta*.

Essa ideia de quantidades distintas de energia, ou pacotes, em vez de uma perspectiva contínua, é algo que tomou forma na física ao longo do início do século 20 por meio do trabalho de cientistas como Albert Einstein, Max Born, Werner Heisenberg e Niels Bohr.

Essa ideia foi proposta pela primeira vez pelo físico teórico Max Planck e depois validada por Einstein em seus experimentos sobre o efeito fotoelétrico.

Planck postulou pela primeira vez, em 1900, que qualquer sistema de radiação de energia podia ser dividido em quantidades distintas de energia (*quanta*), e definiu a equação quântica que relacionou essa quantidade a uma frequência.

Embora Einstein seja mais conhecido por sua teoria da relatividade, foi seu trabalho a respeito da luz e do efeito fotoelétrico que lhe valeu seu prêmio Nobel em Física. O efeito fotoelétrico foi explorado pela primeira vez pelo físico Heinrich Hertz, em 1887, e envolveu ejeções de elétrons da superfície de metais. Em vez de ejetar elétrons continuamente, eles eram ejetados apenas quando se atingiam certas quantidades de energia. Era como se houvesse um mínimo básico de energia necessário para ejetar uma partícula. Einstein demonstrou que isso também se aplicava à luz, ou a "partículas de luz", como os fótons vieram a ser chamados posteriormente (o termo fóton só foi surgir por volta de 1926).

QUANTUM DE ESPAÇO

Entretanto, unir as ideias do paradoxo de Zenão e os pixels renderizados em computadores é o conceito fundamental da *quantização* – partes distintas de "algo", em vez de objetos físicos contínuos.

O paradoxo de Zenão, em especial, nos diz que o espaço pode consistir de pixels ou "granulação", o que significaria que existe uma distância mínima no espaço. Essa ideia existe desde a época dos gregos (independentemente do paradoxo de Zenão) na ideia do átomo como um todo. O átomo deveria ser a menor partícula indivisível da matéria. Adotamos esse termo na era moderna para a menor unidade de um elemento (um átomo de ouro ou chumbo ou hidrogênio) porque só ficamos sabendo sobre as partes constituintes do átomo com a descoberta do modelo nuclear atômico por Lord Rutherford, no início do século 20. E desde então, além de nêutrons e prótons, os cientistas descobriram um grande número de partículas subatômicas.

Existe mesmo um comprimento mínimo, ou pixel, no espaço?

A menor extensão que alguém já conseguiu medir é chamada de comprimento de Planck, descoberto pelo próprio Max Planck.

O comprimento de Planck pode ser definido por três constantes físicas: a velocidade da luz no vácuo, a constante de Planck e a constante gravitacional. Qual é a constante de Planck? Ele a derivou com base na energia de um fóton em relação a sua frequência.

O comprimento de Planck, indicado como l_p, é definido como uma *unidade de comprimento* equivalente a $1.616229(38) \times 10^{-35}$ metros e é considerado a menor extensão possível que conseguimos medir com segurança.

O que acontece com comprimentos menores do que isso?

O físico John Wheeler investigava a ideia de ondas de gravidade quando descobriu que esse comprimento marcava um tipo de limite. Wheeler descobriu que era difícil medir qualquer coisa abaixo desse limite de "comprimento" (ele chamou a opacidade aleatória da mecânica quântica de "espuma quântica"). Abaixo desse comprimento, escreve Wheeler em *Geons, Black Holes and Quantum Foam [Geons, Buracos*

Negros e Espuma Quântica], "ideias comuns de comprimento desapareceriam. Ideias comuns do tempo evaporariam".[36]

Assim, esse comprimento mínimo tem mais a ver com a menor distância ou unidade que podemos medir. Para todos os propósitos práticos, esse pode ser o "pixel" do nosso mundo físico tridimensional.

Isso não quer dizer que não possam existir pixels ou partículas maiores – assim como podemos ter pixels de resolução menor na mesma tela (uma resolução menor significa menos pixels, mas pixels maiores). Nesse caso, eles acabariam sendo múltiplos do comprimento de Planck.

A VELOCIDADE DA LUZ E SEU EFEITO SOBRE O TEMPO

Note que Planck derivou seu número usando as propriedades da luz. Acontece que a luz é responsável pelas poucas constantes reais no universo à nossa volta. A teoria da relatividade especial de Einstein afirmava que a velocidade da luz é constante (representada como c em sua famosa equação, $E = mc^2$).

A velocidade da luz parece ser a constante que relaciona espaço a tempo. A teoria de Einstein mostrou que o tempo é relativo ao seu movimento (em espacial se você estiver viajando em velocidades altas), e, como resultado, não há como discernir simultaneidade entre eventos no mundo físico.

Einstein teorizou (e experimentos feitos desde então confirmaram) que quanto mais perto se chega da velocidade da luz, mais o tempo desacelera para quem estiver na estrutura inerte – ou seja, aqueles que estiverem viajando.

---

36. John Wheeler, *Geons, Black Holes and Quantum Foam* (Norton, 1998).

Da perspectiva deles, isso significaria que, para todos que não estiverem na estrutura inerte, o tempo "se aceleraria". Isso nos traz a outro paradoxo – o "paradoxo dos gêmeos". Se um gêmeo viajasse para o espaço próximo da velocidade da luz enquanto o outro ficasse para trás, quando o gêmeo viajante voltasse à Terra, ele seria mais jovem do que o gêmeo que ficou.

Quanto mais jovem? Isso depende da velocidade em que o primeiro gêmeo estava viajando, e por quanto tempo. Experimentos conduzidos pela NASA com o astronauta Scott Kelly, que passou um ano no espaço, descobriram que ele estava levemente mais jovem do que seu irmão gêmeo idêntico, Mark. Quando Scott retornou, estava cerca de 13 milissegundos mais jovem do que era quando partiu! Claro, Scott não se moveu muito depressa nem foi muito longe quando comparado à velocidade da luz ou a distâncias astronômicas possíveis (a 28.000 km/h, isso era menos do que 1% da velocidade da luz). Relógios atômicos, que são sincronizados até submilissegundos, foram levados em espaçonaves e comprovaram que a dilatação do tempo é real – eles também voltaram dessincronizados com seus equivalentes que ficaram na Terra.

Uma implicação inesperada da teoria da relatividade é que não há como saber se duas coisas são realmente simultâneas. Isso depende, na verdade, do referencial inercial do observador. Uma pessoa que esteja próxima dos dois eventos pode ver ambos como acontecendo simultaneamente, enquanto outra que veja os dois de distâncias muito diferentes pode precisar esperar até que a velocidade da luz a alcance – o que pode acontecer em momentos diferentes. O conceito já existe há mais de cem anos e é aceito pela maioria dos físicos como parte fundamental da nossa realidade – de que luz e movimento são inter-relacionados, e, como resultado, é impossível saber se dois eventos são simultâneos mesmo ou não.

A Hipótese da Simulação

Existe o famoso exemplo do acidente automobilístico em Londres e em Nova York. Digamos que você estivesse em Nova York; teoricamente, você veria o acidente na sua cidade primeiro (já que a luz teria que viajar por todo o oceano Atlântico para chegar a Londres). Teoricamente, se você estivesse no meio do oceano, veria os dois ao mesmo tempo; então, qual acidente aconteceu primeiro e qual aconteceu depois depende mais do seu referencial do que dos eventos em si!

Fica claro, pela teoria de Einstein e pelas confirmações experimentais dela, que a velocidade da luz, e, de fato, a própria luz, que faz parte do espectro eletromagnético, é *especial* no mundo da física.

Foi revelado que ela é especial também dentro do mundo de videogames e computadores: existe uma velocidade fixa com que podemos enviar sinais entre um jogador e o servidor e do servidor para outro jogador que verá essas mudanças. Portanto, a simultaneidade é apenas uma ilusão nos videogames, mesmo que estejamos na mesma "cena" no videogame e pareça que nossos dois personagens estejam fazendo coisas ao mesmo tempo.

Em teoria, o mais rápido que a informação pode passar de uma parte de um videogame para outra seria a velocidade dos sinais eletromagnéticos – o que nos traz de volta à velocidade da luz.

Por que a velocidade mais rápida em que podemos enviar informações no mundo físico seria a mesma que usamos para enviar sinais eletromagnéticos? Essa é uma questão ainda aberta, e uma que aponta para a hipótese da simulação por si e em si. Se estamos numa A hipótese da simulação por computador que utiliza sinais eletromagnéticos, então um dos maiores mistérios da física – por que a luz é tão especial? – faz todo o sentido. Mais uma vez, vemos que a ciência da informação pode ser usada não apenas para descrever, mas também para *explicar* a estrutura do mundo físico.

A VELOCIDADE DO CLOCK E TEMPO QUANTIZADO EM SIMULAÇÕES POR COMPUTADOR

Quando Einstein publicou posteriormente sua Teoria Geral da Relatividade, os físicos começaram a usar o termo espaço-tempo, no qual tempo é definido como uma dimensão adicional do espaço. Em vez de simplesmente identificar um objeto como ocorrendo nas coordenadas (x, y, z), começamos a fatorar o tempo como um quarto valor (x, y, z, t), o que é uma coordenada no espaço-tempo.

Poderia ser o caso, já que o espaço e o tempo têm uma relação tão próxima, que, se um for quantizado – se o espaço tem pixels –, então o tempo também poderia ser quantizado?

Antes de irmos longe demais, vamos examinar como o tempo é contado nos videogames.

Agora é normal pensar num evento ocorrendo dentro de um mundo virtual nas coordenadas (x, y, z, t), em que t é um ponto específico no tempo. O t, nesse caso, não é necessariamente um valor compreensível para nós (ou seja, horas, minutos, segundos), mas se baseia num incremento mínimo de tempo.

Incrementos mínimos de tempo são comuns em programas de computador e simulações de computador. De fato, toda a ideia de uma simulação digital é que, a cada instância que o relógio progride um passo, todos os elementos na simulação são atualizados.

É importante notar que, em simulações de computador, esse "passo lógico" do tempo tanto pode estar como não estar relacionado a incrementos no tempo físico. Numa simulação, um passo para o próximo poderia levar 1 milissegundo, ou 5 segundos, ou uma hora de tempo "real", dependendo de quantos cálculos são necessários fazer para atualizar o estado da simulação.

A Hipótese da Simulação

Por exemplo: numa simulação simples de um processo fractal que rode por, digamos, 1.000 passos, cada passo pode ser pensado como uma iteração do programa. Tipicamente, computadores têm uma velocidade de clock que define a velocidade máxima com que as operações de computação podem ser executadas. Na realidade, todas as medições de tempo nesse processador são múltiplos dessa velocidade de clock.

Ao simular a população de moscas de fruta ou outra espécie num programa de computador, cada "passo" é presumido como sendo o ciclo reprodutivo (supondo-se que a espécie se reproduza em intervalos regulares, o que muitas fazem, anualmente).

Por exemplo: um processador de 1,7 giga-hertz pode executar 1,7 bilhão de ciclos por segundo. Quando se fala de processadores, essa é a frequência máxima em que um único processador pode realizar operações. Os computadores e smartphones de hoje tipicamente têm múltiplos processadores (ou múltiplos *core*, como são chamados).

Algo a se manter sempre em mente é que as operações na velocidade de clock de um processador são operações de nível baixo. Geralmente, quando desenvolvedores de videogames escrevem código para um videogame ou uma simulação, escrevem em uma linguagem de nível alto, como java ou C#, que é compilada até bytecode, que então roda em cima de uma máquina virtual. Uma linha de código de alto nível pode ser traduzida em centenas de operações de nível inferior.

Então o que acontece nos videogames ou RPG online em que múltiplas pessoas estão logadas em diferentes computadores com velocidades de processamento diferentes?

Nesses jogos, existe uma ideia de um tempo universal "de servidor" – e as operações são gravadas nesse tempo universal, de modo que a ordem das operações possa ser determinada. Embora a simultaneidade possa ser difícil de medir, as simulações multiplayer se empenham muito para ter certeza de que a ordem das operações seja respeitada. Basicamente, se eu golpear primeiro com minha espada contra o seu jogador, teoricamente isso precisa ser registrado como parte da nossa "luta".

Como discutimos antes, a relatividade e a velocidade dos sinais eletromagnéticos nos dizem que isso pode não ser absolutamente correto, considerando-se que renderizações estão ocorrendo em máquinas diferentes, separadas por sinais que devem cruzar a internet. Portanto, pode ser preciso alguma forma de *resolução de conflito* ao lidar com vários jogadores ou processos distribuídos. A regra básica é que simulações no mundo do videogame fazem o melhor que podem para manter uma ordem de operações, mesmo que não possam garantir simultaneidade em um nível físico.

Dado o tempo de reação dos humanos, preservar a simultaneidade em meio a múltiplos jogadores não é de fato um problema para os videogames atuais, mas, se houvesse duas IAs competindo entre si, com tempos de reação na casa dos milissegundos, determinar quem golpeou primeiro se tornaria uma tarefa muito importante (e, segundo Einstein, impossível).

ESPAÇO E TEMPO QUANTIZADOS SÃO INTER-RELACIONADOS

O tempo dentro dos videogames é quantizado, baseado em passos da simulação, que é algum múltiplo do tempo de processamento das operações básicas no processador central (ou na placa de vídeo). Existe, então, alguma ideia de tempo quantizado no mundo físico ao nosso redor? Se existe, essa seria uma grande pista de que podemos estar dentro de uma simulação, que tenta usar computação como uma estrutura do universo e demandaria uma velocidade de clock distinta.

Thomas Campbell vai um passo além em *My Big TOE*, mostrando que, se a velocidade da luz é constante e podemos presumir uma quantização do espaço, podemos realmente calcular o *quantum* mínimo de tempo em nosso universo físico.

Se a RMF (o que ele chama de realidade material física, ou o que estamos chamando aqui de Grande Simulação) consistisse em certo número de unidades indivisíveis (espaço quantizado ou o que ele chama de pixels 3D), poderíamos teoricamente calcular essas unidades, desde que c, a velocidade da luz, seja fixa.

Campbell afirma que, se existisse um espaço virtual que realmente definisse nossa realidade 3D, ele seria como o espaço virtual que usamos dentro dos programas e simulações de computador. Cada objeto teria uma representação em 3D dentro desse espaço – tipicamente coordenadas (x, y, z) – e uma quarta coordenada para o tempo, t. Se a velocidade da luz é fixa, e o menor pixel possível é fixo, então o *quantum* mínimo de tempo seria definido pela luz atravessando o menor pixel.

Embora a quantização do espaço tenha sido aceita por muitos físicos, a quantização do tempo é um conceito relativamente recente. Não obstante, é sugerida toda vez que um físico fala de espaço-tempo. Se o espaço é quantizado, estabelece o argumento, então é quase impossível que o tempo não seja também.

"Suspeitamos há muito tempo que o espaço-tempo tinha que ser quantizado", diz Steven B. Giddings, teórico da Universidade da Califórnia, em Santa Bárbara.[37]

CALCULANDO TEMPO E ESPAÇO QUANTIZADOS

Voltando aos cálculos de Campbell. Ele define *DELTA t* como um valor representando o menor incremento de tempo possível (que seria

---

37. George Johnson, "How is the Universe Built? Grain by Grain", *The New York Times*, 7 de dezembro de 1999.

a velocidade de clock da simulação) – vamos chamá-lo de *T*, para manter a simplicidade em nossas equações. Poderíamos então dividir *c* (a velocidade da luz) por *DELTA t* (ou T, como estamos chamando) e obter o menor incremento possível de espaço (o menor comprimento, ou L), e vice-versa. Campbell define assim a equação:

$$L = c * (T)$$

É claro, poderíamos defini-la dividindo o espaço mínimo pela velocidade da luz e obter também o tempo mínimo.

$$L / c = (T)$$

Usando o comprimento de Planck, que os físicos agora reconhecem de modo geral como a menor distância mensurável possível em nossa realidade 3D, o valor *T* em nossa equação chega a um número bem pequeno, que é essencialmente como os cientistas criaram a constante de tempo de Planck.

Como conhecemos o comprimento de Planck, dividi-lo pela velocidade da luz, *c*, nos dá um valor que foi definido como *o tempo de Planck:*

> Uma unidade de tempo de Planck é o tempo necessário para que a luz percorra a distância de um comprimento de Planck no vácuo, que é um intervalo de aproximadamente $5,39 \times 10^{-44}$ segundos.[38]

Os físicos são rápidos em apontar que o tempo de Planck é atualmente apenas uma equação – ainda não existem provas conclusivas que comprovem que o tempo é ou não é quantizado. Entretanto,

---

38. https://en.wikipedia.org/wiki/Planck_time.

considerando-se a relação entre espaço e tempo, o fato de que há um comprimento mínimo abaixo do qual a mensuração do espaço se torna insignificante, é mais do que possível que o tempo necessário para a luz atravessar essa distância "mínima" também estabeleça um limite mais baixo em nossa capacidade de medir o tempo.

William G. Tifft, professor de astronomia na Universidade do Arizona, diz que suas pesquisas sobre mensuração da luz das estrelas com desvio para o vermelho parecem sugerir que a luz vem na forma de múltiplos de algum valor. Isso, por sua vez, parece sugerir que poderia existir um *quantum* mínimo de tempo, da mesma forma que existe um *quantum* mínimo de espaço.

Como vimos antes, todas as simulações de computador dependem de algum relógio para controlar a simulação, e, se estamos mesmo numa simulação, deve haver alguma evidência disso. Se o tempo quantizado se provar correto, isso dá mais credibilidade à ideia de que existe uma velocidade de clock e uma distância mínima no mundo em 3D ao nosso redor.

DESLOCANDO-SE POR ESPAÇO E TEMPO INSTANTANEAMENTE EM UMA SIMULAÇÃO

É importante destacar que a velocidade da luz é vista como uma limitação quando estamos atravessando o espaço-tempo como conhecemos. Isso não quer dizer que ela seja uma limitação física – somente que é uma limitação da nossa realidade física – ou do sistema de física que nosso mundo simulado está usando.

Se a nossa realidade 3D for de fato uma simulação, então aquilo que chamamos de espaço físico e tempo são, na verdade, construtos virtuais. Num mundo virtual, a velocidade das ações é restringida pelo relógio virtual e pelo sistema de física que governa o jogo. Como todas as simulações rodam em algum tipo de computador, os pixels de tempo e espaço dentro da simulação são tipicamente algum múltiplo da velocidade de clock subjacente e dos bits fundamentais que conseguem manter um registro das informações.

Se estamos numa simulação, então talvez seja possível contornar as restrições da teoria especial da relatividade de Einstein movimentando-nos na simulação de forma instantânea. Essas áreas são especulativas, mas, ao examinarmos cada uma das três, veremos que a hipótese da simulação nos dá percepções interessantes sobre como a comunicação (e talvez a viagem) instantânea poderia ser viável – não passando pelo espaço virtual, ou pixels virtuais, na simulação. Essas três áreas são:

- Teletransporte
- Buracos de minhoca
- Entrelaçamento quântico

Atravessando o espaço-tempo nº 1: teletransporte

Um grande exemplo de teletransporte é o mundo virtual chamado *Second Life*. Nele seu personagem pode caminhar de uma parte do mundo virtual até outra, o que será relativamente lento. O personagem também pode voar – nesse caso, a distância virtual percorrida é a mesma, mas a velocidade é muito maior. Para ir de um terreno a outro, sempre será tantas unidades virtuais (pixels ou outras unidades de distância). Esse é o sistema de física básico do mundo virtual.

No entanto, em *Second Life,* assim como em muitos outros videogames modernos com um espaço virtual em 3D que é grande, você também pode "teletransportar" seu personagem de uma parte para outra do mundo. Com esse mecanismo, seu personagem instantaneamente se desrenderiza de uma parte do mundo virtual e se re-renderiza

A Hipótese da Simulação

em outra parte dele. Isso pode não levar tempo algum, não importando o quanto o segundo terreno esteja "distante" do primeiro no espaço virtual. Se pensarmos num mundo virtual como tendo coordenadas x, y, z, então o teletransporte seria uma questão de inserir novas coordenadas x, y, z sem ter que passar pelos pontos intermediários.

Na série televisiva *Jornada nas Estrelas* original, o teletransporte foi apresentado como uma questão de *economia*. Se a tripulação pudesse começar na espaçonave *Enterprise* num instante e estar no planeta no instante seguinte, a equipe de produção do canal não teria que criar os efeitos visuais de um transporte indo da nave para a atmosfera do planeta e aterrissando. Em alguns sentidos, o teletransporte nos videogames também se deve à economia – embora seja mais para economizar tempo. Em *Jornada nas Estrelas*, o teletransporte era limitado a distâncias relativamente curtas – não se podia teletransportar para outro planeta em outro sistema solar, por exemplo –, mas, num mundo virtual ou videogame, o objetivo do teletransporte é ser capaz de chegar a qualquer outra parte do mundo instantaneamente.

Se formos capazes de desenvolver algum tipo de teletransporte, isso pode ser outra prova de que um sistema de física governa nosso mundo físico.

Atravessando espaço-tempo nº 2: buracos de minhoca

O segundo conceito, que está muito mais próximo da ideia de teletransporte presente nos videogames, é o conceito de uma ponte Einstein-Rosen, mais conhecida como *buraco de minhoca*.

A ideia surgiu da teoria geral da relatividade, de Einstein. O físico austríaco Ludwig Flamm propôs em 1916 que, se buracos negros existiam segundo a teoria de Einstein, então o que se conhecia como "buracos brancos" também poderia existir.[39] Em 1935, Einstein e seu colega físico Nathan Rosen escreveram sua própria teoria sobre essa ideia de "pontes", e elas ficaram conhecidas mais formalmente como pontes de Einstein-Rosen. O termo buraco de minhoca só foi cunhado em 1957, pelo onipresente John Wheeler.

Conforme mostrado na Figura 26, um buraco de minhoca permitiria que a matéria fosse de um ponto no espaço-tempo para um ponto diferente do espaço-tempo. A ideia era que, se houvesse uma singularidade gravitacional de massa considerável, ela criaria um rasgo no espaço-tempo.

Buracos de minhoca teoricamente permitiriam a transformação da informação e da matéria em velocidades muito maiores que a da luz, presumindo-se que se medisse a distância total entre as duas extremidades do buraco de minhoca. Entretanto, isso não quer dizer que a espaçonave ou informação sendo transmitidas estivessem se movimentando pelo espaço-tempo 3D mais rápido do que a velocidade da luz. Elas simplesmente sairiam do espaço-tempo comum e voltariam no "outro ponto" apropriado. Da perspectiva inercial do "viajante", a viagem ocorreria em velocidade normal.

O problema com os buracos de minhoca não é que talvez eles não existam, mas sim que eles são pequenos demais para serem práticos. Considera-se que alguns buracos de minhoca sejam microscópicos. Embora isso não impeça de enviar informações através deles, evitaria que uma espaçonave passasse. Um problema maior talvez seja que buracos de minhoca, de modo geral, supostamente não se mantenham estáveis por muito tempo. Um buraco de minhoca pode existir apenas por um curto período – breve demais para conseguirmos detectá-lo ou colocá-lo em uso.

---

39. https://www.space.com/20881-wormholes.html.

A Hipótese da Simulação

Mais complicado ainda é o fato de que o único fenômeno capaz de produzir um buraco de minhoca (mesmo em teoria) é um buraco negro. Qualquer um que tentar passar por um buraco negro, que é causado por uma gravidade tão forte que nem a luz consegue escapar, provavelmente será esmagado num instante.

Existem alguns cientistas que acreditam que o entrelaçamento quântico pode ser a chave para descobrir e compreender como os buracos de minhoca funcionam. Juan Maldacena, do Instituto para Estudos Avançados, e Leonard Susskind, de Stanford, teorizaram que os buracos de minhoca são como o entrelaçamento quântico no nível macro, conectando dois pontos no espaço da mesma forma que duas partículas *quanta* podem ser conectadas uma à outra.[40]

Figura 26: Buracos de minhoca permitem que se vá do ponto A até o ponto B diretamente, sem atravessar o espaço entre ambos.[41]

---

40. https://www.smithsonianmag.com/science-nature/would-astronauts-survive-interstellar-trip-through-wormhole-180953269/.
41. Crédito da imagem: Shutterstock.com.

Se buracos de minhoca forem reais e conseguirmos conectar dois pontos no espaço-tempo sem ter que atravessar a distância entre eles, isso seria mais uma prova da hipótese da simulação e seria análogo ao teletransporte em videogames como *Second Life*.

Atravessando o espaço-tempo nº 3: entrelaçamento quântico

Estamos acostumados a ter que percorrer espaço físico (ou os pixels que compõem o espaço físico), mas, como a maioria de nossas viagens foram na Terra, as distâncias não foram proibitivas. Se nossa realidade física em 3D consiste em pixels espalhados virtualmente, e se fôssemos percorrer todos os pixels desse universo virtual, levaríamos um tempo inacreditavelmente longo para chegar a qualquer lugar interessante fora do nosso próprio sistema solar – mesmo que viajássemos na velocidade da luz.

O sistema estelar mais próximo, Alpha Centauri, fica a 4,5 anos-luz de distância, e a galáxia da Via Láctea tem cerca de 100 mil anos-luz de diâmetro. É claro que, com a dilatação do tempo, percorrer essa distância pode parecer levar menos tempo, mas não conseguiríamos voltar ao mesmo ponto de partida.

Isso nos traz à ideia de entrelaçamento quântico. Chamamos assim quando duas partículas se tornam "entrelaçadas" uma à outra, o que quer dizer que é teoricamente possível, pelo estado de uma partícula, adivinhar de imediato o estado da partícula entrelaçada correspondente, mesmo que ela esteja bem distante. Einstein chamava isso de "ação sinistra a distância", mas foi comprovado que esse é um fenômeno real.

O entrelaçamento quântico parece ter a capacidade de comunicação instantânea através de anos-luz de distância – o que significa que a informação iria de uma parte do nosso mundo para outra mais depressa do que a velocidade da luz. Embora os físicos admitam que o entrelaçamento quântico existe e está sendo usado em aplicações como a criptografia quântica, ainda há muito debate sobre se duas partículas entrelaçadas constituem de fato envio de informação de um local A para um local B mais rápido do que a velocidade da luz.

Ninguém sabe exatamente como nem por que o entrelaçamento quântico funciona. Exploraremos essa ideia e a computação quântica em mais detalhes no Capítulo 11; porém, mais uma vez, a hipótese da simulação nos oferece um modelo para o mundo dos videogames que pode ser relevante para explicar o que era previamente inexplicável.

Se dois pixels são correlacionados em uma tela de computador, en- tão os dois pixels físicos estariam recebendo seu valor do mesmo ponto na memória. Se mudarmos o valor na memória (digamos que seu valor RGB, indo do vermelho para o verde), então os dois pixels deveriam mudar na tela do vermelho para o azul. Se decidirmos que um pixel em particular não deveria mais receber seu valor da localização na memó- ria, então os pixels estão, teoricamente, desentrelaçados.

PIXELS, *QUANTA*, ESPAÇO-TEMPO, BURACOS DE MINHOCA E A HIPÓTESE DA SIMULAÇÃO

A ideia toda de que o espaço-tempo, como o conhecemos, não é um espectro contínuo, e sim pequenas partes distintas, não apenas oferece uma analogia poderosa para como os videogames e computadores fun- cionam, como também pode revelar muito a respeito da estrutura de nosso universo físico. Apesar de todos os nossos videogames até hoje terem simulado um mundo 3D em 2D (nas telas de computador), isso está começando a mudar, e não há motivos para que pixels não possam existir em três dimensões, como evidenciado pelas impressoras 3D.

Um "espaço virtual" desse tipo seria consistente com a hipótese da simulação – de que vivemos num mundo pixelado com uma máquina de computação subjacente. O fato de que c, a velocidade da luz, é constante é um fato estranho que mostra que o nosso mundo físico pode consistir de alicerces eletromagnéticos – não muito diferente de um videogame renderizado. O fato de que existe uma distância mínima abaixo da qual talvez não sejamos capazes de medir, o comprimento de Planck, dá mais credibilidade à ideia de que vivemos num mundo digital pixelado.

E mais, junto com a distância mínima, a sugestão de que podemos ter um *quantum* mínimo de tempo, ao qual nos referimos como tempo de Planck, também aponta para um mundo digital, e não analógico. Esse *quantum* mínimo de tempo pode ser deduzido a partir do tempo que fótons viajando na velocidade da luz levam para percorrer o comprimento de Planck. Isso é análogo à ideia de ter um relógio que funciona dentro de uma simulação, que é produzido por e compartilha informação via ondas eletromagnéticas.

Apesar de não haver respostas claras para as questões levantadas aqui, a ideia de um buraco de minhoca é, por si só, intrigante, e sugere, junto com o entrelaçamento quântico, que existem formas de contornar as limitações físicas da velocidade da luz em nossa realidade física. O entrelaçamento quântico é completamente inexplicável com nossos modelos atuais de realidade física.

Se qualquer um desses métodos puder ser usado para superar a velocidade da luz, então isso sugeriria fortemente que existe algo *fora do espaço-tempo*.

Se existe algo fora do espaço-tempo, então isso que aparenta ser a realidade física para nós começa a lembrar um mundo virtual dentro de algo maior. Videogames e ficção científica continuam a oferecer as

A Hipótese da Simulação

melhores metáforas para como isso poderia funcionar, e a hipótese da simulação nos dá um modelo melhor para a estrutura de nosso mundo.

Na próxima parte deste livro, deixaremos a física para trás e pegaremos a estrada de um modelo diferente do universo, que também postula que o mundo físico não é tudo o que existe. Estudaremos os místicos do Oriente, que há muito sugerem que o mundo físico é um tipo de ilusão, e examinaremos as tradições religiosas ocidentais e outros fenômenos inexplicáveis, mostrando que a hipótese da simulação pode ser a única teoria que consiga conectar todas essas ideias num único modelo coerente de realidade.

Parte 3

Como a simulação explica o inexplicável: a mística

Saiba que todas as coisas são assim: uma miragem, um castelo no ar, um sonho, uma aparição, sem essência, mas com qualidades que podem ser vistas. Saiba que todas as coisas são assim: como um mágico produz ilusões de cavalos, bois, carroças e outras coisas, nada é como parece ser.

– Buda

Eu morri como um mineral e me tornei uma planta, morri como uma planta e ascendi a animal, morri como animal e me tornei um homem. Por que deveria temer? Quando, morrendo, me tornei menor?

– Rumi

Capítulo 8

Espíritos num mundo de sonhos, ilusório e parecido com um videogame

Nascimento e morte são portas pelas quais
passamos de um sonho para outro.
– Paramahansa Yogananda

Cientistas ocidentais ficaram espantados com a conclusão inevitável da física quântica de que o observador é parte essencial do universo material. Para quem busca a verdade em outras tradições, entretanto, essa ideia de que a consciência era parte do universo material não foi novidade nem surpresa.

Místicos de todas as tradições, mas os orientais em especial (do hinduísmo, budismo e fés relacionadas), vêm nos dizendo isso há milhares de anos. De fato, a ideia de que o mundo ao nosso redor é um

A Hipótese da Simulação

tipo de ilusão, que está de alguma forma presa à nossa consciência, tem sido uma doutrina central dessas tradições.

Nesta parte do livro, mergulharemos nessas tradições para explorar suas descrições de como os mundos físico e não físico funcionam. Veremos que o que eles estão descrevendo de fato se aproxima muito mais de uma descrição da hipótese da simulação, embora com uma interpretação religiosa ou espiritual, do que qualquer coisa que a ciência moderna tenha apresentado até hoje.

Começaremos examinando uma metáfora que é prevalente nas tradições místicas orientais – a de que o mundo é como um sonho – e nos aprofundaremos na "tecnologia biológica" do sonhar. Revelou-se que o que chamamos de sonhos, na verdade, atende à maioria dos estágios rumo ao ponto da simulação que cobrimos na Parte I. Os budistas usam a ideia dos sonhos não apenas como uma metáfora, mas também como uma forma de realmente descrever nosso mundo físico – do qual "despertamos" após a morte –, e sua meta declarada é a "liberação" desse mundo ilusório de sonhos.

O que acontece após a morte (e antes do nascimento) é parte integrante da natureza da maioria das religiões. Nas tradições orientais, isso envolve reencarnação e a ideia de karma, em que as consequências de nossos atos são transferidas de uma vida para a outra. Mais uma vez, se pensarmos no mundo físico como um videogame compartilhado, então essa explicação é um jeito muito melhor de descrever como ele funciona do que a maioria das teorias que a ciência moderna ofereceu até o momento. De fato, os videogames até usam essa terminologia, vide vidas múltiplas, avatares, missões que mapeiam muito bem os princípios gêmeos do karma e da reencarnação nas tradições orientais.

Não apenas as tradições orientais, contudo, a hipótese da simulação pode explicar. Nas tradições ocidentais (judaísmo, islamismo, cristianismo), existem descrições igualmente relevantes do mundo como um "mundo temporário", onde nossos atos são vigiados e registrados por nada menos do que anjos, sendo supervisionados por um Deus todo-poderoso. Essas tradições usam as metáforas e linguagem de sua época, o que causou grande cisma entre a ciência e a religião, porque a linguagem da religião não é algo que a ciência moderna pode apoiar. Uma vez que olharmos para essas tradições através das lentes da hipótese da simulação, porém, temos uma descrição do universo que faz mais sentido: seres que não estão no mundo renderizado, mas que nos observam e influenciam, é uma boa descrição do que essas religiões chamam de anjos e demônios. Registro de atos, avaliação de pontos, até mesmo a exibição de eventos específicos, são comuns nos videogames. Nos videogames, temos processos autônomos (chamados às vezes de demônios) cuja tarefa é nos observar, e IAs que estão disponíveis para responder a solicitações que jogadores fazem a servidores invisíveis.

Mais de um cientista que se descrevia como ateu ponderou sobre a hipótese da simulação e chegou à percepção de que seres que estão "fora da simulação" podem parecer deuses para nós, mesmo que não sejam, tecnicamente.

Não apenas a hipótese da simulação oferece uma explicação racional e com base científica para as coisas que as tradições religiosas vêm nos dizendo há anos, como também fornece explanações para fenômenos que continuavam inexplicados pela ciência moderna. Esses incluem experiências de quase-morte (EQM), experiências extracorpóreas (EEC), OVNIs, sincronicidade e déjà-vu, entre outros.

Ao longo dos próximos capítulos, exploraremos como a hipótese da simulação faz a ponte entre a religião e a ciência de maneiras que não eram possíveis antes. Em resumo, a hipótese da simulação explica racionalmente o que era previamente inexplicável. Vamos começar.

A Hipótese da Simulação

O MUNDO É UMA ILUSÃO OU UM SONHO

Em sânscrito, *maya* é um termo que significa ilusão, mas não se refere a qualquer ilusão. *Maya* é usado para representar o fato de que consideramos o mundo ao nosso redor como sendo *real*, quando na verdade ele é um mundo ilusório e temporário. Quais são a natureza e o propósito desse mundo ilusório? Nas tradições místicas orientais, é nele que cada um de nós resolve nosso karma individual em uma série de vidas.

Outra tradução de *maya* é um tipo de exibição de mágica que nos revela coisas que parecem ser reais, mas que não têm realidade duradoura. Em muitos textos védicos, *māyā* conota um "show de mágica, uma ilusão em que as coisas parecem estar presentes, mas não são o que parecem". Existe outro termo usado nos *Vedas* hindus, *lila*. Essa palavra pode significar *brincadeira, jogo* e *passado* – primeiro que o mundo é construído com um espírito de diversão e criatividade, e segundo que o que podemos ver pode ser pensado como sendo igual a uma peça de teatro, outra metáfora popular usada por místicos e por Shakespeare.

Para ouvidos modernos, essa ideia soa menos como uma peça de teatro e mais como um projetor de filmes. Mas não é como uma peça ou filme comuns – esse é um filme interativo. Como chamaríamos um filme interativo? Um videogame, claro!

Alguns textos iogues sugerem que, apesar de o mundo ser uma ilusão, isso não quer dizer que não seja real. Esse é um construto real no que diz respeito à nossa consciência, e as coisas que vemos foram criadas nesse mundo ilusório. Como o mágico que faz um truque, a ilusão existe em nossas mentes, em nossa própria percepção do mundo, exatamente como se estivéssemos num sonho.

Essas tradições, quando tentam explicar a natureza da ilusão que nos cerca, usam uma metáfora em particular. É a metáfora do sonho, mas não qualquer sonho. O *maya* do mundo ao nosso redor teria que ser um sonho compartilhado no qual todos nós vivemos, com personagens criados para cumprir nosso karma pessoal.

Este capítulo explora essa metáfora em mais detalhes, para ver de onde ela vem nas tradições orientais e como ela se relaciona com a hipótese da simulação, e o capítulo seguinte explorará as ideias de karma e reencarnação no interior desse mundo ilusório.

O DEUS SONHADOR E O SONHO COLETIVO

A metáfora que muitas dessas tradições usam é compreendida universalmente. Todos nós temos sonhos, e neles todos criamos minimundos à noite. O mundo à nossa volta, diriam esses místicos, é como um sonho, e nosso corpo físico somente é real no contexto desse sonho. Nosso "eu verdadeiro", poderiam dizer os místicos, reside na verdade fora desse mundo de sonhos, e podemos ter apenas vislumbres desse "mundo real" enquanto estamos aqui.

Figura 27: O mundo é um sonho do deus Vishnu adormecido, no hinduísmo.[42]

---

42. Crédito: Shutterstock.com.

No hinduísmo, o mundo inteiro como o vemos é o sonho do deus Vishnu adormecido (mostrado na Figura 27). Vishnu está deitado sobre a serpente do tempo e observa Brahma criar seu sonho. Quando Vishnu acorda de seu sonho, um ciclo da criação termina. Essa ideia de que existe uma consciência vigiando esse sonho é estranhamente reminiscente de uma simulação complexa. Em simulações e mundos multiplayer, com frequência existem "épocas" ou "histórias" que rodam em alguns servidores específicos e são vivenciadas por um subgrupo dos jogadores. Quando aquele "mundo" chega ao fim, aquele servidor em particular é desligado, e um servidor novo é ligado.

OS MUITOS PROPÓSITOS DE SONHAR

Sonhar é um processo natural muito complexo que é universal. Talvez seja um dos processos mais estudados e objeto de especulação por místicos e cientistas por milhares de anos.

Muitas tradições acreditam que os sonhos precisam ser interpretados, remontando à Bíblia e ao Talmude. Sigmund Freud postulou que sonhos continham desejos latentes e eram uma forma de realização de desejos. O psiquiatra Carl Jung acreditava que sonhos nos davam pistas para o que estávamos nos preparando e que serviam a um propósito de "temperagem". Muitas tradições nativas americanas creem que fazemos contato com outros mundos e outras inteligências que estão nos guiando nesta vida a partir do mundo dos sonhos.

Os cientistas não foram capazes de determinar a razão biológica para os sonhos, mesmo tendo validado que eles são necessários e estão provavelmente servindo a *algum propósito*. Sonhos existem para integrar nossas memórias dos últimos dias, dizem alguns cientistas. Outros dizem que eles são apenas neurônios aleatórios disparando memórias dos dias anteriores. Freud dizia que eles são a "estrada real para o inconsciente", e existem muitos caminhos a se tomar para a interpretação dos sonhos.

Estudos fisiológicos dos sonhos e do sono não chegaram muito mais perto de identificar o propósito dos sonhos, embora tenham produzido algumas pistas. Em 1953, Nathaniel Kleitman e Eugene Aserinsky, da Universidade de Chicago, tropeçaram na informação, agora bem conhecida, de que sonhos acontecem durante o sono REM. Aserinsky também estudou ciclos variados de sono e descobriu que as pessoas que não dormiam o suficiente começavam a sofrer de alucinações. Embora não tenha sido descoberta nenhuma explicação definitiva, pode muito bem ser o caso de a mente processar os sonhos para evitar que as pessoas tenham alucinações quando despertas.[43]

Que os sonhos podem nos apontar nossas necessidades físicas também é um processo bastante compreendido. Qualquer garoto adolescente pode dizer que os sonhos de fato oferecem um escape para suas fantasias sexuais. Mas sonhar é muito mais complicado do que isso. De fato, sonhar é um dos poucos campos da ciência que pode *ter mais de um fator psicológico determinante* – o que significa que a maioria das razões dadas por aqueles que estudam os sonhos pode ser verdadeira, ao menos em parte do tempo.

Outro propósito de sonhar é que os sonhos amiúde servem como inspiração para nossos atos ou criações. Muitos cientistas, artistas, escritores e músicos famosos buscaram inspiração em seus sonhos.

O inventor Elias Howe, por exemplo, tentava construir uma máquina para automatizar uma atividade humana que demandava muito trabalho: costurar. Ele foi incapaz de fazer com que sua máquina costurasse adequadamente. Uma noite, teve um sonho no qual era sequestrado por canibais. Ele ficou cozinhando na fogueira enquanto os

---

43. Fred Alan Wolf, *The Dreaming Universe* (Touchstone, 1995), p. 81.

nativos moviam as lanças para cima e para baixo em algo como uma dança ritmada – e reparou que as lanças tinham buracos perto da ponta! Isso lhe deu a ideia de colocar a linha na ponta da agulha, o que era a última peça de que ele precisava para fazer sua máquina de costura funcionar.

O químico August Kekulé supostamente criou a estrutura da molécula de benzeno (que é uma estrutura circular) depois de um sonho no qual uma cobra comia a própria cauda. E Dmitri Mendeleev, também químico, viu todos os elementos se organizarem nas colunas e fileiras que hoje conhecemos como Tabela Periódica enquanto cochilava na frente de uma lareira em um resort no mar Cáspio.

Místicos e xamãs de todas as tradições, por outro lado, acreditam que sonhos são um modo de fazermos contato com outros mundos. Em algumas acepções, sonhos são experiências subjetivas, e em outras, objetivas, nas quais visitamos seres e mundos que existem fora do nosso. Aqueles que estudam xamanismo dizem que os seres que os xamãs encontram em seus sonhos e nas jornadas xamânicas existem numa "realidade não binária".

Muitas das religiões mundiais vieram de algo que podemos chamar de sonho. Maomé, o profeta do islã, encontrou-se com o anjo Gabriel pela primeira vez num sonho enquanto cochilava numa caverna nas montanhas perto de Meca, durante o mês sagrado de Ramadã.

Muitos sonhadores destacaram visitas daqueles que já faleceram e estão agora no "outro mundo". Os aborígenes da Austrália acreditam que sonhar é uma forma de se comunicar com o tempo do sonho, o "mundo real" além deste físico. Os nativos do povo maricopa, do sudoeste americano, acreditam que qualquer coisa que aconteça no mundo real acontece primeiro no sonho e depois encontra um caminho para o mundo físico.

Algumas pessoas relataram viver toda uma vida em seus sonhos, que, apesar de desconexa, por ser interrompida pela vida desperta, era contínua, e elas tinham uma lembrança clara dessa vida inteira. O físico Fred Alan Wolf, no livro *The Dreaming Universe* [O Universo que Sonha], escreve que entrevistou pessoas que "também são, aparentemente, capazes de acordar várias noites seguidas em um mundo paralelo no qual elas têm uma vida contínua, num corpo diferente".[44]

A ideia de que sonhos são "mundinhos" em que se pode viver "vidas inteiras" soa estranhamente similar à ideia de ter uma "vida virtual" dentro de um videogame, que você pode "retomar" da próxima vez que ligar o jogo. De fato, esse é o propósito de mundos virtuais como o *Second Life*. Quando dentro desses jogos e participando do jogo, é possível lembrar e fazer referência ao que está acontecendo fora do mundo simulado – o que os jogadores geralmente chamam de "irl", ou "*in real life*" (na vida real).

Seria possível fazer isso de dentro dos sonhos?

IOGA DO SONHO BUDISTA

Nas tradições budistas, toda a ideia da busca pelo nirvana é para despertar da ilusão que nos cerca. De fato, o próprio termo buda significa "aquele que está desperto". Místicos orientais insistem que a única maneira de "despertar" é reconhecer a verdadeira natureza da realidade e a natureza ilusória da realidade ao nosso redor.

Se *maya* é um tipo de ilusão, então o que há além da ilusão? Existe, nas tradições hindus, o *brahman*, o mundo "real" absoluto além da forma, e, nas tradições budistas, o *dharma*, a base absoluta da realidade da qual todos os fenômenos emanam. Embora elas não digam exatamente

---

44. Fred Alan Wolf, *The Dreaming Universe*, p. 21.

A Hipótese da Simulação

como é esse mundo, existe um local de repouso para as almas entre vidas, chamado de bardo.

Ao contrário das tradições religiosas ocidentais, segundo as quais se passa mais tempo no Céu ou no Inferno no pós-vida, as tradições orientais estão mais preocupadas com a transição da vida para a morte (o processo da morte) e o contrário (o processo do nascimento, ou encarnação). De fato, o *Livro Tibetano dos Mortos* é chamado de Bardo Thol (bardo significa "intermediário"). Falaremos mais sobre o processo de encarnação no próximo capítulo, que cobre karma e reencarnação.

A metáfora do mundo como sonho é usada não apenas no budismo tradicional. Nas tradições esotéricas tibetanas, existem práticas específicas de Ioga dos Sonhos que estão ali para nos ajudar a "acordar e reconhecer o sonho".

Ioga dos Sonhos é uma das Seis Iogas de Naropa, práticas que pretendem ser atalhos para a iluminação ou liberação. Conforme descrito no livro *Dreaming in the Lotus: Buddhist Dream Narratives, Imagery and Practice* [Sonhando no Lótus: Narrativas, Imagens e Prática Budista de Sonhos], de Serinity Young, as Seis Iogas são normalmente como segue abaixo:[45]

1. *Tummo* (Ioga do Calor Interno)
2. *Gyulus* (Ioga do Corpo Ilusório)
3. *Milam* (Ioga do Sonho)
4. *Odsal* (Luz Límpida)
5. *Phowa* (Transferência ou Projeção de Consciência)
6. *Bardo* (Estado Intermediário Pós-Morte)

---

45. Serinity Young, *Dreaming in the Lotus: Buddhist Dream Narratives, Imagery and Practice* (Wisdom Publications, 1999).

As Seis Iogas não são completamente independentes umas das outras, nem são praticadas sempre numa ordem definida. Mas todas elas têm alguma relação com a natureza ilusória da realidade desperta e o desenvolvimento tanto de uma consciência nos sonhos quanto de um corpo nos sonhos que possa viajar de maneira independente do corpo físico e da nossa consciência desperta normal.

Ioga dos Sonhos é uma série de práticas que permite ao praticante, por meio do domínio sobre os sonhos, perceber a natureza ilusória ou onírica do mundo físico ao nosso redor. Elas com frequência envolvem meditar sobre certos chacras ou símbolos enquanto se adormece. Se a pessoa faz isso, pode manter a consciência durante o *continuum* de estar plenamente acordada para o estado hipnagógico e o próprio estado onírico. Esse processo de estar "acordado" em um sonho é um dos aspectos centrais da Ioga dos Sonhos – o outro é encontrar-se na "luz límpida" do estado onírico.

No linguajar deste livro, se pensarmos nos sonhos como tipos de simulação e aprendermos a reconhecê-los como tal, então podemos pensar no mundo físico a nossa volta como uma simulação semelhante a um sonho, e podemos "despertar" para o que existe fora da simulação. Alguns especulam que a Ioga dos Sonhos é parecida com os sonhos lúcidos, um termo mais moderno para a habilidade de "saber" que você está sonhando. Pesquisas sugerem que existe uma percentagem maior do que o esperado de pessoas que já tiveram um sonho lúcido, no qual, por exemplo, elas estão num pesadelo ou numa situação estranha e reconhecem que estão dentro de um sonho.

O sonhar lucidamente é uma prática ou um talento que tem sido estudado em tempos modernos por Stephen LaBerge no laboratório do sono de Stanford. Algumas pessoas têm a habilidade natural de ter sonhos lúcidos à vontade. Em meu livro *Zen Entrepreneurship*, descrevo algumas de minhas próprias experiências com os sonhos lúcidos.

A Hipótese da Simulação

Para mim, um dos precursores de um sonho lúcido é a desconfiança de que o que está acontecendo ao meu redor não é "real de verdade" – tudo parece "estranho", de algum jeito. Ou, para usar terminologia da ficção científica, existe algum tipo de bug na simulação que revela que os arredores não são tão reais ou tão sólidos quanto parecem.

Assim que você fica lúcido num sonho, é possível se desapegar das coisas que estão acontecendo ao seu redor. Aqueles que desenvolvem certo nível de controle (não é muito fácil manter a lucidez no estado onírico) podem começar a manipular o estado onírico, ou, como faço com frequência em meus sonhos lúcidos, começar a voar para locais diferentes.

Embora a Ioga dos Sonhos e o sonhar lucidamente tenham algumas técnicas similares, suas metas são diferentes. O objetivo de sonhar lucidamente é, em geral, psicológico: desenvolver o controle dos sonhos para ajudar com pesadelos, para ter aventuras nos sonhos, etc.

O objetivo da Ioga dos Sonhos é desenvolver uma consciência de que não apenas nossos sonhos não são reais, como também o mundo físico ao nosso redor não é. Nas tradições budistas, isso não é somente uma metáfora; é possível, pela prática, desenvolver um nível contínuo de consciência enquanto se adormece, e isso ajuda a manter um nível de consciência para além do mundo físico.

A meta da Ioga dos Sonhos, portanto, é compreender a ilusão que é o mundo físico ao nosso redor – que é uma forma de sonho. Como todos os sonhos, ele parece real enquanto estamos nele, mas, assim como os sonhos, ele é uma construção da mente – talvez uma construção compartilhada, mas um delírio, mesmo assim.

SONHOS COMO MINISSIMULAÇÕES

A metáfora do sonho não apenas funciona bem com o conceito de simulações, como também parece feita sob medida para a hipótese da simulação.

Como um sonho, que dura apenas por um período determinado, cada simulação, cada jogo multiplayer de que tomamos parte, roda por certo período e então termina, para em seguida cada simulação rodar outra vez. Além disso, se você estiver no mundo renderizado de um videogame, ele parece real e permanente para os personagens no jogo, mas sabemos que ele é efêmero, e a renderização dura apenas enquanto o processo de renderização está acontecendo – enquanto estamos jogando.

Quando os cientistas e tecnólogos precisaram de inspiração, eles observaram processos naturais em busca de pistas de como construir tecnologias mais sofisticadas. A maioria das IAs e do machine learning de hoje tem raízes nas redes neurais, que foram inspiradas pelos neurônios do cérebro. Até as máquinas voadoras mais pesadas que o ar pegaram emprestada a ideia das asas dos pássaros e morcegos.

Na Parte I, esbocei os estágios de tecnologia necessários para construir jogos realistas e alcançar o ponto de simulação. Os Estágios 1 a 5, e até o Estágio 6 (transmissão física e impressão 3D) no caminho para o ponto de simulação podem ser compreendidos facilmente com base em nossas tecnologias já existentes. Porém, quando buscamos inspiração para como os estágios avançados (Estágio 7 e posteriores) poderiam ser atingidos tecnologicamente, é bem razoável voltarmo-nos para processos naturais que poderíamos usar como inspiração ou para copiar.

Revelou-se que o sonho, que é uma metáfora tão poderosa nas tradições espirituais orientais, é um processo natural que mostra que já desenvolvemos a maioria dos estágios que uma civilização tecnológica precisa alcançar para atingir o ponto de simulação!

A Hipótese da Simulação

Durante o sonho, considere as características que ocorrem naturalmente:

- O "jogador" se deita fisicamente, e seu corpo "adormece" (Estágio 10 – transferência de consciência para um corpo simulado).
- Imagens e sons são projetados diretamente para dentro da mente do jogador (Estágio 7 – interfaces mentais).
- O jogador fica imerso a tal ponto que se esquece que o mundo que está vendo não é real (Estágio 11 – o ponto de simulação).
- O jogador está consciente em algum nível, apesar de não ter noção de sua consciência normal fora do sonho (imersão total).
- O sonho lê as intenções do jogador diretamente da mente (Estágio 7 – interfaces mentais).
- Existem personagens não jogáveis que podem ser reais ou não (Estágio 9 – inteligência artificial).
- No estado de sonho, às vezes parece que existem memórias associadas ao sonho que não fazem parte da vida física da pessoa (Estágio 8).

Pode apenas ser o caso de que, quando uma civilização alcança o ponto de simulação, é uma questão de ser capaz de reproduzir, com tecnologias de computação e videogames, um processo que todos os seres humanos já executam naturalmente: sonhar!

Em termos budistas, a iluminação é despertar do sonho enquanto ele ainda está acontecendo e reconhecer que o que julgávamos ser real na verdade não é. Talvez algo semelhante esteja acontecendo numa simulação: parte do objetivo é se tornar ciente do mundo além do jogo – de que estamos apenas "jogando" nossos personagens atuais, enquanto outros jogadores na partida continuam jogando, alegremente inconscientes de estarem em um videogame transitório e temporário. Em termos de ficção científica, é meio parecido com quando, em *Matrix*,

Neo toma uma das pílulas e acorda num mundo totalmente diferente, fora da simulação.

Observando os sonhos de uma perspectiva da hipótese da simulação:

1. *Sonhos são como pequenas simulações.* Eles são criados para cada uma de nossas mentes os visitarem toda noite, para servir a algum propósito. Somos como jogadores no jogo.

2. *Elementos dos sonhos incorporam elementos familiares e desconhecidos.* Às vezes podemos ver claramente um elemento de um programa de TV ou um livro que causou uma impressão em nós aparecendo num sonho naquela noite; outros elementos podem nos ser familiares (pessoas queridas) ou desconhecidos (personagens genéricos), ou ambos (familiares para o nosso eu onírico, mas não para nosso eu desperto). Isso é parecido com o modo como podemos criar coisas ou ver coisas em nossas simulações que vêm de nossa realidade anterior não simulada. Falaremos mais a respeito disso no próximo capítulo.

3. *Acordar gera confusão.* Quando acordamos de um sonho, ficamos um pouco desorientados, mas temos a compreensão de que o sonho era "apenas um sonho" – ou, em nossos termos, "apenas um jogo" ou "apenas uma simulação", e não o mundo real.

4. *Sonho dentro de um sonho.* Às vezes podemos ter um sonho dentro de um sonho. Isso acontece quando acordamos e achamos que estamos na realidade física, mas estamos de fato em outro sonho. Esse é um tipo peculiar de sonho, um que nos mostra que podemos ter múltiplas realidades encaixadas que nossa mente não é capaz de distinguir, ao menos enquanto estamos nelas. Discutiremos a ideia de simulação dentro de simulações na Parte IV deste livro.

A Hipótese da Simulação

CONSCIÊNCIA TRANSFERÍVEL E A SÉTIMA IOGA SECRETA

Budistas tibetanos também escreveram sobre uma sétima ioga, uma que foi sistematicamente retirada das Seis Iogas – ou mantida em segredo por ser considerada perigosa. Ela é uma variação da *phowa* (a transferência da consciência) e se chama *projeção vigorosa*. Duas das Seis Iogas são diretamente relacionadas a transferir a consciência de uma pessoa moribunda para fora de seu corpo físico e para "outro local".

Segundo a literatura, adeptos dessa sétima ioga são capazes de, no momento exato de sua morte, não apenas deixar seu corpo: eles também conseguem conscientemente "transferir" sua consciência para fora do corpo a partir de um ponto na testa. A razão pela qual ela é secreta é que os adeptos podem então "projetar vigorosamente" a consciência para dentro de outro hospedeiro vivo que esteja próximo. Geralmente, isso é praticado com diversas criaturas (pássaros, galinhas, raposas, etc.) no começo.

Conforme foram ficando mais hábeis, os iogues então praticariam projetar vigorosamente sua consciência para dentro de cadáveres recentes, que ficavam depositados nos limites das cidades. Eles reanimavam os corpos recém-mortos, e, presumindo-se que o corpo não estivesse muito deteriorado, o iogue poderia então escolher seguir vivendo naquele corpo, ou projetar vigorosamente a consciência de volta a seu corpo original. Enquanto isso, os "corpos originais" estariam em um estado de animação suspensa perto dali, até que eles "voltassem".

Segundo *Six Yogas of Naropa* [Seis Iogas de Naropa], escrito pelo famoso mestre tibetano Tsongkhapa (e traduzido para o inglês por Glenn Mullin), os textos indianos e tibetanos eram cheios desses pequenos contos, e a tradição continuou no Tibete por algum tempo, com os gurus repetidamente demonstrando a prática para seus pupilos, embora, de modo geral, apenas sob os termos mais estritos de sigilo.

Isso nos remete de novo à ideia de consciência transferível. Se somos capazes de projetar nossa consciência em outro corpo físico, então o que constitui nossa "consciência" deve ser algo mais do que físico. Torna-se algo mais próximo da informação digital, que existe fora do físico, mas pode ser inserida em máquinas físicas.

Como vimos no Estágio 9, Inteligência Artificial e Consciência Transferível, Kurzweil e outros no mundo tecnológico moderno estão esperando pela singularidade como o ponto no qual poderemos transferir consciências para máquinas artificiais. Talvez eles estejam olhando para o tipo errado de máquinas. As Seis Iogas de Naropa sugerem que a consciência transferível já existe – precisamos apenas desenvolver (ou cultivar) máquinas biológicas (ou entidades biológicas) para as quais a consciência possa ser transferida.

Uma das histórias mais famosas de transferência de consciência envolve o filho de um famoso mestre tibetano, Marpa, o tradutor. Ele era chamado assim porque Marpa realmente viajou desde a Terra das Neves (o Tibete) por todo o Himalaia para estudar com Naropa na Índia, e traduziu seus ensinamentos do sânscrito para o tibetano. De fato, sem Marpa, as Seis Iogas de Naropa estariam perdidas.

Nessa história, o filho de Marpa aprendeu essa sétima ioga secreta com seu pai. Um dia, enquanto cavalgava, ele teve um acidente a cavalo e quebrou o pescoço. Supostamente, usou as iogas de *transferência de consciência* e *projeção vigorosa* para deixar seu corpo e transferir sua consciência para um pombo que voava por ali. Ele então fez o pombo voar até os limites de uma cidade na Índia (onde havia muitos cadáveres, pois apenas os ricos cremavam seus mortos naquela época) e encontrou um jovem que havia morrido recentemente. Usando novamente a projeção vigorosa, transferiu sua consciência do pombo para o corpo mais jovem recém-falecido.

Nesse novo corpo jovem, ele então assumiu o nome de Tipupa (o pombo santo) e começou a ensinar as Seis Iogas na Índia. Em uma reviravolta interessante, anos depois, Milarepa, um pupilo tibetano e talvez o mais famoso iogue de lá, que também havia sido um aluno direto de Marpa, enviou um de seus alunos para estudar essa ioga específica com Tipupa, o pombo santo, que era, compreensivelmente, o único especialista vivo!

A partir dessa história, vemos que a transferência da consciência não é uma ideia nova – ela faz parte das tradições orientais há um longo tempo. De fato, embora algum tipo de transferência ocorra durante os sonhos, talvez a transferência mais significativa nas tradições religiosas ocorra no nascimento (quando se faz o "download" de uma alma ou consciência) e na morte (quando se faz o "upload" da consciência que sai do corpo para o mundo "real"). Isso nos traz para a próxima parte do nosso argumento sobre a hipótese da simulação e as tradições místicas: karma e reencarnação.

Capítulo 9

Múltiplas vidas e karma como missões nos videogames

Alguém nasce na Terra, na França, como um rei poderoso, governa por algum tempo e então morre. Ele pode renascer na Índia e viajar num carro de bois para o interior da floresta para meditar. Ele pode encontrar a reencarnação em seguida na América, como um empresário bem-sucedido; e, quando ele sonhar a morte outra vez, reencarna talvez no Tibete como devoto de Buda e passa a vida toda num mosteiro. [...] Qual é a diferença? Cada existência é um sonho dentro de um sonho, não é?

– Paramahansa Yogananda

A metáfora das múltiplas vidas entrou no mundo dos videogames muito depois das doutrinas orientais de reencarnação e seu conceito de múltiplas vidas. Não está claro se o apelido original de "múltiplas vidas" nos videogames tem alguma conexão com as múltiplas vidas nas tradições espirituais orientais.

No entanto, a metáfora de um jogador que está fora do mundo renderizado do jogo e que entra nele para interpretar um "personagem" se encaixa muito bem nas tradições antigas. Nessa metáfora, cada personagem que interpretamos é como uma vida que estamos vivendo "no mundo" – ou seja, num mundo virtual simulado –, e passamos pela "vida virtual", que, do ponto de vista do personagem, é real e sua única vida. Claro, a razão pela qual a metáfora funciona na hipótese da simulação e nas tradições orientais é porque existe uma parte de cada personagem que está fora do mundo do jogo: o jogador.

Veremos, neste capítulo, que a hipótese da simulação faz muito bem o serviço de explicar como a doutrina da reencarnação e seu mecanismo subjacente, o karma, podem funcionar de fato.

MÚLTIPLAS VIDAS E AS DOUTRINAS DA REENCARNAÇÃO

Vamos primeiro examinar com mais atenção as tradições orientais. A reencarnação é uma doutrina compartilhada por muitas das religiões indianas, incluindo hinduísmo, budismo e jainismo, além de ter adeptos no Ocidente (Platão, na Grécia antiga, e Ralph Waldo Emerson, entre muitos outros, em tempos mais modernos).

Embora uma tradução mais literal dos textos sânscritos antigos seja *renascimento* ou *transmigração,* a ideia é a mesma: cada alma (ou consciência, para usar um termo menos carregado religiosamente) passa por múltiplas vidas, aprendendo lições e cumprindo seu karma durante cada uma delas.

Nem todas as religiões indianas concordam quanto a como, exatamente, funciona esse processo, apesar de todas parecerem estar de acordo quanto ao ciclo de morte e renascimento. Nas tradições budistas, a representação da reencarnação é a roda infinita – a Roda da Vida ou Roda do Dharma, ou *Samsara*. Samsara é a palavra em sânscrito para "vagando", o que representa a alma vagando por muitas vidas (uma representação é mostrada na Figura 28).

Figura 28: Uma representação da roda da reencarnação tradicional budista.[46]

Estreitamente relacionado com a ideia de reencarnação está o conceito de karma, centrado nas consequências dos pensamentos e ações da pessoa no mundo. Karma literalmente vem do sânscrito para atos ou ações. É pelo resultado de nossos feitos, segundo as religiões orientais, que acumulamos nosso karma. Cada ato kármico é como uma semente que é plantada e irá então crescer e ser resolvida – assim, karma é a fonte de nossa futura experiência. Enquanto tivermos karma, estaremos dando voltas na roda de *Samsara*, criando vidas futuras e situações futuras para resolver esse karma.

O karma é expresso em termos mais modernos como a lei de causa e efeito: "Karma se refere ao princípio espiritual de causa e efeito, no

---

46. Crédito: Shutterstock.com.

qual a intenção e as ações de um indivíduo (causa) influenciam o futuro desse indivíduo (efeito)."[47]

As definições dos tipos de karma podem variar, mas seu propósito é o mesmo: karma é o armazenamento dos resultados de nossas ações no passado, seja nesta vida, seja em vidas anteriores, e esse "cofre" ou "banco de informações" serve como base para nos ajudar a criar experiências no presente e no futuro. Metaforicamente, os "Senhores do Karma" são seres espirituais responsáveis pela criação dessas situações futuras para nos ajudar a resolver o karma. Neste capítulo, examinaremos se são necessários seres metafísicos para o karma funcionar, ou se, usando nosso modelo de simulação, o mesmo processo poderia ser realizado com algoritmos e inteligência artificial.

O motivo pelo qual alguém tem que renascer, de acordo com o budismo, é *por causa* de seu karma. Se não houvesse nenhum karma, então não haveria motivo para alguém renascer, a menos que fosse como um ser mais elevado, mais evoluído, que deseja vir ao mundo para ajudar outros a evoluírem (isso é chamado de *tulku* nas tradições tibetanas).

O PROPÓSITO DO KARMA E DA REENCARNAÇÃO

Qual é o propósito de reencarnar e viajar nessa roda? O objetivo, tanto no hinduísmo quanto no budismo tradicionais, é chamado de *moksha*, ou a liberação do infinito ciclo de renascimento, quebrar o feitiço de *maya*. Em essência, o propósito da vida é transcender nosso karma.

No budismo, que surgiu do hinduísmo baseado nos ensinamentos de Sidarta Gautama em algum momento entre os séculos 4 e 6 a.C., esse processo é chamado de iluminação, ou *nirvana*. Ele também

---

47. https://en.wikipedia.org/wiki/Karma.

envolve "despertar" e dar-se conta da interdependência de todas as coisas, do karma, e finalmente transcendê-lo. Fritjof Capra, em *O Tao da Física*, diz:

> É possível transcender o círculo vicioso de samsara, livrar-se do jugo do karma e alcançar um estado de libertação total denominado nirvana. [...] O nirvana é o equivalente ao moksha da filosofia hindu e, sendo um estado de consciência além de todos os conceitos intelectuais, desafia quaisquer descrições. Atingir o nirvana é atingir o despertar ou Estado de Buda.[48]

Está claro que o propósito da roda é transcendê-la, sair do giro infinito, o que pode ser feito apenas encontrando formas de superar nosso karma, que é o que mantém a roda girando.

Paul Twitchell, fundador moderno do Eckankar, que ele afirma ser baseado em antigas práticas indianas e tibetanas, adota uma filosofia similar e a expressa de uma forma que talvez seja mais fácil para a mente contemporânea digerir: "Somos como crianças que frequentam a escola a fim de ter experiências simuladas visando nos preparar para nosso lugar na sociedade".[49]

A metáfora de uma "escola" ou "sala de aula" como uma simulação para nos ajudar a aprender lições é poderosa e se encaixa muito bem na hipótese da simulação.

---

48. Fritjof Capra, *O Tao da Física* (Editora Cultrix, 2011, tradução de José Fernandes Dias)
49. Brad Steiger, *In My Soul I Am Free* (Eckankar, 1968), p. 95.

A Hipótese da Simulação

COMO O KARMA É ARMAZENADO E USADO PARA CRIAR SITUAÇÕES NA VIDA

Segundo o Bhagavad Gita, karma é literalmente a força da criação, a força que traz vida a todas as coisas.

A despeito da concordância de que o karma é a causa da maioria dos renascimentos entre a maioria das tradições orientais, o mecanismo propriamente dito do karma e como ele é usado para criar e resolver situações na nova vida é pouco explicado nos textos antigos. Onde o karma é armazenado, e como ele traz vida às coisas?

No livro *Healing Mantras,* Thomas Ashley-Farrand nos dá um panorama: "Conforme passamos pela vida, as pessoas com quem nos encontramos ou as circunstâncias com que cruzamos dispararão trechos individuais de karma, liberando-os e colocando-os em ação. Quando isso acontece, nos é apresentada uma oportunidade para resolver aquela porção específica do nosso karma".[50]

A ideia de que podemos encontrar as mesmas almas ou as mesmas consciências em corpos diferentes é parte integrante do mecanismo de reencarnação e karma. Nós, no Ocidente, pensamos no karma num nível muito rudimentar: se a pessoa X matar a pessoa Y numa vida, então Y obterá vingança numa vida futura. A lei do karma significaria que a informação fica armazenada em algum lugar, e então uma situação teria que ser *criada* numa vida futura na qual a pessoa Y pudesse resolver esse karma.

O que significa uma situação *ser criada* para resolver o karma? Seria uma situação ou interação entre essas duas pessoas numa vida futura que está presa a uma meta específica. Examinaremos isso do ponto de vista dos videogames e missões posteriormente neste capítulo.

---

50. Thomas Ashley-Ferrand, *Healing Mantras* (Nova York: Ballantine Wellspring, 1999), pp. 3–7.

UM MODELO TEÓRICO PARA A REENCARNAÇÃO

Existem, conforme declarado anteriormente, diferenças entre as doutrinas padrão do hinduísmo, budismo e outras religiões orientais quanto à reencarnação. Entretanto, a despeito dessas diferenças, a estrutura geral, o propósito e o mecanismo de renascimento são notavelmente consistentes em todas essas religiões.

Selecionando partes padrão do modelo adotado por essas filosofias, a Figura 29 mostra um modelo teórico comum de como a reencarnação ou transmigração funciona.

Se olharmos com atenção, veremos paralelos com o modo de funcionamento dos videogames. Exatamente como em um videogame, quando uma vida termina, você tem a opção de aprender com ela e então voltar para o mundo para jogar outra vez. No modelo oriental, você entra na simulação que está em curso com um personagem diferente, uma personalidade diferente, mas carrega com você traços de vidas prévias – leia-se, seu karma. Essa informação o acompanha e se torna a base para sua experiência na nova vida.

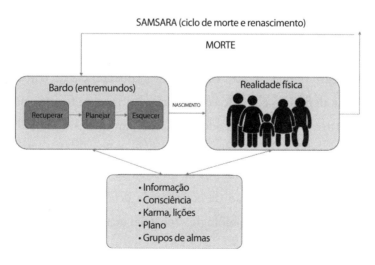

Figura 29: Um modelo teórico para reencarnação e karma.

A Hipótese da Simulação

Nesse modelo teórico, vale a pena fazer duas perguntas que fazemos nas ciências da computação:

1. Qual informação é armazenada e onde?
2. Como a informação é usada ou processada, e quando?

No contexto das tradições orientais, há muitas maneiras diferentes de expressar as respostas a essas questões. Onde a informação é armazenada e como ela é utilizada durante a "vida atual" é aventado, mas não declarado em muitos detalhes.

Em *Healing Mantras,* Ashley-Farrand estipula que o karma é, na verdade, armazenado no corpo físico (ou seu análogo não visível, o corpo sutil). Isso seria similar a uma arquitetura distribuída e poderia fazer sentido quando pensamos em bilhões de almas – cada uma responsável por manter o controle de seu próprio karma.

Por outro lado, algumas fontes dizem que há um repositório de informação que existe fora do mundo renderizado. São os registros akáshicos, e eles guardam não apenas o nosso karma, mas também os eventos de cada vida passada. De acordo com Twitchell, "Esses registros das almas consistem nas encarnações passadas nos planos físico, astral e causal".[51]

Fica claro que existe um conceito de transferência de consciência – sem uma definição clara de consciência. Da mesma forma que Kurzweil e outros nos tempos modernos acreditam que podemos "baixar" a consciência dos nossos cérebros para um aparelho de silício, os místicos orientais que foram pioneiros na filosofia da reencarnação também acreditavam num download da consciência do "lado de lá" (o bardo) para uma entidade física e biológica (ou seja, nossos corpos).

---

51. Brad Steiger; *In My Soul I Am Free,* p. 92.

Mas o que, exatamente, é transmigrado de um corpo para outro? Isso também é um ponto de debate.

Mattheiu Ricard, famoso monge budista que serviu como tradutor para o Dalai Lama, faz um comentário interessante ao definir essa "consciência" de uma perspectiva budista:

> A sucessão de estados pelos quais uma consciência passa [...] é comparável, até certo ponto, a algo como uma onda de rádio, que transmite informação sem ser, por si mesma, concreta. O futuro de um indivíduo jaz nas transformações dessa onda [...] A onda do *continuum* de nossa consciência contém todas as nossas experiências nesta vida e nas vidas passadas, numa rede infinitamente complexa...[52]

O que poderia ser essa onda? Está claro que a onda da nossa consciência contém informações – nossas experiências até hoje – que servem como as sementes de nossa futura experiência. Na ciência da computação, armazenamos informações e as transmitimos como ondas eletromagnéticas – e isso soa notavelmente semelhante ao que os budistas estão descrevendo: a consciência é um tipo de informação.

Uma grande diferença entre as doutrinas hindu e budista é a existência de uma alma indivisível. No budismo, a "coisa que reencarna" não é definida como alma, e sim como um "amontoado de causa e efeito" – um "saco de karma", se preferir chamar assim. Isso seria parecido com a informação da consciência que é reencarnada.

Na tradição hindu, existe a ideia de uma alma, que não é estranha no Ocidente, que passa por múltiplas vidas numa missão de aprendizado e para sua eventual libertação. Embora essa seja uma diferença fundamental, já que a definição de "alma" é algo que está aberto ao

---

52. Mattheiu Ricard, *The Quantum and the Lotus* (Nova York: Crown, 2001), pp. 179–81.

debate, para nossos propósitos, quando uso o termo "alma", estou me referindo aos dois cenários: uma alma real e indestrutível, e uma entidade temporária associada a um "saco de karma".

ALGUNS RECURSOS DOS VIDEOGAMES MODERNOS

Antes de examinarmos mais minuciosamente o modelo para olhar para o karma e a reencarnação dentro do contexto da hipótese da simulação, vamos revisar alguns dos recursos básicos dos MMORPGs modernos que são relevantes para nossa discussão.

Múltiplas vidas, interpretação de personagens

Um dos primeiros conceitos introduzidos nos videogames modernos foi o de múltiplas vidas. Isso foi feito inicialmente por motivos econômicos – uma moeda de vinte e cinco centavos num fliperama valia apenas tantas "vidas" de *Pac Man* ou *Space Invaders.*

Depois, começar de novo depois de cada partida foi visto como trabalhoso demais, em especial com jogos RPG. O objetivo central dos RPGs, conforme idealizado por *Dungeons & Dragons* e outros jogos de tabuleiro, era que você teria um personagem definido por um conjunto de atributos (classe, pontos de vida, força, etc.) e raça (elfo, anão, humano) com uma profissão (ladrão, mago, guerreiro, etc.). Esses atributos eram registrados usando, de início, uma "folha do personagem", que era atualizada conforme seu personagem "subia de nível". De fato, todo o sentido de um RPG era que você interpretava o personagem, e o personagem durava por várias partidas.

A definição de um personagem podia incluir um histórico particular e uma personalidade, mas tipicamente as informações registradas do personagem incluíam roupas, armas, artefatos e, o mais importante, habilidades. Um mago, por exemplo, poderia aprender feitiços mais sofisticados conforme subia de nível, da mesma forma que um guerreiro podia aprender a usar novas armas – arco e flecha, por exemplo.

Quando os RPGs passaram a ser online, com os MMORPGs, essa ideia de um personagem durando várias partidas se tornou mais persistente e mais importante, e o mesmo ocorreu com a representação visual do avatar. Quando surgiram jogos como *Second Life* e *World of Warcraft*, os jogadores desenvolveram longas listas de bens para seus personagens, junto com feitos e uma história pregressa. Os personagens nos jogos começaram a ter vidas virtuais, com informações a seu respeito armazenadas fora do mundo renderizado, completadas com listas de amigos e posses.

Estados de jogo: "No mundo" versus "IRL" versus "AFK"

O que acontece com o personagem quando você não está logado no jogo?

Na maioria dos jogos, seu personagem não está renderizado no mundo, mas ele ainda existe... em algum lugar. O que isso significa, precisamente? Significa que existe um lugar fora do mundo renderizado, tipicamente um servidor na nuvem, onde informações sobre o personagem e o estado do jogo são armazenadas.

Este é um ponto importante na analogia entre tradições orientais e videogames que revisitaremos depois: quais informações representam um personagem jogável (ou PC) num videogame, e onde ficam armazenadas e acessíveis? Isso inclui informações sobre o jogador/conta, o personagem que ele está jogando (ou seu avatar), sobre os atributos e posses do personagem, e em que ponto estão na realização de certas

A Hipótese da Simulação

missões e realizações – tudo isso são conjuntos separados de dados a respeito do PC.

Quando você acessou o jogo, mas está longe de seu teclado, o jogador é considerado como "AFK" [longe do teclado, ou *Away From Keyboard*], e o avatar tipicamente aparece num estado especial para que outros jogadores saibam que não devem tentar falar com você ou se engajar com seu personagem. Ao trocar mensagens uns com os outros, os jogadores desenvolveram muitos acrônimos úteis. Um deles é "irl", que quer dizer "na vida real" [*in real life*] e tem a intenção de perguntar ou passar informações sobre o jogador, e não sobre o personagem.

Quando não estão logados num MMORPG, outros personagens ainda podem se comunicar com o seu personagem, por exemplo, enviando a você mensagens privadas, e essas mensagens ficam numa fila, de modo que você as possa ler quando estiver de volta "ao mundo". Onde moram essas mensagens? Elas também moram *fora* do mundo renderizado, mas ainda fazem parte do videogame, pois quem cuida delas são os servidores do videogame.

Missões e realizações nos videogames

Nos videogames mais sofisticados de hoje, um recurso padrão é um conjunto de "missões" ou "realizações" que guia o jogador para o que fazer em seguida. Elas normalmente são ações concretas como "lute com um orc e vença" ou "construa uma casa" ou "encontre o mapa do tesouro".

Em alguns videogames, as missões podem ser simples. Em outros, elas podem envolver tarefas mais complexas. Um dos principais problemas que mundos virtuais como *Second Life* têm é que eles são quase flexíveis demais; novos jogadores, que podem fazer qualquer coisa, não sabiam o que fazer em seguida. Em *World of Warcraft,* quando você termina de montar seu personagem, tem um NPC com um ponto de exclamação em cima da cabeça que deve lhe entregar algo em que trabalhar em seguida.

Alguns jogos têm realizações que podem ser feitas todos os dias. Inevitavelmente, a lista de missões e realizações, que começa como uma lista simples, se torna complexa o suficiente para evoluir para uma estrutura semelhante a uma árvore. Agora as missões podem ter pré-requisitos – você só pode ir matar o rei dos goblins depois de completar "encontre o mapa goblin", por exemplo. Certas missões deságuam em outras missões.

Ainda assim, essas árvores usualmente são bem genéricas e, a certa altura, todo jogo oferece um manifesto de missões/realizações para o atual jogador/personagem que lista as missões que o jogador cumpriu e quais ele "aceitou" cumprir. Esse manifesto de missões é como uma totalização e é um subgrupo de todas as missões possíveis; ele é gerado por um gerador de missões.

Veremos que os conceitos de missões e realizações, que são, na verdade, tarefas que o jogador precisa executar e dominar em alguma partida, se amarram bem à metáfora da hipótese da simulação quando olhamos para a reencarnação e o karma nas tradições orientais.

A HIPÓTESE DA SIMULAÇÃO: UM MODELO DE VIDEOGAME BASEADO NO KARMA?

O modelo de informações descrito previamente para o karma e a reencarnação demonstra que um mundo físico simulado como um videogame é uma boa metáfora para o que os místicos orientais descrevem. De fato, a hipótese da simulação pode fornecer uma base científica para a perspectiva expressada no hinduísmo e no budismo.

Assim como um jogador se senta para interpretar um personagem num jogo, a consciência também transmite de alguma "realidade-base"

A Hipótese da Simulação

fora da simulação e é baixada num corpo gerado um tanto artificialmente. A natureza desse personagem – o avatar nos videogames, o corpo em nossa realidade física – é escolhida, assim como suas relações familiais, sua etnia, etc., e isso é codificado em seu DNA. O personagem e o jogador estão associados pelo tempo que durar a vida do personagem nessa simulação.

Qual é o propósito de participar do jogo?

Pode ser para tirar lições ou para vencer o jogo. Em videogames, missões ou realizações são a pedra fundamental de projetar um jogo de RPG. O personagem do jogador aceita certa missão e, ao fazê-lo, concorda em partir numa série de experiências que podem envolver alguma dificuldade. Durante essa missão, o jogador pode colecionar artefatos, amigos e inimigos, porém, o mais importante: jogadores acumulam experiência e "sobem de nível" com seu personagem. De forma muito similar, o propósito de jogar outra vida seria terminar as missões (ou traços kármicos) que acumulamos ao longo do tempo. Isso dá experiência e aumenta o nível de nosso personagem com base em algum mapa ou árvore de missões e realizações selecionadas para nós por nosso karma em particular.

Nos videogames que conhecemos hoje, o número de missões ou realizações que um jogador pode alcançar geralmente é ilimitado. Todavia, podemos visualizar um jogo mais sofisticado no qual existem tantas missões e realizações diferentes quanto o número de jogadores.

Esse jogo teórico precisaria acompanhar num servidor na nuvem, fora do mundo renderizado, quais missões um jogador já cumpriu, quais ele ainda tem para cumprir e, o mais importante, com quais futuras missões um jogador já se comprometeu com outros jogadores.

O que esse livro-caixa centralizado ou descentralizado conteria? Ele seria basicamente o equivalente, na ciência da computação, ao karma de um jogador (e/ou do PC, o personagem do jogador). O karma do jogador seriam lições ou realizações que ele talvez precise para aceitar e "finalizar" durante várias outras vidas, enquanto o karma de um personagem específico talvez precise ser resolvido durante a vida desse personagem.

As exigências de armazenamento e processamento de uma simulação complexa assim, com sete bilhões de humanos na Terra no presente momento e potencialmente inúmeros outros mundos e almas lá fora, vai muito além de qualquer videogame que tenhamos construído até hoje, mas não está fora do nosso alcance.

A Figura 30 mostra como esse modelo poderia funcionar. Note que ele é extraordinariamente semelhante ao da Figura 29, nosso modelo teórico para a reencarnação.

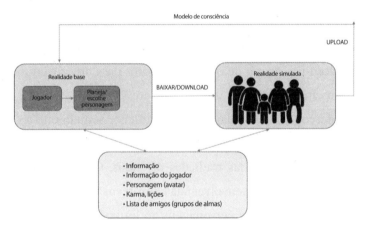

Figura 30: Um modelo para a consciência e o karma na hipótese da simulação.

MISSÕES E A HIPÓTESE DA SIMULAÇÃO

A maioria dos videogames tem um ciclo de jogo, um sistema de física e um mecanismo de renderização, como explicado em capítulos anteriores. MMORPGs sofisticados também têm um gerador de missões que define o caminho do jogador pelo mundo do jogo, mesmo que isso não seja declarado explicitamente. Embora mundos virtuais como *Second*

Life possam passar a ilusão de possibilidades infinitas, na verdade, as únicas possibilidades são aquelas que estão codificadas no jogo e autorizadas por seu gerador de missões oculto.

Em nosso videogame teórico, o processo de escolher a próxima missão para um personagem seria mais complexo do que é nos jogos de hoje. Entretanto, esse "gerador de missões" oferece o elo fugidio entre as ideias das tradições orientais de como a realidade é criada para cada um de nós cumprir seu karma e como os videogames funcionam mesmo hoje em dia.

Nos videogames modernos, missões e realizações são definidas antes de o jogo ser feito.

Quando um jogador aceita uma missão, ela aparece no manifesto de missões daquele jogador (ou, para ser mais preciso, no daquele personagem). Em jogos multiplayer, essas missões podem envolver trabalhar com um grupo de outros jogadores para atingir um objetivo (vencer um chefe, encontrar um tesouro, etc.).

Isso oferece uma abordagem incrivelmente semelhante a como a lei do karma, de causa e efeito, é usada para criar situações para nós no palco dramático, a *lila,* das tradições orientais. Os jogadores podem aprender habilidade e desenvolver sua compreensão do mundo do jogo ao jogar múltiplas vidas e personagens ao longo do tempo. Missões e realizações são então escolhidas com base no karma de cada jogador. Missões futuras são determinadas a cada vez que geramos mais karma. Nas tradições orientais, encontramos com frequência as mesmas pessoas, várias vezes; temos um grupo de "amigos kármicos" (que podem ou não ser amigos de fato).

Contudo, um jogo mais sofisticado, como a Grande Simulação, precisaria acompanhar não apenas uma base de dados genérica de missões, mas também uma lista de realizações individuais (tarefas que determinado personagem deve realizar na vida) e um armazém de karma passado (que pode ser pensado como um conjunto de missões ou tarefas que envolvem outros jogadores específicos).

UM GERADOR DE MISSÕES PARA O KARMA

A Figura 31 mostra como um gerador de missões, que na verdade tem a função de um gerador de karma numa A hipótese da simulação, poderia funcionar.

Primeiro, como qualquer videogame moderno, ele observaria quais personagens estão presentes numa cena específica. Nessa figura, vemos que os personagens X1, X2 e X3 estão todos presentes em nossos arredores (a "Cena Atual"). Esses personagens estão, claro, sendo jogados pelos jogadores A, B e C. Cada um desses jogadores teria um estoque de karma das vidas anteriores, junto com um conjunto de tarefas que devem realizar nesta vida (seu manifesto de missões).

O gerador de missões precisaria escanear o registro kármico dos jogadores A e B para ver se existe um débito kármico ou uma *possível interação* que atuaria em seu benefício kármico (ou em detrimento dele, dependendo de como você interpretar as interações no mundo real!).

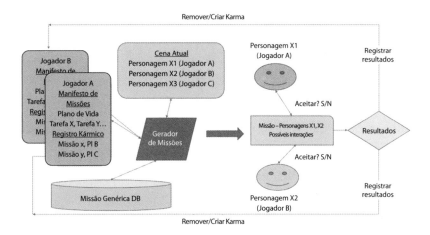

Figura 31: Um gerador de missões baseado no karma.

A Hipótese da Simulação

O débito kármico pode ser de uma vida diferente nas tradições orientais, mas ainda envolver os jogadores A e B (apesar de eles estarem interpretando os personagens X1 e X2 agora). Usando um algoritmo inteligente (que seria complexo, admito, mas realmente é apenas uma coleção de regras – portanto, muito administrável por meio de código de computador), o gerador de missões geraria uma *possível missão* (mostrada do lado direito na Figura 31).

O gerador de missões então ofereceria aos personagens X1 e X2 a possível missão, que ambos poderiam aceitar ou rejeitar. Se os dois lados aceitarem a missão, então a situação invocada pelo karma prévio (dessa vida ou de uma anterior) é criada, e uma nova interação ocorre na vida presente ou no jogo.

Essa interação pode ser uma amizade, uma interação violenta, uma interação sexual ou um encontro casual de mentes e ideias. Nas tradições orientais, essas interações podem criar mais karma entre os jogadores (assim como têm o potencial de resolver karma antigo). Em nosso gerador de missões teórico, os resultados dessa missão são então registrados, e esses resultados chegam até os manifestos de missões tanto do jogador A quanto do jogador B, conforme demonstrado pelas linhas se originando da direita e retornando até os manifestos de missões de ambos os jogadores.

Esse feedback poderia então eliminar o karma pregresso (se tiver sido cumprido) e/ou criar um novo tipo de karma, que é a semente para futuras ações e que poderá precisar ser realizado nesta vida ou numa futura, dependendo das circunstâncias dos personagens X1 e X2 ou dos jogadores A e B habitando outros personagens numa vida futura.

A RODA DA VIDA BUDISTA É UM ALGORITMO?

Nesse cenário, a Roda da Vida de Buda é agora um algoritmo que armazena karma criado dentro do jogo, gerando sem cessar situações em futuras partidas para satisfazer o karma passado com outros jogadores que estão na vizinhança. Os Senhores do Karma foram reduzidos a uma IA sofisticada que pode acompanhar bilhões de jogadores e criar missões para eles em cada uma de suas vidas em tempo real, dinamicamente, dependendo de onde eles estão no mundo renderizado! As combinações de jogadores são tão vastas que é possível que você passe várias vidas sem se encontrar realmente com a mesma pessoa outra vez; é possível que o seu personagem vá jogar com o mesmo grupo várias e várias vezes.

Depois que publiquei esse modelo teórico para um gerador de missões, um leitor astuto apontou que nem todo karma existente precisa ser resolvido com exatamente o mesmo jogador. É possível que o jogador A tenha acumulado karma com o jogador B, mas que o A seja capaz de resolver esse karma numa vida futura com o jogador C. Isso levanta ainda mais complexidade, mas a mesma estrutura do gerador de missões ainda funciona. A "possível missão" nesse caso seria gerada com o jogador C (em vez de com o B), que pode estar nos arredores (na mesma cena) do jogador A. Isso facilita tanto para criar quanto para resolver karma muito mais depressa do que poderia acontecer de outra forma.

Uma diferença entre nossos MMORPGs e esse modelo de uma A hipótese da simulação é que os jogadores podem parar de jogar – eles podem estar logados, mas "AFK" – ou longe do teclado –, ou nem estarem logados no servidor. Em muitas das tradições orientais e suas atualizações new age dos tempos modernos, existe a crença de que certos corpos sutis, que contêm consciências, na verdade deixam o corpo físico enquanto estamos adormecidos, e que isso é o mesmo que estar

A Hipótese da Simulação

AFK. É assim que os místicos explicam vários aspectos sem resposta dos sonhos – interações com quem já se foi, com anjos ou com outras entidades que não estão no mundo renderizado.

Portanto, vemos que um modelo teórico para a armazenagem e o processamento de informação para as tradições orientais da reencarnação e do karma é notavelmente consistente com a hipótese da simulação. De fato, pode-se dizer que o único modo pelo qual eles pudessem ser *implementados* seria em algum tipo de simulação na qual fazemos o "download", "baixamos" a consciência e da qual nos tornamos parte.

A hipótese da simulação, então, dá novo colorido e significado tanto à ideia de uma peça mágica que cria nossa ilusão, a *lila* dos *Vedas*, quanto à famosa fala de Shakespeare: "*O mundo inteiro é um palco, E todos os homens e mulheres, meros atores*".

Capítulo 10

Algumas áreas inexplicadas: Deus, anjos, EQMs e OVNIs

Quando eu estava no MIT, uma das lições mais importantes que aprendi sobre ciência foi que ela não tinha a intenção de descrever a realidade exatamente, mas sim criar um conjunto de modelos viáveis que pudesse se aproximar da realidade sob certas condições. Os modelos precisavam ser confiáveis e se encaixar nos dados existentes. De quando em quando, os cientistas se davam conta de que os dados observados não se encaixavam nos modelos existentes; era preciso criar novos modelos.

Como exemplo, um cientista dos séculos 18 ou 19 tentando explicar como as galáxias são formadas ou como as estrelas queimam estaria perdido. Eles não teriam um modelo ou descrição que incluísse coisas como o núcleo do átomo, a tabela periódica, fusão (ou fissão) nuclear ou buracos negros. Para que essas coisas estranhas se tornassem

A Hipótese da Simulação

explicáveis, cientistas precisariam criar modelos melhores de como o mundo físico funciona. Esses modelos *melhores* transformariam os fenômenos inexplicáveis em explicáveis.

Como já declarei e gostaria de repetir aqui: quando um modelo melhor aparece, cabe à comunidade científica explorá-lo. Nos capítulos anteriores, vimos como a hipótese da simulação oferece um modelo melhor, que explica muitas das descobertas misteriosas da física moderna e até fornece uma base científica para os ensinamentos místicos orientais de antigamente.

Mas não vamos parar aí. Este capítulo reúne algumas ideias das tradições religiosas ocidentais – anjos, o pós-vida, Deus – com outras experiências paranormais inexplicadas, como as EQMs (experiências de quase-morte), EECs (experiências extracorpóreas), sincronicidade e até OVNIs. Não apenas essas coisas são inexplicáveis usando nossos modelos científicos atuais, como também a maioria dos cientistas nem sequer as aborda, já que elas são vistas como "matadoras de carreiras" ou, no mínimo, são ignoradas como "pseudociência".

Mostraremos neste capítulo que, vistas pelas lentes da hipótese da simulação, as ideias duplas da *informação* e da *computação* podem dar uma base científica para algumas coisas que eram previamente inexplicáveis e/ou ignoradas pela corrente principal da ciência. Examinando a ideia de que a nossa realidade física é gerada por computador (que, subjacentes a tudo, estão a informação e a computação), podemos criar um modelo que funciona melhor para todos esses fenômenos estranhos e até fornecer uma ponte entre as ideias religiosas e científicas de como o universo funciona.

DEUS E A CRIAÇÃO DO MUNDO FÍSICO

Embora as religiões orientais (e as tradições místicas que as geraram) apoiem fortemente a ideia de que a nossa realidade física é algum tipo de simulação, como essa ideia se encaixa nas tradições abraâmicas dominantes no Ocidente e no Oriente Médio – ou seja, judaísmo, cristianismo e islamismo?

O foco principal dessas religiões monoteístas é um Deus único, que é o "criador" supremo, chamado de Alá no islã e de Jeová no judaísmo. Deus é um assunto imenso, talvez grande demais para cobrirmos em uma seção deste livro, mas consideraremos os papéis que Deus exerce nessas religiões, inclusive na criação do universo físico, na orientação de seus anjos e mensageiros, no julgamento de nossos feitos, na escuta de nossas preces e, finalmente, em nos enviar para o pós-vida – seja para o Paraíso, seja para o Inferno. Fazendo isso, veremos que a hipótese da simulação pode oferecer um modelo subjacente melhor, que explica como tudo isso poderia de fato funcionar.

Como os seguidores dessas religiões são conhecidos como os "povos do livro" ou "adeptos do livro" (isto é, o Antigo e o Novo Testamentos da Bíblia para o judaísmo e o cristianismo, e o Alcorão para o islã), examinaremos atentamente o que esses livros e as tradições orais dessas religiões têm a dizer.

Em Gênesis 1:3, o livro nos diz que o mundo começou quando "Deus disse: 'Haja luz!'; e houve luz". Gênesis prossegue, dizendo que o mundo foi criado em seis dias e que, no sétimo dia, Deus descansou. Embora muitos cientistas tenham descartado essa ideia de um criador supremo que pudesse criar o mundo num período tão curto, adotando o ponto de vista da hipótese da simulação, vemos que isso pode não ser tão ilógico, afinal de contas.

A Hipótese da Simulação

Quanto tempo leva para uma realidade programada por computador começar a existir? Na verdade, se a programação já existia, isso levaria apenas alguns segundos. Entretanto, retornando à ideia de irredutibilidade computacional, algumas coisas precisam ser criadas por programas de computador que precisam passar por uma série de passos. Isso vale para geração processual nos videogames e talvez valha também para nossa realidade física. É possível, até provável, caso você adira a um ponto de vista religioso, que o universo físico tenha sido criado em seis unidades clock – chamá-las de dias é um termo errôneo porque, embora a Terra faça parte do universo físico, os dias em questão podem não ter nada a ver com os dias da Terra. Além disso, se você estivesse rodando um programa de computador, estaria usando sinais eletromagnéticos (noutras palavras, luz!) para criar o mundo, então a declaração "Haja luz" seria comprovada como *literalmente verdadeira!*

É uma tendência popular entre os cientistas de hoje ser ateu, o que nem sempre foi o caso. Tanto Newton quanto Einstein com frequência falavam sobre Deus em seus escritos. Nick Bostrom, de Oxford, que foi quem começou a popularizar a ideia da hipótese da simulação entre os acadêmicos, disse que a especulação de estar numa simulação pode fazer com que alguns deles reconsiderem sua posição. Seres que estão "fora" da simulação podem parecer "anjos" ou "deuses" para a limitada visão dos seres dentro da simulação. Revisitaremos essa ideia de quem está "fora" da simulação em nosso último capítulo, quando considerarmos as implicações da hipótese da simulação.

Entretanto, mais uma vez, vemos que, se adotarmos o modelo do universo físico como informação e computação, isso fornece explicações razoáveis e quase científicas para conceitos inexplicáveis que a maioria dos cientistas consideraria absurdos usando um antigo modelo materialista do universo físico.

DEUS E O PÓS-VIDA

Vamos examinar como cada uma das religiões ocidentais vê o pós-vida. Embora as seitas de maior destaque dessas religiões não apoiem o conceito de reencarnação, cada uma delas apoia a ideia de um pós-vida; de fato, pode-se dizer que essa é a doutrina central dessas religiões.

Apesar de elas não apoiarem explicitamente o karma, acreditam em "colher o que se planta" (que é, claro, uma citação da Bíblia), no sentido de que o lugar em que sua alma repousará no final se baseia, entre outras coisas, nos seus atos, bons e maus, enquanto esteve na Terra.

Al-Akhirah e o Dia do Qiyamah no islã

No islã, o pós-vida é chamado de *Al-Akhirah*, em árabe, a linguagem falada pelo profeta dessa religião, Maomé, o que se traduz, grosso modo, como "doravante" ou vida após a morte.

A crença na vida após a morte é considerada um dos seis pilares da crença para todos os muçulmanos. *Al-Akhirah* é comparada ao *Al-Dunya*, o "aqui e agora", ou o mundo físico ao nosso redor. Na tradição islâmica, nossa vida na Terra deve ser temporária; é como um treinamento ou um teste para o dia do Juízo Final, quando Deus decidirá como nos saímos.

No islã, a alma é julgada no dia do Juízo Final, chamado de *Qiyamah*, com base nas boas e más ações da pessoa, diante de Alá, o nome muçulmano para Deus. O Céu (ou paraíso) é chamado de *Jannah*, literalmente traduzido como "jardim", e descrito como um lugar banhado por rios de leite e mel. A versão islâmica do Inferno, que é um lugar de fogo, chama-se *Jahannam*, o lugar para onde irão aqueles que forem julgados como tendo praticado mais o mal do que o bem, ou aqueles que rejeitaram a "verdadeira fé" do islã.

A Hipótese da Simulação

O que acontece no dia do julgamento? Segundo o islã, ele começa com um anjo soando uma trombeta, e então a Terra terá suas montanhas arrasadas e os mortos serão ressuscitados e julgados. Cada pessoa tem um "pergaminho de feitos", que é um registro tanto das boas ações quanto das más. Além disso, como cada pessoa pode nem mesmo saber a extensão total de seus feitos ou seu impacto total, isso lhe é mostrado enquanto ela está sendo julgada.[53] Isso não é apenas uma questão de ler algo num livro, mas sim de realmente ser mostrado, visualmente, o impacto que seus atos tiveram sobre as pessoas ao seu redor. Esse é o primeiro exemplo de uma "revisão da vida", que revisitaremos várias vezes neste capítulo. A "revisão da vida" é muito mais fácil de entender no contexto da hipótese da simulação.

Agora nos perguntamos: se existisse um Paraíso ou um Inferno, onde eles estariam localizados em nosso mundo físico? E se cada pessoa tem um pergaminho de feitos, onde esse pergaminho estaria registrado? Não no mundo renderizado ao nosso redor, claramente, ou seríamos capazes de vê-lo.

Já vimos esse conceito antes, um registro dos feitos/ações de alguém e suas consequências enquanto essa pessoa estava no mundo físico (ou renderizado), na ideia de um manifesto de missões e cartão de pontos do personagem num videogame. O registro real é armazenado em algum lugar fora do mundo renderizado, num local invisível para nós mas, mesmo assim, conectado a nosso personagem – em algum ponto na nuvem. Agora nos vemos numa situação similar com a noção de um manifesto de karma, que é armazenado junto com o jogador e seu personagem em particular nas tradições orientais.

A hipótese da simulação oferece a melhor resposta – que alguém ou alguma coisa está observando nossos atos e "marcando pontos" –

---

53. www.al-islam.org.

não apenas do que fazemos, mas também de como isso afeta outras pessoas no jogo. Embora o karma e o cartão de pontos tenham sido mencionados no capítulo anterior, o islã é muito mais explícito, declarando que nossos feitos serão "mostrados para nós", o que equivale a uma fita de melhores momentos, ou um replay, de nossa vida e como ela afetou terceiros – ou uma revisão da vida. É uma prática comum hoje em dia nos videogames, mesmo em MMORPGs compartilhados, gravar as partidas e assisti-las de novo após a sessão terminar para revisar o que foi bem feito e o que não foi.

Cristianismo e judaísmo

No cristianismo, existe alguma variação no processo do pós-vida entre diferentes ramificações. Com sua ênfase maior no pecado e no perdão, ele ainda lembra muito as tradições islâmicas, embora com algumas diferenças-chave.

Uma explicação clara é oferecida no catecismo da Igreja católica sobre a alma indo para o Paraíso ou o Inferno, dependendo do julgamento específico: "Cada homem recebe sua retribuição eterna em sua alma imortal no momento exato de sua morte [...], seja a entrada na bênção do paraíso – por meio de uma purificação ou imediatamente –, seja a danação imediata e eterna".[54]

A Igreja católica também introduz a ideia do purgatório, um terceiro lugar onde as almas podem terminar após a morte. O purgatório é um local para onde uma alma deve ir para "passar por uma purificação" antes de receber permissão para ir ao Paraíso.

A Igreja Ortodoxa Oriental do Cristianismo (que foi o primeiro grande cisma no cristianismo, quando a Igreja se dividiu nas igrejas

---

54. http://www.vatican.va/archive/ccc_css/archive/catechism/p123a12.htm.

Católica Romana e Ortodoxa Oriental) não reconhece explicitamente o purgatório, mas reconhece a ideia de um "lugar intermediário" para certas almas, ao qual se refere como Hades, pegando emprestado o termo grego antigo para o mundo inferior.

Apesar de o pergaminho de feitos não ser tão explícito no cristianismo como no islamismo, existe um conceito muito similar. O trecho a seguir vem do Novo Testamento:[55]

> Vi também os mortos, grandes e pequenos, em pé diante do trono; e alguns livros foram abertos. Então, abriu-se um outro livro, o Livro da Vida, e os mortos foram julgados pelas observações que estavam registradas nos livros, de acordo com as suas obras realizadas. (Apocalipse, 20:12)

> Porquanto, todos nós deveremos comparecer diante do tribunal de Cristo, a fim de que cada um receba o que merece em retribuição pelas obras praticadas por meio do corpo, quer seja o bem, quer seja o mal. (2 Cor, 5:10)

O judaísmo, ao contrário do cristianismo e do islamismo, não entra em tantos detalhes sobre o pós-vida ou o mecanismo de ir para o Inferno ou para o Paraíso. Esses conceitos, embora apareçam no judaísmo, são um ponto de debate entre alguns eruditos. Nas tradições judaicas, existe a ideia de que alma é imortal e vai para o Paraíso judaico (chamado de *Gan Eden*, o Jardim do Éden, ou de *Olam Ha-Ba*) ou para o Inferno (com nomes mais próximos do árabe: *Gehinnom*). Nas tradições judaicas, o Gehinnom é um lugar para onde as almas podem ir apenas por

---

55.https://insightswithbillyvee.wordpress.com/2010/02/19/question-is-god-keeping -a-record-rev-2012-heb-812/.

um período, para refletir sobre suas más ações do passado, antes de receberem autorização para entrar no Jardim do Éden.

O livro da vida também existe no judaísmo tradicional em uma forma abreviada, na qual há uma lista daqueles indivíduos que estão indo para o Paraíso ou o Inferno.

Vemos que o "livro da vida" serve à mesma função que o pergaminho de feitos, e se alguém está registrando todas as nossas ações e "mostrando-as de novo" para nós após morrermos, mostrando nossa pontuação e então nos dizendo qual é o próximo passo, isso seria muito semelhante à ideia de um videogame – e a hipótese da simulação talvez seja a única explicação possível!

ANJOS

Quem registra nossos feitos nessas religiões? Quem escreve no pergaminho dos feitos no islã e no livro da vida no cristianismo e no judaísmo?

Nas tradições islâmicas e em algumas tradições cristãs, acredita-se que haja anjos registrando nossos feitos. A ideia de anjos "registradores" é, na verdade, mais explícita no islã do que no cristianismo ou no judaísmo. Quando fui educado na tradição islâmica, nos diziam que existiam dois anjos (chamados Raqib e Atid, ou, coletivamente, os anjos *Kiraman Katibin*) registrando tudo o que falávamos e fazíamos, e marcando dois tipos de pontos: *swab*, que era para as boas ações, e *haram*, que era para as más ações.

No cristianismo, anjos da guarda são conhecidos por serem guardiões e guias que nos ajudam a continuar no caminho de Deus. Os anjos da guarda também servem como o anjo registrador de um indivíduo, de modo que não são necessários os dois "anjos registradores" do islã para o livro da vida (Malaquias, 3:16).[56] Nas tradições judaicas, acredita-se que seja Gabriel o anjo que detém essa responsabilidade, "trazendo à cintura um tinteiro de escriba" (Ezequiel, 9:3-4).[57]

Em desenhos e na mídia popular, os anjos da guarda são comumente mostrados como um anjo bom sobre um dos ombros e um anjo mau (desenhado como um diabinho chifrudo) sobre o outro ombro, nos incentivando ou desencorajando a praticar boas ações (ou más ações, conforme o caso).

De onde veio essa ideia? Ela não é dita de maneira explícita no Novo Testamento. No islã, porém, o profeta Maomé diz claramente: "Não existe ninguém entre vocês que não tenha consigo um companheiro constante [...] dentre os *djinns* e um companheiro constante dentre os anjos".[58] Um desses, o *djinn*, que é a fonte original do termo gênio, é descrito como estando atrás de você, e o anjo é descrito como estando na sua frente – esses são os dois tipos de "anjos da guarda".

No filme imensamente popular *A Felicidade Não se Compra*, o personagem de Jimmy Stewart, George Bailey, está cogitando o suicídio, então seu anjo da guarda, Clarence (interpretado por Henry Travers), mostra a ele como a vida teria sido para sua família e seus conhecidos caso George Bailey não tivesse nascido. Isso é algo parecido com a revisão da vida, exibindo os resultados dos feitos de uma pessoa, mas no sentido contrário: mostram-se os resultados mostrando o que teria acontecido se ela não estivesse lá!

---

56. https://en.wikipedia.org/wiki/Recording_angel.

57. Ibidem.

58. Ibidem.

IA: DEUSES E ANJOS E A HIPÓTESE DA SIMULAÇÃO

Portanto, se anjos da guarda e anjos registradores existem mesmo, onde eles estariam e por que não conseguimos vê-los com nossos olhos físicos? Até aqui (antes da hipótese da simulação), a ciência moderna esteve em silêncio nesse front, chamando anjos de "alucinações" ou ignorando-os por completo.

Ao analisarmos os anjos registradores, vemos que eles são tanto "funções" quanto "entidades" – ou seja, eles têm um propósito específico e regras a seguir para realizar esse propósito para nos apoiar ao longo dessa "área de testes" da vida na Terra.

Se estivéssemos vivendo numa simulação, então poderíamos concluir que esses anjos estavam fora do mundo renderizado, mas ainda vigiando e registrando nossas atividades. É improvável que existam 14 bilhões de anjos nos observando o tempo todo (dois para cada um dos seres humanos na Terra, sem contar as almas que possam existir em outros planetas, as quais pelo menos algumas religiões contam).

Que tipos de regras eles estão seguindo? Isso levanta a questão de se anjos (cujo significado é "mensageiros") são, na verdade, entidades "conscientes" ou simplesmente autômatos que seguem regras, registram feitos, transferem mensagens e interferem em nossa realidade física de vez em quando. Nas tradições bíblicas, existe uma hierarquia de anjos que parecem ter propósitos e poderes diferentes.

A ciência da computação oferece a resposta: os anjos registradores, se presumirmos que eles existem, são muito provavelmente algum tipo de programa de computador que está registrando, visualmente ou em algum outro formato, o que acontece em nossas vidas. Como uma gravação inteligente da tela enquanto jogamos um videogame, ele fornece não apenas uma gravação, mas também uma avaliação da jogada, e nos ajuda a marcar a pontuação no videogame. Esses registros estão disponíveis para nós no pós-vida, e "Deus" os revisa conosco para nos dar o "julgamento" de acordo com as tradições religiosas ocidentais.

Anjos da guarda, por outro lado, podem ser um pouco mais sofisticados do que simples autômatos. Eles precisam fazer julgamentos e nos guiar ou nos proteger de uma forma mais complexa. Em algumas tradições, eles são almas avançadas que recebem a tarefa de cuidar de certo número, grande ou pequeno, de almas. Isso significa que eles podem realmente ser entidades conscientes como nós ou jogadores-mestres de um jogo que estão liderando "guildas" ou "grupos de almas".

Nas religiões ocidentais, os adeptos são encorajados a rezar para Deus, o que pode incluir a recitação de orações particulares já memorizadas (assim como ocorre no islã e no catolicismo), ou pedidos de ajuda a Deus. Novamente, se houver um bilhão de seguidores do islã ou do cristianismo fazendo orações a Deus todos os dias, que tipo de entidade poderia estar como receptora dessas orações? Existe alguma entidade que já conhecemos que consiga não apenas acompanhar, mas também responder a bilhões de pedidos recebidos?

No caso da hipótese da simulação, Deus, se existe, é provavelmente algum tipo de programa inteligente de computador (ou uma entidade consciente fora da simulação, sendo ajudada por bilhões de programas "anjos" individuais responsáveis por rastrear as ações de cada indivíduo, além de registrá-las e guiá-los).

Na ciência da computação, o termo "daemon" é, na verdade, um processo autoexecutável cumprindo algum propósito, monitorando outros programas e normalmente mantendo a máquina organizada.

Uma IA divina seria uma IA onisciente de tudo o que estivesse acontecendo no mundo, segundo várias regras. Claro, soa como um servidor com um programa muito inteligente acompanhando tudo –

algum tipo de consciência digital que pode observar e reagir a eventos conforme eles vão ocorrendo.

EXPERIÊNCIAS DE QUASE-MORTE

As tradições religiosas, obviamente, preocupam-se com a morte e o pós-vida. Mas isso não quer dizer que a ciência tenha ficado totalmente ausente desse front. A definição de morte é complicada na ciência médica moderna. Com o avanço da tecnologia e dos procedimentos médicos, a ciência melhorou na questão de manter as pessoas vivas, mesmo com doenças graves. Isso levou a um fenômeno nas décadas mais recentes de indivíduos que estiveram clinicamente mortos por algum tempo, apenas para serem ressuscitados em seguida.

O termo mais moderno EQM, abreviação de experiência de quase-morte, tem relação próxima com as ideias religiosas tradicionais de um pós-vida. O dr. Raymond Moody popularizou (alguns dizem que cunhou) o termo no livro best-seller *Life After Life*, de 1975, e revelaram-se, em modernos estudos dessa experiência, similaridades com os conceitos de pontuação, revisão da vida e visão de seres na vida após a morte.

Depois de conversar com mais de mil pessoas que passaram por uma experiência similar, Moody ficou convencido de que EQMs eram reais. Desde a publicação de *Life After Life*, foram escritos muitos livros – tanto por profissionais da medicina quanto relatos em primeira mão – de pessoas que vivenciaram isso.

Talvez a maior contribuição de Moody, além de popularizar o termo EQM e conscientizar as pessoas sobre ele, tenha sido identificar os elementos semelhantes pelos quais as pessoas que tiveram EQMs relatam ter passado. Hoje existem vários elementos que são considerados centrais à vivência de uma EQM, entre eles:[59]

- Uma sensação de paz, bem-estar e ausência de dor.
- Uma experiência extracorpórea. Falaremos mais sobre isso, mas muitas pessoas que relataram uma EQM dizem que podiam ver seu corpo físico na cama. Outras afirmam que podiam ver e ouvir familiares e médicos que estavam ao redor do corpo físico.
- Uma "experiência de túnel". Trata-se da sensação de se mover por um túnel escuro em direção a uma luz.
- Seres de luz. Muitos participantes relatam ter encontrado seres de luz ou outros seres mais avançados espiritualmente que estavam à sua espera.
- Uma revisão da vida. Explicaremos mais sobre isso adiante.
- Decisão de vida. Muitos participantes relatam a presença de uma barreira e de tomar uma decisão (ou serem ordenados a tomar) sobre se queriam ou não cruzar a barreira e voltar para seu corpo.
- Retorno. Subitamente estar de volta, dentro de seu corpo.

Embora nem todas as pessoas que reportaram passar por uma EQM tenham relatado vivenciar todos esses elementos, eles são comuns o suficiente para serem reconhecidos como parte da "experiência central".

Um dos indivíduos que abordaram Moody a respeito de sua própria experiência de quase-morte foi Dannion Brinkley, que foi atingido por um raio em 1975 e escreveu (junto com Paul Perry) o best-seller *Salvo pela Luz*, em 1994.

---

59. https://pt.wikipedia.org/wiki/Experi%C3%AAncia_de_quase-morte.

Depois de ser eletrocutado pelo raio, ele foi parar no hospital e esteve clinicamente morto por vinte e oito minutos. Dannion relatou encontrar um ser de luz que o conduziu numa revisão de vida, um dos aspectos mais dramáticos de sua experiência:

> Comecei a reviver minha vida toda, um acontecimento de cada vez. No que eu chamo de revisão panorâmica da vida [...] Assisti à minha vida a partir de uma perspectiva na segunda pessoa. Enquanto vivenciava isso, eu era eu mesmo e também todas as outras pessoas com quem eu já havia interagido.[60]

Embora EQMs sejam difíceis de explicar a partir de um ponto de vista científico e materialista (apesar de alguns cientistas terem tentado explicá-las em termos dos disparos de neurônios), a coerência da experiência sugere que pode haver mais em ação e que um modelo mais amplo é necessário. É claro, alguns participantes interpretam a experiência com base em sua própria tradição religiosa: o ser de luz se torna um anjo da guarda de um tipo específico, e o lugar que eles visitam poderia ser chamado de Paraíso.

Pela perspectiva da hipótese da simulação, uma EQM se torna muito mais explicável, independentemente de a pessoa seguir uma interpretação religiosa ocidental mais tradicional, uma interpretação religiosa oriental ou nenhuma interpretação. Durante o que chamamos de morte do personagem na simulação, o jogador começa a despertar em outra realidade.

O que é essa outra realidade? Tudo o que podemos dizer com certeza é que ela está fora do mundo renderizado do videogame compartilhado, e que existem outros seres conscientes por lá. Como Neo

---

60. https://dannionandkathrynbrinkley.com/dannions-ndes/.

sendo acordado no casulo por Morpheus em *Matrix*, encontramos outros seres de luz, anjos ou parentes já falecidos – que têm nos observado enquanto jogamos.

A revisão de vida soa incrivelmente semelhante ao pergaminho de feitos mencionado no islã, mas Brinkley se empenha bastante para dizer que não se sentiu julgado por ninguém além de si mesmo. Ele não viu nada que chamaria de "Inferno", o que, tendo crescido no Cinturão Bíblico[61], foi uma surpresa para ele.

Brinkley se esforça para descrever a revisão da vida. De fato, ele a chama de "revisão da vida em 360º". Ele relata que sentiu como se estivesse dentro de uma filmagem tridimensional de sua vida toda e pudesse ver (e sentir) cada situação não apenas de seu ponto de vista, mas também do de outras pessoas. Essa foi uma experiência chocante, que fez com que ele mudasse o modo como se relacionava com os outros após sua EQM. Ela remete à ideia, no islã, de ver o impacto das suas ações, algo de que você pode não estar ciente.

Como uma visão imersiva em 360º de tudo o que já aconteceu na sua vida poderia ser alcançada? Isso seria uma realização técnica espantosa, mas, novamente, os videogames já estão fornecendo a resposta de como isso pode ser feito. Recentemente, uma startup da área de videogames conseguiu pegar a paisagem em 3D de um jogo multiplayer competitivo, voltar e re-renderizar qualquer parte de um jogo que já estava sendo jogado na realidade virtual a partir de quaisquer pontos de coordenadas no espaço virtual. Embora, obviamente, não possamos reproduzir as emoções de outros jogadores, já temos a tecnologia para ver cenas tridimensionais sendo reexibidas a partir da perspectiva de outros jogadores.

---

61. A região sudeste dos EUA é chamada de "Cinturão Bíblico" porque a prática do protestantismo está entranhada no dia a dia da população, fazendo parte de sua cultura. (N.T.)

Assim, não é muito difícil imaginar que, com a hipótese de simulação, uma EQM passe de algo misterioso e inexplicável a um processo científico plenamente explicável. De fato, a decisão de "voltar" e continuar a vida do personagem que estávamos jogando é bem parecida com a rude "insira outra moeda para continuar jogando"!

OVNIS

Mudando de assunto agora, uma das áreas persistentes que a ciência não foi capaz de explicar desde a aurora da era nuclear foram os OVNIs, ou objetos voadores não identificados. Houve milhares de relatos de naves físicas (em formato de pires, triângulo ou charuto) durante o dia e luzes voadoras durante a noite. Esses relatos vieram de pessoas aleatórias, desde habitantes do interior até oficiais militares e pilotos de aeronaves. Em cada um dos casos, os objetos exibiam uma estranha manobrabilidade – com frequência flutuando ou acelerando ou parando tão depressa que desafiam nossa compreensão da inércia.

A ufologia se desdobrou em uma subespecialidade própria, e muitos livros já foram escritos sobre avistamentos famosos e não tão famosos. A última declaração oficial do governo dos EUA sobre os OVNIs foi por meio do Project Blue Book, uma força-tarefa que incluía J. Allen Hynek, astrônomo conhecido que fazia parte da Ohio State University e da Northwestern University. O Project Blue Book foi encerrado em 17 de dezembro de 1969. A Força Aérea e o Departamento de Defesa (DOD) desde então dizem que o governo "saiu do ramo de avistamentos de OVNIs", citando a conclusão do Project Blue Book de que os OVNIs não representam uma ameaça. [62]

---

62. https://www.history.com/topics/paranormal/project-blue-book.

O próprio dr. Hynek continuou a estudar o fenômeno, e dizem que tanto ele quanto seu colega Jacques Vallée, que criou o primeiro mapa computadorizado de Marte para a NASA, em 1963, foram os modelos para o cientista francês estudando OVNIs no filme de Steven Spielberg *Encontros Imediatos de Terceiro Grau*, de 1977 (Hynek, tendo definido o termo encontros imediatos, também fez uma participação no filme).

Em 2017 foi revelado, pelo *New York Times*, que a negação por parte do Departamento de Defesa de que houvesse qualquer pesquisa sobre OVNIs em andamento não era bem verdade. Luis Elizondo divulgou que ele estava no comando do Programa Avançado de Identificação de Ameaças Aeroespaciais do Pentágono, que tinha orçamento de US$ 22 milhões e foi fundado por senadores, entre eles o senador Harry Reid, de Nevada.[63] O fato de o Pentágono continuar a levar esses objetos voadores "não identificados" a sério, enquanto em público afirma o contrário, sublinha seu interesse nas estranhas propriedades aerodinâmicas desses objetos.

Um dos avistamentos mais proeminentes a ser estudado por esse grupo no Departamento de Defesa foi o encontro com o "Tic Tac". Caças do *USS Nimitz* relataram ter visto uma nave em formato de Tic Tac que flutuava sobre determinado ponto do oceano, descendo de uma altitude de 24 mil metros para 6 mil metros em segundos, e desaparecendo a seguir. Os pilotos ficaram atônitos com as características de voo da nave, pois a nossa tecnologia aeronáutica atual não seria capaz de executar essas manobras.

Embora não seja nosso objetivo tentar provar ou refutar os avistamentos de OVNIs, a maioria das comissões oficiais e extraoficiais que os analisaram chegou à conclusão de que, apesar de certa porcentagem dos avistamentos ser explicável e outra porcentagem deles não ter

---

63. https://www.nytimes.com/2017/12/16/us/politics/pentagon-program-ufo-harry-reid.html.

informações suficientes para classificá-los de um ou outro jeito, por volta de 5% de todos os avistamentos forneceram informações suficientes para serem críveis a ponto de eliminar a possibilidade de serem objetos ou naves conhecidos. São esses 5% de objetos ou naves com origens desconhecidas e propriedades aerodinâmicas que desafiam as leis da inércia e da gravidade os mais intrigantes tanto para céticos quanto para quem acredita.

Alguns avistamentos de OVNIs relataram que o OVNI/nave aparecia do nada no mundo físico. Isso levou à especulação de que talvez exista um "dispositivo de camuflagem" ou que a nave seja capaz de entrar e sair de nossa dimensão física.

Como esses fenômenos poderiam ser explicados se estivéssemos, de fato, vivendo numa simulação?

Se os OVNIs fossem interdimensionais, isso significaria que existe um mundo fora do físico, e os OVNIs estão entrando e saindo de nossa realidade física. Se os OVNIs são seres extraterrestres de algum outro lugar no universo físico (e *esse*, é claro, é o debate), eles precisariam usar algo como os buracos de minhoca ou tecnologia FTL (*Faster than Light*, ou mais rápido que a luz) para atravessar as vastas distâncias do espaço interestelar. Falamos sobre essas ideias no Capítulo 6.

A viagem por buraco de minhoca, ou teletransporte, seria como saltar para fora da simulação e voltar em determinado ponto – um comportamento que é muito mais fácil em uma A hipótese da simulação do que numa realidade física.

E mais, alguns pesquisadores de OVNIs defendem que os avistamentos de OVNIS têm um componente objetivo e um subjetivo. Quando conheci Jacques Vallée, em 2017, ele me disse que havia documentado casos em que várias pessoas estavam juntas e algumas delas viram o OVNI e outras, não. Isso o levou a acreditar que existe um

A Hipótese da Simulação

aspecto de *consciência* nos OVNIs. O que faria com que uma pessoa visse um OVNI e outra, parada ao lado dela, não o visse?

Se voltarmos à ideia de que cada um de nós está consciente numa simulação parecida com um videogame, então cada um de nós tem que renderizar o mundo físico em nosso próprio "computador" – nesse caso, em nossa própria consciência. Uma situação de comando para renderizar o OVNI na consciência da pessoa A enquanto não o renderiza na pessoa B só faz sentido no contexto de uma simulação multiplayer distribuída, ao contrário de uma realidade física compartilhada.

Nossa compreensão atual da física não consegue explicar avistamentos de OVNIs ou as características de voo que eles exibiram, e nossa compreensão da consciência também não explica a parte subjetiva da experiência dos OVNIs. A hipótese da simulação deixa isso fácil, particularmente quando partimos da ideia de que a consciência pode estar envolvida em avistar (ou não avistar) algo que parece muito físico para algumas pessoas.

Para resumir, vários aspectos do fenômeno dos OVNIs que têm aturdido físicos e pesquisadores são:

1. *Manobrabilidade.* OVNIs exibem uma manobrabilidade que desafia as leis da física.
2. *Materialização.* OVNIs às vezes se materializam do nada ou desaparecem.
3. *Visibilidade subjetiva.* Às vezes, uma testemunha vê o OVNI e outras não, portanto, parecem existir aspectos objetivos e subjetivos na experiência.

Esses três aspectos relatados dos avistamentos de OVNIs só fazem sentido quando pensamos na realidade física como uma simulação de computador ou um videogame, em vez de uma "realidade física objetiva compartilhada", o que é evidenciado por:

1. *Sistemas de física.* Videogames têm sistemas de física que podem ser ignorados com facilidade pelos programadores.
2. *Renderização.* Objetos podem ser renderizados em qualquer lugar do videogame, de modo que pareçam surgir do nada.
3. *Renderização condicional.* Como toda a renderização é feita em computadores individuais, é possível que um jogador veja um objeto numa cena que não esteja visível para outros jogadores, um processo que chamamos de *narrowcasting*, ou exibição limitada.

O PARADOXO DE FERMI

Do outro lado do fenômeno dos OVNIs está o Paradoxo de Fermi, proposto pelo físico Enrico Fermi (cujo trabalho notável inclui o primeiro reator nuclear, que se tornou a base para o Projeto Manhattan). A ideia é que, se houvesse vida/alienígenas em tantos mundos na galáxia, considerando-se há quanto tempo a galáxia existe, esses alienígenas já teriam colonizado ou viajado para a maior parte da galáxia. Portanto, deveríamos estar vendo os alienígenas com muito mais destaque.

Embora a Terra tenha começado como o centro de nosso universo, agora sabemos que o Sol é uma estrela no centro do nosso sistema solar, e uma estrela nada incomum numa galáxia cheia delas. Além disso, como resultado da descoberta de exoplanetas (planetas fora do nosso sistema solar; já foi confirmada a existência de 2000 deles, e mais são descobertos todos os anos), parece que os planetas são muito mais abundantes e potencialmente habitáveis do que se presumia. Algumas estimativas colocam o número de planetas habitáveis acima de um bilhão!

Então, cadê todos os alienígenas?

A Hipótese da Simulação

Enquanto especialistas em ufologia dirão que já estamos vendo alienígenas regularmente, a maioria dos cientistas repudia as evidências de OVNIs como indícios casuais e se refere à impossibilidade de viajar na velocidade da luz ou acima dela como a razão mais provável.

Outra explicação é que não temos as ferramentas certas para vê-los ou não estamos escaneando as frequências corretas. Um artigo recente na *MIT Technology Review* repassou os parâmetros que seriam necessários para uma busca por inteligência extraterrestre e descobriu que existiam oito dimensões na grade de busca que precisariam ser examinadas. As buscas até hoje têm sido conduzidas (por meio de organizações como SETI, a Search for Extraterrestrial Intelligence [Busca por Inteligência Extraterrestre]) em uma fração dessas dimensões, de modo que ainda temos muito caminho a cobrir![64]

Porém, outra explicação é que não existem outras civilizações, o que *também* seria consistente com a hipótese da simulação. E se, em todas as galáxias que vemos, nenhuma das estrelas for real, mas sim planetas e estrelas gerados processualmente que podemos observar da Terra, mas jamais visitar de verdade?

No Capítulo 1, usamos o exemplo do jogo *No Man's Sky*, que tinha 18 *quintilhões* de planetas. A equipe não criou de fato 18 quintilhões de planetas – eles foram gerados processualmente e renderizados conforme necessário pela simulação. Esses planetas não existem realmente – eles dependem apenas do estado da simulação. Se um jogador está visitando um planeta, somente então ele é renderizado. Se a vida alienígena também é gerada processualmente, então seria fácil acrescentar isso na simulação. Por outro lado, simplesmente ter montes de planetas mortos poderia de fato tornar a hipótese da simulação mais provável.

---

64. https://www.technologyreview.com/s/612232/the-8-dimensional-space-that -must-be-searched-for-alien-life/.

Voltando ao Capítulo 6, no qual discutimos mundos paralelos, cada universo pode ser pensado como uma simulação diferente, rodando numa faixa diferente. É possível que estejamos vivendo em uma das simulações onde todos os mundos são gerados processualmente e não existe outra forma de vida, mas existem outras simulações nas quais os alienígenas são não apenas abundantes, mas também já se apresentaram para nós.

É por isso que a hipótese da simulação pode ser consistente com o Paradoxo de Fermi e ao mesmo tempo com quem acredita em OVNIs. Está além do escopo deste livro argumentar definitivamente a favor de algum dos lados, mas, ao mostrar como a hipótese da simulação pode responder por eles, isso pode ajudar a explicar os dois lados desse debate – aqueles que creem que os alienígenas não apenas existem, mas também que nos visitaram aqui na Terra, e aqueles que acreditam que não existem outras civilizações avançadas na galáxia!

JUNG E SINCRONICIDADE

Mudando de assunto outra vez, o termo *sincronicidade* foi introduzido pelo famoso psiquiatra Carl Jung em uma tentativa de explicar muitos aspectos da vida que beiravam o sobrenatural. Jung mencionou a sincronicidade em muitos de seus escritos, mas finalmente redigiu artigo definitivo sobre o assunto em 1951, no qual descreveu a sincronicidade como um "princípio de conexão acausal".

A definição mais casual de Jung, de que a sincronicidade é uma "coincidência significativa", pegou e se tornou uma fonte de ideias para muitos cientistas e não cientistas tentando explicar como o mundo funciona. Jung deu vários exemplos em sua obra original. Um dos mais famosos foi o exemplo do "besouro". Uma mulher que ele estava tratando vinha tendo algumas dificuldades com sua terapia. Ela mencionou

A Hipótese da Simulação

que havia tido um sonho na noite anterior envolvendo um escaravelho, um besouro egípcio que aparece em muitos murais egípcios. Exatamente enquanto ela contava a história, um besouro batucou na janela do consultório de Jung. Ele abriu a janela e por ela entrou voando um besouro – provavelmente o mais próximo que se poderia chegar de um escaravelho egípcio naquela parte da Europa. Ele disse para a mulher: "Eis aí o escaravelho do seu sonho!", e isso pareceu descontrair a energia, e ela progrediu rapidamente em sua terapia.

Assim como ocorre em muitos casos clássicos de sincronicidade, não há como definir logicamente causa e efeito, mas os dois eventos, tanto o psíquico (pensar ou falar em algo) quanto o evento externo, ocorrem juntos no tempo ("sincronizados") de uma forma significativa. A sincronicidade não é vista como puramente científica ou como um fenômeno puramente psicológico: é um dos poucos conceitos que inclui ambos. No exemplo anterior, não podemos dizer se o besouro batendo na janela naquele exato momento foi causado pela mulher contando seu sonho com o besouro, mas também não podemos separar os dois eventos. De fato, Jung se correspondeu intensamente com Wolfgang Pauli, um dos fundadores da física quântica, sobre o conceito antes de escrever seu artigo definitivo sobre a sincronicidade.

No livro *Treasure Hunt*, passei bastante tempo falando sobre as sincronicidades e como elas poderiam ser interpretadas e de onde elas vêm. Existem muitas teorias diferentes sobre a sincronicidade, mas aqueles que acreditam que o fenômeno existe geralmente jogam a fonte da sincronicidade em um destes dois baldes:

1. *Perspectiva espiritual ou religiosa.* Nas religiões tradicionais, conforme descritas anteriormente neste capítulo, a sincronicidade pode ser uma mensagem importante de Deus ou de nossos anjos da guarda, que estão tentando nos fazer notar algum

curso de ação ou algum evento que pode ser importante em nossas vidas. De uma perspectiva mais new age, a sincronicidade entra em jogo quando há pistas que são importantes para o nosso plano de vida – nosso karma –, como prestar atenção a uma pessoa ou lugar específico que será importante para nós.

2. *Perspectiva científica ou física quântica.* De um ponto de vista mais científico, a sincronicidade pode ser explicada pelos eus futuros que estão mandando mensagens para nós no passado. A ideia é que precisamos notar certas coisas em nosso ambiente para poder tomar as decisões ou escolhas que levarão a um futuro possível ou provável. Exploramos essa ideia no Capítulo 6.

Uma terceira explicação que faz muito sentido é que a sincronicidade está na verdade nos revelando uma ordem que não conseguimos ver no mundo físico. Na hipótese da simulação, isso se torna mais explícito – recebemos pistas sobre nossa próxima missão e, para garantir que reparamos nessas pistas, recebemos um evento externo que corresponde a algo que estávamos pensando.

Informalmente, quando escrevi *Treasure Hunt*, sobre sincronicidade no mundo dos negócios, comecei a chamar os eventos individuais de "defeitos na Matrix". Naquela época, eu ainda não havia desenvolvido plenamente os argumentos em torno da hipótese da simulação, que são o foco deste livro, mas o modelo de viver dentro de uma simulação, onde nossos pensamentos e ações são (1) monitorados e (2) inseridos em um ciclo que cria eventos aparentemente externos baseados em nosso estado no jogo e nosso conjunto específico de missões e realizações, se encaixa bem na ideia de sincronicidade de Jung.

Jacques Vallée, no TED Talk intitulado "A Física de Tudo o Mais", em 2011, foi mais explícito: ele disse que a sincronicidade e a coincidência podem revelar parte da estrutura subjacente de como o universo armazena informação. Ele usa a analogia de uma biblioteca física – onde armazenamos e retiramos livros de acordo com a dimensão física (livro X, prateleira Y, posição 7). Na ciência da computação mais sofisticada, Vallée afirma que armazenamos informação de maneira "associativa" e a recuperamos estatisticamente, em vez de depender da localização física (por exemplo, prateleira 14):

> O que os cientistas modernos perceberam é que organizar por espaço e tempo é a pior maneira possível de armazenar dados. [...] Se não houver a dimensão do tempo, como normalmente presumimos que há, podemos nos deslocar pelos incidentes por associação; os computadores modernos acessam informação de forma associativa.[65]

Vallée está se referindo a uma forma mais sofisticada de armazenar e acessar informação – baseada em associação, o que pode tornar as sincronicidades parte integrante de como o universo é montado, não algo "milagroso" ou "inexplicável".

Muito próximo da ideia de sincronicidade é o conceito de déjà-vu – uma experiência que temos quando pensamos já ter visto alguma coisa, lugar ou evento acontecer antes. Temos uma sensação esquisita – eu gosto de pensar nisso como outro tipo de "defeito na Matrix" – de fato, no filme, isso é mencionado explicitamente.

Na introdução deste livro, fiz referência a Philip K. Dick, o escritor de ficção científica que acreditava declaradamente que estávamos vivendo numa realidade gerada por computadores. Ele acreditava que, quando vivenciamos um déjà-vu, é porque já vimos aquele evento ou lugar antes – mas aquela realidade tinha sido alterada. Estávamos,

---

65. Jacques Vallee, "A Theory of Everything (Else)", vídeo de palestra no TED Talk, 2011, www.jacquesvallee.com.

essencialmente, sentindo uma realidade paralela que havia sido rebobinada e voltado a roda até o presente, com um resultado diferente. Em um discurso famoso que Dick fez numa convenção de ficção científica em Metz, na França, em 1977, ele disse:

> Estamos vivendo numa realidade programada por computador, e a única pista que temos disso é quando alguma variável é modificada e ocorre alguma alteração em nossa realidade. Teríamos uma impressão esmagadora de estarmos revivendo o presente – déjà-vu – talvez precisamente da mesma forma: ouvindo as mesmas palavras, dizendo as mesmas palavras. Sugiro que essas impressões são válidas e importantes, e direi inclusive que essa impressão é uma pista de que, em algum ponto do passado, uma variável foi mudada – reprogramada, digamos – e que, por causa disso, foi criado um mundo alternativo.

Nossas sensações de déjà-vu e as revelações da sincronicidade desvendando uma ordem no mundo que desafia as explicações científicas podem ser as provas comuns cotidianas de que a hipótese da simulação é o melhor modelo para a nossa realidade.

EECS, VISÃO REMOTA, TELEPATIA E OUTROS FENÔMENOS "INEXPLICADOS"

No livro *Morri para Renascer*, Anita Moorjane, que teve uma EQM em um hospital de Hong Kong depois da qual ficou milagrosamente curada de um linfoma, relatou não apenas perceber o que estava acontecendo no quarto ao seu redor, mas também o que outras pessoas – algumas a centenas de quilômetros de distância – estavam fazendo. Isso incluía seu irmão, que estava a caminho da Índia para Hong Kong para visitá-la. Dannion Brinkley, que mencionamos anteriormente na seção sobre EQMs, relatou uma experiência similar de ser capaz de ver o que acontecia no hospital enquanto ele estava "morto".

Esse fenômeno, chamado de experiência extracorpórea (EEC), não está restrito a experiências de quase-morte – místicos religiosos e exploradores da consciência relatam EECs há centenas, se não milhares, de anos. É uma das áreas inexplicadas da consciência para as quais a ciência não tem uma explicação satisfatória do ponto de vista material. Um dos benefícios que as pessoas que relataram passar por uma EEC disseram sentir foi menos medo do que acontecerá se morrerem e deixarem seu corpo.

É preciso um modelo melhor para explicar como as EECs podem funcionar. Em muitas tradições religiosas e na filosofia new age, o corpo físico é cercado por um corpo etéreo, muito mais "sutil" do que o físico. O corpo etéreo é cercado por um corpo astral.

Na literatura iogue, o corpo é cercado por invólucros transparentes chamados de *koshas*. Eles parecem camadas de campos eletromagnéticos em volta do corpo. Embora ainda seja controverso na comunidade científica, muitos praticantes afirmam ver auras, e a fotografia Kirlian foi desenvolvida como uma forma de fotografar o que está acontecendo em níveis diferentes da aura. A explicação oculta é que o corpo astral viaja para longe do corpo físico, e o corpo astral é livre para viajar para qualquer ponto do reino astral, que espelha o mundo físico de muitas formas e permite que o usuário espreite o físico.

Robert Monroe, que escreveu sobre suas próprias experiências com jornadas extracorpóreas em dois livros, *Journeys Out of the Body* e *Far Journeys*, levantou a ideia de que as EECs não são apenas viajar no mundo físico, mas podem envolver jornadas para outros reinos que não têm conexão alguma com nossos corpos físicos.

Nesse modelo de realidade, existem outros reinos além do astral, isto é, o "corpo causal" no reino "causal" e para onde vamos depois de morrer. Nos *Vedas,* os cinco invólucros (*koshas*) correspondem aos três corpos: o corpo denso (*sthula sarira*) é o corpo físico que todos conhecemos. O corpo sutil (*suksma sarira*) mantém o corpo físico vivo e transmigra com a alma para outros corpos, separando-se do corpo físico no nascimento. O corpo causal (*karana sarira*) é a semente que cria o corpo sutil e o corpo denso físico.[66]

Embora uma explicação completa dessas filosofias e do fenômeno esteja fora do escopo deste livro, é importante saber que o corpo sutil é considerado um modelo para o corpo físico na literatura védica. Em muitas doutrinas new age, o corpo etéreo é considerado um modelo que define o formato e a vitalidade das células no corpo físico (e é com frequência descrito como uma rede de linhas azul-claras contornando nosso corpo), e o corpo astral é o que se separa quando alguém está tendo uma EEC ou morrendo.

A hipótese da simulação pode oferecer uma explicação melhor desse fenômeno. Numa simulação, cada personagem tem um corpo renderizado. No que isso se baseia? Informações sobre o corpo (o personagem) ficam armazenadas em algum estado não renderizado, mas então um modelo 3D define a aparência, o formato e a impressão do corpo físico do personagem. Esse modelo 3D não é visível para outras pessoas no mundo renderizado, mas existe em algum lugar na memória ou no disco e é indispensável para o atual personagem/jogador. O modelo geralmente é desenhado usando polígonos e é considerado uma "rede" de linhas contornando o formato do corpo do personagem, que é então texturizado para criar a renderização de fato do personagem no mundo do jogo.

Existe um fenômeno relacionado chamado de "visão remota", que envolve sentir o que está acontecendo numa localização remota. Durante

---

66. https://en.wikipedia.org/wiki/Three_Bodies_Doctrine_ (Vedanta).

A Hipótese da Simulação

a Guerra Fria, a CIA e os soviéticos fizeram experiências com pessoas capazes de visão remota para descobrir clandestinamente o que estava acontecendo nas instalações protegidas um do outro. Pessoas como Ingo Swann, Uri Geller e muitos outros exibiram uma habilidade excepcional de "olhar" para outro local físico de um ponto de vista diferente em pesquisas conduzidas no Instituto de Pesquisas de Stanford.

Uma explicação simples para as duas coisas, a visão remota e as EECs, pode ser oferecida pela "câmera virtual" usada na maioria dos MMORPGs e jogos 3D. A câmera virtual mostra o que o jogador vê. Se a câmera virtual for colocada no ponto de vista do personagem, então seria como se você estivesse vendo as coisas pelos olhos de seu personagem. Muitos MMORPGs têm a câmera posicionada pouco acima das costas do seu personagem, de forma que se possa ver a aparência do seu personagem.

Ocorre que, como o software cliente está renderizando com base na posição da câmera virtual, é possível, dentro do mundo virtual, posicionar a câmera em qualquer ponto da sala! É possível ver o corpo do seu personagem de cima ou ir até outra parte do mundo renderizado exatamente – é somente uma questão de escolher as coordenadas x, y, z corretas no mundo e renderizá-las. Isso é igualzinho à visão remota, na qual podemos colocar nosso "olhar interno" para visualizar alguma outra parte do mundo físico, e como as EECs, em que colocamos nosso "olhar interno" fora de nosso corpo físico. É apenas uma questão de ajustar a câmera virtual dentro de nossa realidade compartilhada no videogame!

A visão remota pode ser pensada como um tipo de telepatia, embora esse termo seja amiúde reservado para o envio de uma mensagem mental de uma pessoa para outra. Assim como os outros fenômenos inexplicados perfilados neste capítulo, a telepatia é completamente inexplicável sob a perspectiva materialista atual. Assim como com os outros fenômenos, a hipótese da simulação fornece uma explicação muito melhor de como isso poderia funcionar. Em todos os MMORPGs, é possível enviar uma mensagem privada para qualquer outro jogador participante, esteja ele presente fisicamente na sua cena ou não. Jogadores de videogame fazem isso o tempo todo!

Portanto, a hipótese da simulação pode ser uma explicação melhor para esses e outros fenômenos inexplicados do que as oferecidas por nossa perspectiva científica materialista atual ou pelas doutrinas religiosas ou ocultas do passado. Dessa maneira, a hipótese da simulação se encaixa não apenas nas tradições religiosas orientais, mas também nas tradições ocidentais e em uma miríade de outros fenômenos inexplicáveis que vêm intrigando os cientistas.

De fato, a hipótese da simulação pode oferecer uma ponte lógica entre as visões de mundo às vezes concorrentes da religião e da ciência, cobrindo um vão que poderia parecer intransponível no momento.

Parte 4

Juntando tudo

Provavelmente é verdade, de modo geral, que, na história do pensamento humano, os desdobramentos mais proveitosos ocorrem com frequência naqueles pontos em que duas linhas de pensamentos diferentes se cruzam.

Essas linhas podem ter raízes em partes bem diferentes da cultura humana, em épocas diferentes ou ambientes culturais diferentes ou tradições religiosas diferentes [...] então pode-se esperar que desdobramentos novos e interessantes se seguirão.[67]

– **Werner Heisenberg**, ganhador do prêmio Nobel de Física

---

67. Heisenberg, Werner, *Physics and Philosophy* (Nova York: Harper Perennial, 2007), p. 161.

Capítulo 11

Céticos e seguidores: evidências da computação

Uma das perguntas que me fazem com frequência é se é possível provar, ou ao menos detectar por meio de experimentos físicos, se a hipótese da simulação é, de fato, verdadeira.

Existem algumas pessoas que acreditam ser impossível detectar se estamos numa simulação, da mesma forma que um personagem num videogame artificial não consegue descobrir que é um personagem num videogame.

Se não existe um jeito de detectar que estamos numa simulação, não deveria fazer diferença para nós se estamos ou não, certo? Então, por que se dar ao trabalho? Deveríamos simplesmente continuar jogando.

Marcus Noack, do Lawrence Berkeley National Lab, é um dos que acreditam ser impossível testar a hipótese da simulação como um todo. Ele declara que o melhor que podemos conseguir é buscar

A Hipótese da Simulação

formas pelas quais a simulação poderia funcionar. Ele acredita que podemos provavelmente detectar artefatos de uma simulação, talvez porque os designers da simulação foram preguiçosos e nos deixaram pistas para detectar.[68]

David Chalmers, professor de filosofia na New York University, opina que, mesmo que ele aceite o argumento estatístico de Bostrom de que é mais provável que sejamos seres simulados numa simulação, essa não é uma revelação fútil, nem significa que o mundo ao nosso redor não é real em algum sentido da palavra. Ele diz que, mesmo que estejamos numa simulação, tudo à nossa volta ainda é real do ponto de vista daqueles dentro da simulação.[69]

Porém, no que diz respeito a provar a hipótese, a coisa fica um pouquinho mais complicada. Bostrom mesmo diz que, embora estivesse ansioso por tentar, junto com outros, ele não acredita que exista um experimento claro e óbvio que nos dissesse a resposta com 100% de certeza. Entretanto, até Bostrom admite que pode haver maneiras de detectar alguma prova de que é mais provável (ou menos provável) que estejamos numa simulação.[70]

Este capítulo abre com alguns céticos que não acreditam que estejamos numa simulação e descreve seus argumentos sobre por que não existe a possibilidade de isso ser verdade. Passamos então a alguns experimentos teóricos (e alguns práticos) que podem mostrar provas de computação incorporada no mundo físico. Isso é potencial evidência de que estamos, de fato, numa simulação.

Esses experimentos não são, de modo algum, conclusivos; assim, neste capítulo, estamos entrando no território especulativo. Sem dúvida, nas próximas décadas, conforme mais desses tipos de

---

68. https://www.nbcnews.com/mach/amp/ncna913926 (Corey Powell).

69. http://serious-science.org/skepticism-and-the-simulation-hypothesis-6189.

70. https://www.simulation-argument.com/faq.html.

experimentos sejam derivados, e conforme nossa própria tecnologia siga no caminho para o ponto de simulação, seremos capazes de obter respostas mais definitivas.

AS CATEGORIAS DE ARGUMENTOS/ EXPERIMENTOS

Os argumentos contra a hipótese da simulação caem em diversas categorias:

- *Evidência de consciência.* Há um grupo de cientistas e não cientistas que acredita que a consciência está no coração do universo. Isso inclui muitos físicos – indo desde Max Planck até Amit Goswami e outros. Algumas pessoas nesse grupo usam essa ideia básica a respeito do universo como um argumento contra a hipótese da simulação, declarando que o argumento da simulação de Bostrom não pode ser verdadeiro porque declara que somos apenas seres simulados, e não seres conscientes. A objeção aqui não é à ideia da simulação em si, mas ao conceito de IA sem vida, em vez de seres conscientes.
- *Evidência de negação.* Aqui temos argumentos ou experimentos que pretendem provar que não podemos estar vivendo numa simulação gerada por computador, geralmente por causa de algumas propriedades físicas ou calculando os recursos que seriam necessários para gerar uma simulação como o nosso mundo físico. Esses experimentos e argumentos geralmente mostram como uma simulação do universo demandaria recursos infinitos – uma impossibilidade aparente – ou exigiria, no mínimo, tantos átomos quantos existem na realidade física, então qual seria o sentido disso?

A Hipótese da Simulação

Por outro lado, argumentos e experimentos propostos para encontrar provas da hipótese da simulação usualmente recaem em duas categorias:

- *Evidências de renderização condicional.* Nessa classe de experimentos, os físicos estão procurando por evidências de que o universo físico opera como um videogame de computador. Em um videogame, apenas os itens que estão diretamente visíveis são renderizados. Essa é uma técnica de otimização importante, usada em todos os videogames em 3D, que poupa potência e recursos do computador. Os experimentos dessa categoria tendem a ser variações do experimento da fenda dupla com escolha retardada, que exploramos no Capítulo 6. Alguns desses argumentos enfatizam que precisa existir um observador. Isso parece sugerir que, se estamos num videogame, precisamos de jogadores.
- *Evidências de pixels ou computação.* Como exploramos no Capítulo 7, se vivemos numa realidade gerada por computador, então o mundo físico deveria deixar algumas pistas de que um computador está gerando nossa realidade. Essas pistas poderiam ser na forma de pixels (mais a respeito disso em breve), borrão de pixels, ou outros "artefatos" de técnicas de código que poderiam ser embutidos na estrutura física de nosso universo aparentemente físico.

UMA NOTA RÁPIDA SOBRE EXPERIMENTOS METAFÍSICOS E CONSCIÊNCIA

Apesar de as afirmações das tradições místicas e religiosas também se conectarem com a hipótese da simulação, como vimos na Parte III, para os propósitos deste capítulo, vamos nos focar no modelo científico. Portanto, nos concentraremos em experimentos propostos por físicos e evidências oferecidas por cientistas da computação – as duas áreas que influenciam diretamente numa simulação.

Embora estejamos pulando as interpretações místicas neste capítulo, isso não significa que não existam experimentos que possam ser feitos nessa área. De fato, Buda disse a seus seguidores para que não aceitassem o que ele dizia, mas que o verificassem por conta própria, por meio de sua própria experiência com a meditação, o karma e a reencarnação. Muitos acreditam que é possível verificar por nós mesmos cada um dos fenômenos que examinamos na Parte III, a respeito de anjos da guarda, experiências de quase-morte, experiências extracorpóreas e outros exemplos de fenômenos paranormais, através da experiência direta subjetiva.

Não apenas os místicos, mas também muitos cientistas, acreditam que essas técnicas têm valor. Carl Jung, por exemplo, acreditava que entidades psíquicas existiam independentemente da nossa consciência física e que a comunicação com elas era possível. Thomas Campbell, o físico cujo experimento exploraremos daqui a pouco, também participou de experimentos no Monroe Institute, um precursor da pesquisa sobre EEC, e sua crença na hipótese da simulação é sustentada por sua pesquisa nessas áreas.

Quanto aos céticos que objetam com base na consciência (esteja ela no universo ou em jogadores individuais no universo), isso também pode ser resolvido na hipótese da simulação. Se você leu diligentemente este livro, notará que a metáfora do videogame é usada precisamente para responder a esta ideia: de que somos jogadores fora do jogo (e, portanto, entidades conscientes), interpretando personagens dentro do videogame.

Então, tecnicamente, não acredito que esse seja um argumento contra a hipótese da simulação, mas sim uma objeção à ideia de que todo mundo é uma IA, e não seres conscientes. Se estendermos a ideia da consciência transferível como algo que ocorre no momento do nascimento (o que requer que a alma seja codificada em algum tipo de informação) e o uploading como o que acontece com a morte, então essa objeção cai por terra. De fato, como veremos em alguns dos experimentos, a exigência da consciência pode de fato apoiar a hipótese da simulação, pois a consciência precisa existir independentemente das entidades físicas que vemos ao nosso redor.

OS CÉTICOS: O ARGUMENTO DO RECURSO

Embora até defensores da hipótese da simulação admitam que existe alguma probabilidade (menor do que 100%) de que estejamos numa simulação, existem aqueles que argumentam que certos experimentos e argumentos podem nos mostrar que existem evidências de que *não estamos* numa simulação.

Acontece que esses são mais argumentos do que evidências. Os argumentos básicos desses céticos são baseados na potência computacional necessária para simular o universo e usualmente baseados em nossas próprias ideias pré-existentes de computação. Esses céticos pretendem demonstrar, por meio de experimentos ou estimativa, que seria impossível simular um universo tão complexo quanto o nosso usando qualquer tipo de computação já conhecido por nós. Os recursos exigidos seriam os mesmos que o universo, o que significa que uma simulação em escala do universo é, ao menos falando na prática, impossível.

Por exemplo: uma equipe da universidade de Oxford, formada por Zohar Ringel e Dmitry Kovrizhin, rodava simulações sobre o efeito Hall, que tem a ver com partículas que têm campos magnéticos. O ponto relevante aqui não é tanto o efeito Hall em si, mas a potência computacional requerida para simulá-lo – ou, por extensão, para simular outras partículas ou processos quânticos. Em artigo publicado na revista *Science*

Advances, eles relataram descobrir que, para simular essas partículas, a quantidade de memória e informação cresce exponencialmente com o número de partículas, tornando inviável, ao menos para os computadores atuais, simular realmente um número alto de partículas.

Andrew Masterson, editor da revista *Cosmos,* relatou que até a simulação de poucas centenas de partículas demandaria mais átomos do que temos disponíveis no universo hoje, usando a compreensão atual da ciência da computação, portanto, "temores de que possamos estar, sem saber, vivendo em alguma vasta versão da Matrix podem ser deixados de lado".[71]

Rudy Rucker, professor de ciência da computação e escritor de ficção científica reconhecido, faz uma observação similar – de que, para simular uma Terra virtual, seria necessário o mesmo número de partículas usadas para compor a Terra real. Se for assim, por que se dar ao trabalho? Assim, ele também acredita que o argumento da simulação pode ser abandonado.

Mas será que pode mesmo?

O argumento de que "seria preciso mais átomos para simular o universo" do que existem hoje lembra (embora numa versão mais sofisticada) o argumento defendido por astrônomos no início do século 20: de que jamais poderíamos enviar uma nave até a lua porque a quantidade de combustível necessária deixaria o foguete pesado demais para deixar a órbita da Terra. Obviamente, essa declaração foi feita antes que boa parte de nosso conhecimento atual de construção de foguetes e viagem espacial fosse desenvolvida (e provou-se falsa), embora o programa Apollo tenha demandado a construção do maior foguete até o momento, o Saturn V.

---

71. Andrew Masterson, "Matrix Phobia? Scientists put fears to rest – we are not living in a computer simulation", *Cosmos*, outubro de 2017.

A Hipótese da Simulação

Outros defenderam argumentos semelhantes sobre a impossibilidade de mundos em 3D dentro dos videogames antes que as técnicas de texturização, renderização condicional e modelagem em 3D fossem refinadas. Proponentes desse argumento presumem, é claro, que não existem algoritmos de otimização que tornem a computação mais eficiente. Mas todo o sentido de colocar a ciência da computação na dianteira e no centro deste livro é que os videogames são otimizados para renderizar apenas aquilo que é necessário. O resto do "mundo" existe como algum tipo de informação, de modo que recursos de computação não sejam gastos a menos e até que sejam necessários. Além disso, a equipe estava usando simulações monte carlo, que é um método de fazer simulações que requer muita computação, o que pode não ser o melhor algoritmo do ponto de vista da otimização.

Em seu resumo das descobertas da equipe de Oxford em *Science Advances*, Zohar Ringel, o próprio autor principal do artigo, diz: "Quem sabe quais são as capacidades de computação de seja lá o que for que nos simule?".[72]

De fato, pode haver evidências de que os modelos de computação usados para simular nosso universo utilizam um paradigma da computação quântica, o que acrescenta uma nova dimensão à ciência da informação e *quanta* informação pode ser armazenada de uma só vez.

EVIDÊNCIAS DE RENDERIZAÇÃO CONDICIONAL

Claramente, a otimização computacional – que significa encontrar modos de usar menos recursos, sejam eles de memória ou poder de processamento – é uma parte crucial de qualquer mistério que possa

---

72. Ibidem.

revelar tanto a veracidade da hipótese da simulação quanto como nós mesmos poderíamos implementar uma simulação à la *Matrix*.

Vários físicos propuseram que encontrar evidências de renderização condicional – ou seja, de desenhar apenas aquilo que o jogador vê – é um modo-chave para provar que estamos dentro de um videogame. Em resumo, essas são as versões mais avançadas do experimento de escolha retardada proposto por Wheeler, que era uma expansão do tópico da indeterminação quântica referenciada nos Capítulos 6 e 7. Se pudermos demonstrar que é preciso que algo ou alguém observe os resultados para poder "renderizar os resultados", isso por si só pode ser uma evidência de computação. De fato, a indeterminação quântica pode só fazer sentido se formos parte de uma simulação semelhante a um videogame e existir algo ou alguém jogando e observando os resultados!

De fato, diversos experimentos que dependem de comprovar que a observação é a chave para determinar o colapso da onda de probabilidade quântica foram conduzidos, e sugerem que o universo está, de alguma forma, otimizando recursos de maneira similar àquela como os videogames otimizam recursos de computação, renderizando apenas o que é necessário naquele exato momento.

Um dos mais interessantes entre esses experimentos foi conduzido pelo Matera Laser Ranging Observatory (MLRO), da Agência Espacial Italiana. O MLRO conduziu, na verdade, uma versão do experimento da escolha retardada de Wheeler (descrito em mais detalhes no Capítulo 7), no qual um fóton tem que viajar milhares de quilômetros até um satélite e voltar depois de passar pelas fendas iniciais. O resultado foi consistente com a conclusão original de Wheeler de que a *observação* de uma partícula, mesmo que tenha acontecido claramente no futuro (nesse caso, o tempo que levou para a partícula viajar milhares de quilômetros), influencia realmente a escolha do que a partícula fez no passado.

A Hipótese da Simulação

Enquanto isso, o físico Tom Campbell, da NASA, e os físicos Houmn Owhadi e Joe Sauvageau, da Caltech, junto com David Watkinson, levantaram fundos por meio de uma campanha de financiamento coletivo via Kickstarter para conduzir e documentar experimentos para testar a hipótese da simulação. Em 2017, eles publicaram um artigo no qual declararam que a hipótese da simulação podia, certamente, ser testada. Eles especularam que podiam mostrar que um universo simulado era um sistema que iria "[...] assim como num videogame, renderizar conteúdo (realidade) apenas no momento em que a informação se torna disponível por causa de um jogador (e não no momento de detecção por uma máquina)".[73]

Campbell e seus colegas propuseram experimentos que tinham relação com a dualidade onda-partícula – envolvendo um "apagador" quântico ou um "inseridor" quântico após a partícula ter passado pelas fendas duplas. Esses experimentos compartilham similaridades com outros baseados no experimento original de escolha retardada de Wheeler. O objetivo dos experimentos de Campbell é demonstrar que a consciência é fundamental para a teoria quântica e, ao fazer isso, também demonstrar evidências de sua versão da hipótese da simulação – a de que somos todos jogadores em um mundo baseado em computação. No momento em que escrevo isto, os experimentos ainda não foram concluídos.

Ainda assim, múltiplos experimentos confirmaram a necessidade de um observador como parte fundamental da mecânica quântica. Embora possamos debater se o observador tem consciência ou não, as descobertas da física quântica até agora são bastante conclusivas. Isso, por si só, é uma evidência de renderização condicional – o equivalente da indeterminação nos videogames. Como discutimos na Parte II, esse

---

73. Thomas Campbell et al., "On Testing the Simulation Hypothesis", *International Journal of Quantum Foundations* (março de 2017), http://www.ijqf.org/wps/wp-content/uploads/2017/03/IJQF-3888.pdf.

tipo de comportamento inexplicável parece fazer sentido apenas se a hipótese da simulação for verdade.

EXPERIMENTOS PELA EVIDÊNCIA DOS PIXELS

Existe outra classe de experimentos que depende menos do argumento da observação e renderização condicional da física quântica. Nessa classe, a ideia é detectar diretamente os artefatos de uma simulação computadorizada num mundo 3D ao nosso redor. Se estamos, de fato, num mundo consistindo de pixels de informação, então talvez possamos olhar para algumas das características dos pixels (ao menos como os conhecemos) em nossa compreensão de computação e computação gráfica e ver se algumas dessas características são exibidas no assim chamado mundo físico à nossa volta. Eu chamo essa classe de experimentos de "procurando por artefatos" da simulação.

No artigo *Constraints on the Universe as a Numerical Simulation*, Silas Beane e seus colegas Zohreh Davoudi e Martin J. Savage, da Universidade de Bonn, na Alemanha, argumentam que a estrutura que se deve procurar é uma "treliça" que representaria os pixels 3D em uma A hipótese da simulação 3D, e então observar como essas treliças mudam ao longo do tempo. Em uma simulação, argumenta Beane, o tempo passaria em passos distintos (a ideia de velocidade clock, que discutimos na Parte II), enquanto na maioria da física atual ele ainda é baseado em equações contínuas.[74]

Ocorre que existem certos tipos de raios cósmicos que exibem essa característica de uma pequena treliça que tem um "limite", em que nada pode ser menor do que o limite. Isso é chamado de limite

---

74. https://www.technologyreview.com/s/429561/the-measurement-that-would-reveal -the-universe-as-a-computer-simulation/.

Greisen-Zatsepin-Kuzmin, ou limite GZK. Apesar de o limite GZK ser bem conhecido para os físicos de partículas de alta energia, a fonte do limite não é. Beane e seus colegas teorizam que deve ser reveladora a "geometria", por assim dizer, da simulação, as restrições impostas pelo "espaçamento da treliça".

Para dizer de uma forma ainda mais simples, o espaçamento da treliça revelaria a organização dos pixels no mundo real. Além disso, ao estudar a distribuição angular das menores treliças, eles descobriram que a energia fluía de uma treliça para a outra em certas direções, um tipo de geometria reminiscente dos pixels adjacentes numa tela/imagem renderizada.

EVIDÊNCIAS DA COMPUTAÇÃO: CÓDIGOS PARA CORREÇÃO DE ERROS

Descobrir os pixels da simulação seria, claro, evidência direta, mas pode não ser o único tipo de evidência. Evidência da computação no universo físico pode ser o suficiente para provar a hipótese da simulação.

James Gates, professor de física na Universidade de Maryland, estudou a teoria das cordas e a supersimetria. Ele afirma ter descoberto o que seria o equivalente a "códigos para verificação de erros" no universo físico, sugerindo fortemente que o universo pode ser gerado por algum tipo de computador.

Em 2016 Gates publicou um vídeo descrevendo suas descobertas de somas de controle sobre as propriedades físicas das supercordas e supersimetria. "Como poderíamos descobrir se vivemos dentro de uma Matrix?', pergunta uma sinopse de seu vídeo. Uma resposta poderia ser 'Tentando detectar a presença de códigos nas leis que descrevem a física'. E isso é precisamente o que [Gates] fez."

A sinopse continua, explicando que "Especificamente, dentro das equações da supersimetria, ele descobriu, um tanto inesperadamente, o que chamamos de 'código corretor de erros linear e em bloco, par duplo e autodual'. Esse é um rótulo bem longo para códigos que são comumente usados para remover erros em transmissões via computador; por exemplo, para corrigir erros numa sequência de bits representando texto que foi enviado por uma rede".[75]

No vídeo, o próprio Gates explica: "Essa conexão insuspeita sugere que esses códigos podem ser onipresentes na natureza, e poderiam até estar embutidos na essência da realidade. Se esse for o caso, podemos ter algo em comum com os filmes de ficção científica *Matrix,* que mostram um mundo no qual tudo o que os seres humanos vivenciam é o produto de uma rede computadorizada gerando uma realidade virtual".[76]

Gates não dá detalhes dos códigos que encontrou. Mas essa abordagem de encontrar evidências de computação pode ser um caminho muito frutífero na busca de evidências da hipótese da simulação.

COMPUTADORES QUÂNTICOS, CÓDIGOS DE ERRO E ENTRELAÇAMENTO QUÂNTICO

Até aqui, focamos primariamente em técnicas padrão de computação, que usam bits digitais para representar informação, ou seja, modelos computacionais e pixels dentro de cenas.

Um dos argumentos usados pelos céticos é que, para simular processos quânticos, seria preciso mais potência computacional do que temos disponível no universo. Isso, é claro, presumindo bits tradicionais de computador.

---

75. https://www.sott.net/article/301611-Living-in-the-Matrix-Physicist-finds-computer-code-embedded-in-string-theory.

76. https://youtu.be/cvMlUepVgbA.

A Hipótese da Simulação

Entretanto, se a indeterminação quântica for uma parte fundamental da natureza, então faria sentido que quaisquer algoritmos ou unidades de processamento empregados para processar ou renderizar o mundo levariam isso em consideração. Assim como criamos as placas de vídeo para nos ajudar a renderizar videogames mais sofisticados, podemos presumir que qualquer civilização que se mova na direção do ponto de simulação e queira rodar simulações ancestrais criará processadores otimizados para a tarefa em questão.

Nós nos encontramos hoje no limiar de um novo tipo de computação – a computação quântica, que representa talvez a primeira mudança realmente radical na computação de fato desde a aurora da ciência da computação, nos anos 1950 e 1960. Os computadores quânticos foram propostos pela primeira vez pelo físico Richard Feynman, que sugeriu que, se fôssemos simular o universo físico, deveríamos usar partículas quânticas, não computadores clássicos. Embora a princípio a ideia soasse como ficção científica, a tecnologia está progredindo rapidamente, com diversos modelos iniciais em funcionamento neste momento.

No cerne dos computadores quânticos estão os princípios da física quântica – em particular, a indeterminação quântica e a superposição. Os computadores tradicionais funcionam com tecnologia digital, expressa como bits, um único pedaço de informação que é designado como 0 ou como 1. Se olharmos debaixo do console de um computador digital, haverá transístores e portas lógicas booleanas – portas AND, NOT, OR [e, não, ou] –, que são os blocos básicos de construção dos processadores. Essas portas estão configuradas para aceitar um único valor de 0 ou 1, um único bit, e retornar seus valores correspondentes.

Computadores quânticos, por outro lado, usam superposição, um conceito que exploramos na Parte II, que declara que uma partícula pode estar em um de vários estados, ou em todos os estados simultaneamente, até e a menos que observemos essa partícula.

De maneira similar, os *qubits,* ou *bits quânticos,* são superposições de bits – eles podem ter os dois valores, 0 e 1 (da mesma forma que o gato de Schrödinger está vivo e morto), até que o bit seja observado. Qubits são bits superpostos, e uma fila de qubits pode assumir cada valor individual de cada qubit, dando a ele todos os valores possíveis simultaneamente. Isso abre os computadores quânticos para a solução mais rápida de problemas, mais rápida do que o processamento serial de muitos processadores nos computadores tradicionais.

Para os computadores quânticos implementarem os qubits, eles precisam de uma maneira para representar a superposição de forma física. No final das contas, já temos na natureza partículas que exibem propriedades quânticas: fótons, elétrons, etc. É uma questão de construir uma máquina ou um aparelho que possa contar com e medir essas propriedades quânticas das partículas existentes.

Computadores quânticos nos trazem de volta à ideia de uma simulação sofisticada que imite a realidade. Como a indeterminação quântica é uma característica da nossa realidade física, se estamos dentro de uma simulação, então a simulação deve ter um mecanismo para processar a incerteza, as ondas de probabilidade, e um jeito de forçar o colapso baseado na observação.

A computação quântica, na verdade, demonstra para nós que aquilo que consideramos partículas fundamentais é, na verdade, informação – e que o universo físico é, portanto, um computador quântico! Mesmo que a simulação demandasse exatamente o mesmo número de partículas que existem no mundo físico, o fato de que os computadores quânticos existem agora nos dá uma pista de que o universo físico é, muito provavelmente, um computador quântico supersofisticado.

A Hipótese da Simulação

Correção de erros quânticos e entrelaçamento quântico

Um dos mistérios da física ao longo do último século tem sido como enquadrar a teoria geral da relatividade geral, de Einstein, que dá uma explicação para a gravidade, e a mecânica quântica, que nos fala sobre o comportamento das partículas subatômicas. Nenhuma evidência havia sido encontrada para unir ambas – até recentemente. A justaposição pode vir na forma da computação quântica.

Uma das questões que os primeiros a experimentar com os computadores quânticos encontraram foi que os qubits são notórios por "mudar" de valor. Essa é uma propriedade física das substâncias usadas para representar os qubits.

Uma das inovações na computação quântica que tornaram possível a existência dos computadores quânticos foi o código corretor de erros. No final, o jeito mais simples de corrigir os erros em conjuntos de qubits era confiar em outra propriedade misteriosa e inexplicável da física quântica: o entrelaçamento quântico.

O entrelaçamento quântico – que mencionamos no Capítulo 8 – descreve como duas ou mais partículas correspondem-se entre si, não importa onde estejam localizadas no mundo físico. Assim como é possível entrelaçar partículas, também é possível entrelaçar qubits.

Sabendo que diversas partículas ou qubits estão entrelaçados, é possível criar um código corretor de erros de forma que, se um qubit "mudar" inesperadamente, isso pode ser descoberto e revertido. Sem ir muito fundo na ciência da computação ou na física, se é encontrada evidência de códigos corretores de erros em modelos do universo, fica ainda mais provável que o universo seja algum tipo de simulação rodando num computador.

Ahmed Almheiri, Xi Dong e Daniel Harlow, pesquisadores do antigo centro de pesquisa de Einstein e John von Neumann, o Instituto para Estudos Avançados em Princeton, Nova Jersey, descobriram que não apenas esses códigos corretores de erros quânticos existem, mas também, ao menos em seus mundos simulados, os códigos de erros podem definir o próprio tecido do espaço-tempo. Eles estavam utilizando um modelo em escala reduzida do universo chamado de Sitter space, e descobriram que usar o entrelaçamento quântico em partículas lhes permitia reconstruir a localização de várias partículas nessa versão reduzida do espaço-tempo, sem precisar de toda a informação.[77]

Reforçando, o ponto importante aqui é que o tecido do espaço--tempo pode ser otimizado apenas por sabermos a informação de certas partículas no universo. Conhecer a informação sobre algumas partículas nos permite reconstruir onde as outras partículas estão em relação a elas. Isso, por si só, demonstra que há algum tipo de otimização em curso no universo, embutida no próprio tecido do espaço-tempo, e é muito similar a como a computação gráfica é processada e otimizada.

Mais uma vez, descobrimos que a computação pode encontrar uma forma de explicar o universo físico. Se essas descobertas forem estendidas do "universo de brinquedo" em escala reduzida que a equipe usou nesses experimentos para o nosso universo físico, então descobrir códigos corretores de erros poderia ser uma evidência inquestionável, por assim dizer, das provas de que o universo é simulado em algum tipo de computador.

ENTRELAÇAMENTO QUÂNTICO E SIMULAÇÃO

O entrelaçamento quântico em si é uma propriedade misteriosa da física quântica que os físicos são incapazes de explicar. Conforme

---

77. https://www.quantamagazine.org/how-space-and-time-could-be-a-quantum-error-correcting-code-20190103/.

mencionado anteriormente, apesar de ser o resultado de um artigo que Einstein coescreveu com Rosen e Podolsky, o próprio Einstein ridicularizava a ideia como "ação sinistra a distância".

Desde então, foi obtida confirmação de que o entrelaçamento quântico existe, e ele foi inclusive usado no novo campo da criptografia quântica. A criptografia quântica baseia-se na estranha propriedade de que, se o campo quântico é colapsado (por uma partícula ou um qubit sendo lido ou observado), então a outra partícula (ou qubit) entrelaçada também será afetada. Assim, é possível saber quando alguém "leu" a mensagem secreta.

Experimentos recentes demonstraram que existem maneiras diferentes para as partículas se entrelaçarem. Incluem-se experiências em que uma partícula quântica é entrelaçada usando qubits. Em 2017, Norbert Kalb et al. demonstraram que o entrelaçamento quântico pode ser aprimorado entre uma partícula real e um qubit, e confirmaram o entrelaçamento a uma distância de 2 metros.[78] Isso tem implicações para a computação quântica e como ela pode usar o entrelaçamento no futuro.

Se a informação está, de fato, viajando mais rápido do que a velocidade da luz entre as partículas ainda é muito debatido, assim como o mecanismo para o entrelaçamento.

O que poderia explicar essa habilidade de duas partículas estarem fortemente correlacionadas, mesmo podendo estar a qualquer distância arbitrária entre si (incluindo milhões de quilômetros, teoricamente)?

A hipótese da simulação fornece um modelo e uma explicação interessantes, se tratarmos partículas como os pixels do mundo renderizado que vínhamos explicando. Na ciência da computação, sempre que se renderiza um pixel, isso é feito com base em alguma informação

---

78. American Association for the Advancement of Science, "Entangle, Swap, Purify, Repeat: Enhancing Connections between Distant Nodes". *Science Daily* (1º de junho de 2017), http://www.sciencedaily.com/releases/2017/06/170601151921.htm.

na memória que contenha o "valor" desse pixel. A tela lê esse valor e então exibe o pixel com base nesse valor. O que é renderizado é apenas um reflexo da informação subjacente da cena.

Dois pixels num mundo de videogame podem estar baseados na mesma localização na memória. Essa é uma técnica comum usada para otimização de imagens e memória em compressão de videogames e imagens. Por exemplo: se você tem uma imagem do céu noturno, a maioria dos pixels é preta, então eles compartilham o mesmo valor. Não há necessidade, ao armazenar a imagem na memória, de ter uma grade de informação com um valor separado para cada pixel – só é preciso manter a conta de todos os pixels que compartilham esse valor.

Suponhamos que os pixels A e B compartilhem do mesmo valor na memória (nesse caso, eles estão baseados no mesmo endereço na memória). Se mudarmos o valor na memória, então os dois pixels mudarão automaticamente, pelo menos desde que compartilhem a mesma localização na memória. Se o pixel A subitamente começasse a usar um ponto diferente na memória, poderíamos dizer que eles não são mais compartilhados – ou, na terminologia dos qubits, não estão mais entrelaçados.

No entrelaçamento quântico, também é possível que partículas se dissociem, seja interagindo com o ambiente, seja simplesmente medindo o estado quântico. Isso pode explicar facilmente como o pixel B agora recebe seu próprio valor na memória, de modo que seu estado pode ser salvo independentemente do pixel A.

Essa é uma explicação bastante simplista de como o entrelaçamento quântico funcionaria, usando uma técnica quase trivial da computação gráfica e da ciência da computação.

Entretanto, é outro exemplo de como adotar um modelo de *computação e informação* que poderia explicar melhor algumas das áreas fundamentais de nossa realidade, melhor do que uma explicação física.

A Hipótese da Simulação

Além disso, videogames e computação podem conseguir nos dar o porquê desse processo misterioso do entrelaçamento quântico: otimização. O motivo pelo qual sou capaz de fazer *stream* num episódio de *Game of Thrones* no meu aparelho wireless é porque os pixels são comprimidos. Se todos os pixels de cada frame de um episódio numa série de TV fossem transmitidos, esse tipo de transmissão não seria possível. A compressão funciona encontrando pixels que compartilhem do mesmo valor – digamos, pixels pretos numa cena noturna, ou pixels brancos numa cena invernal – e comprimindo os dados totais para levar essa redundância em consideração.

De fato, a existência dos computadores quânticos e a existência dos qubits baseados em partículas no universo físico, que muitos pensavam ser impossível até poucos anos atrás, podem em si ser evidências de que o universo físico é algum tipo de computador. O fato de que códigos corretores de erros são necessários para que os qubits mantenham a integridade e que isso pode ser o mecanismo fundamental para a coerência do espaço-tempo em si é uma área de investigação promissora. Finalmente, está claro que o entrelaçamento quântico, por mais misterioso que seja, é, de alguma forma, crucial para como as partículas funcionam e oferece ainda mais evidências de que o universo pode ser um computador que se auto-otimiza.

FRACTAIS E EVIDÊNCIAS DE COMPUTAÇÃO NA NATUREZA

Voltando dos computadores quânticos para os computadores regulares, se pudermos achar evidências de computação na natureza, não apenas num nível subatômico, mas também no nível de objetos cotidianos com os quais temos familiaridade, isso impulsionaria a hipótese da simulação.

Na Parte I, conforme analisamos a história dos videogames, exploramos como a tecnologia da computação gráfica foi usada para simular o mundo real num formato digital e pixelado. Um dos conceitos que fazem as paisagens geradas por computação e as paisagens reais serem tão parecidas ao olhar humano é o conceito de fractais.

Ao contrário dos objetos manufaturados pelo homem, linhas retas raramente existem na natureza. A geometria euclideana não faz um bom trabalho ao descrever ou simular o mundo natural. Mesmo quando linhas "aparentemente" retas existem, se você ampliar qualquer linha na natureza, seja o horizonte, seja a beira de uma árvore ou de uma folha, verá que ela consiste de padrões menores. Usando a geometria fractal, como demonstrado na Figura 32, pode-se obter um padrão repetido infinitamente que pareça muito mais com o que encontramos nos processos naturais. Rios e árvores parecem seguir padrões fractais, assim como os neurônios e outros processos biológicos.

Fractais exibem padrões similares em escalas cada vez menores, também conhecidas como simetria em expansão ou simetria em evolução. Isso é geralmente conseguido em programas de computadores por meio de uma técnica conhecida como recorrência, em que um programa chama a si mesmo para implementar a solução num nível menor de complexidade.

Segundo a Fractal Foundation, "um fractal é um padrão infinito. Fractais são padrões infinitamente complexos similares a si mesmos em escalas diferentes. Eles são criados repetindo um processo simples várias vezes, num ciclo de feedback contínuo".[79]

O conceito de fractais existe desde os anos 1980. Benoit Mandelbrot, quando era um jovem matemático e pesquisador, descobriu padrões autossimilares em diferentes escalas em muitos tipos diferentes

---

79. https://fractalfoundation.org/resources/what-are-fractals/.

de problemas, desde códigos de erro em linhas telefônicas até o padrão de preços das commodities nos mercados, passando pela estrutura de uma linha costeira.

Figura 32: Padrões fractais lembram processos naturais. [80]

O exemplo da linha costeira é talvez a melhor forma de compreender os fractais. A resposta para a pergunta "qual a extensão de uma linha costeira?" depende muito da escala com que você decide medi-la. Você poderia medi-la na casa dos quilômetros, por meio de uma foto de satélite. No entanto, se ampliar essa imagem, descobrirá que existem muitos cantos e recantos embutidos no litoral que não se pode ver do alto. Se você medir a distância do litoral em torno das superfícies irregulares desses cantos e recantos, obterá um número maior. No final das contas, você pode fazer isso infinitamente, porque há cantos e recantos até lá embaixo (até, é claro, chegarmos ao nível dos átomos).

Mandelbrot e outros nessa ciência emergente descobriram que podiam usar computadores para fazer um número muito grande de cálculos. Nos padrões fractais, os insumos para a próxima iteração de

---

80. Crédito: Shutterstock.com.

uma equação geralmente vêm dos resultados da rodada prévia da mesma equação. O conjunto Mandelbrot, um dos fractais mais conhecidos, gerado por regras que combinam números reais e complexos repetidamente, só foi plenamente desenvolvido após a invenção do computador pessoal. Segundo a Fractal Foundation, isso não foi uma coincidência, já que gerar padrões fractais requer milhares ou milhões de iterações usando o mesmo algoritmo várias vezes, o que significa que os fractais são especialmente apropriados para programas de computador.

Desde a descoberta de diferentes tipos de padrões de fractais, já foi sugerido que a natureza é um computador gerador de fractais. Será que o fato de a geometria fractal existir na natureza nos fornece evidência de que há um elemento de computação no mundo natural ao nosso redor?

O fato de que a computação é o único jeito para obter formas naturais parece sugerir que algo como um padrão fractal pixelado sendo computado está em ação no mundo físico ao nosso redor. Mesmo nossas versões atuais limitadas de fractais nas telas de computador, como apontado previamente, não são fractais totais, por sermos limitados por pixels numa tela. A cada vez que há um valor fracionado (ou um valor menor do que a resolução de pixels da nossa tela), as imagens resultantes são apenas aproximações do que o padrão fractal real criaria.

Até o momento, os fractais foram a melhor técnica que pudemos encontrar para simular processos e formatos naturais (como litorais, etc.). Será que a geometria fractal também poderia ser a melhor evidência de que a natureza em si está passando por cálculos?

PROGRAMAS SIMPLES E UM NOVO TIPO DE CIÊNCIA

No livro *A New Kind of Science,* publicado em 2002, Stephen Wolfram, projetista-chefe do software Mathematica, usado por engenheiros e

A Hipótese da Simulação

cientistas no mundo todo, causou uma celeuma. Wolfram, ao estudar autômatos celulares e sua similaridade com a natureza, propôs que a natureza em si poderia ser uma coleção de programas de computador. Ele se referiu a eles como programas simples, e acreditava que programas simples eram um bloco básico de toda a ciência. A ciência, então, em vez de ser o estudo de processos físicos, é na verdade o estudo da computação e da informação envolvendo coisas como recorrência, registros para armazenar informação, etc.

Embora o livro tenha sido recebido com controvérsia na época, à medida que a internet e a computação cresceram para tocar em todos os campos de empreendimentos humanos, as ideias dele passaram a não parecer mais tão distantes quanto pareceram quando ele apresentou o escrito. A ciência da computação pode terminar sendo fundamental de um jeito que a matemática era considerada uma ferramenta fundamental, usada por outras ciências, como a física. Wolfram argumenta que deveríamos olhar para esses programas simples e seus resultados de maneira experimental, basicamente insinuando que o mundo físico ao nosso redor é, na verdade, um conjunto de algoritmos de computador.

Embora não tenha falado explicitamente da hipótese da simulação e de videogames, ele falou sobre a necessidade de simulações por computador. Wolfram foi um de vários pensadores vanguardistas que popularizaram a ideia de *irredutibilidade computacional* na natureza – a ideia de que você precisa "computar" para poder descobrir o resultado, que é toda a base para rodar simulações.

A implicação é muito forte de que, se existir algum tipo de computação acontecendo ao nosso redor na natureza, então podemos, de fato, estar em algum tipo de programa de computador universal – o que chamo de Grande Simulação.

CONCLUSÃO – A BUSCA POR EVIDÊNCIAS DE COMPUTAÇÃO

Para fechar este capítulo, exploramos alguns dos argumentos contra a hipótese da simulação. Esses argumentos eram baseados em recursos ou baseados em consciência. No primeiro caso, o de que seriam necessárias muitas partículas para simular nosso universo, ou no mínimo seria preciso o número exato de partículas existentes no universo. Ambos não se sustentam sob escrutínio. No primeiro caso, porque a técnica crucial de quase qualquer realidade gerada por computador é a otimização. Argumentos com base na consciência também não excluem a hipótese da simulação. De fato, toda a parte deste livro cobrindo as tradições místicas e religiosas foi para demonstrar como a consciência poderia ser transferida para jogadores/personagens num mundo como o de videogames. A consciência transferível é um dos estágios rumo ao ponto de simulação.

Além disso, a existência de computadores quânticos pode provar de fato o oposto do que alguns céticos afirmam – que demandar o mesmo número de qubits que de partículas existentes no universo apenas demonstra que o universo é um grande sistema de computação!

Muitos dos experimentos na física quântica mostraram a propriedade da indeterminação quântica – que partículas podem assumir todos os valores possíveis até e a menos que sejam observadas. Se o observador precisa estar consciente ou não é uma questão debatível, mas as várias versões do experimento de escolha retardada de Wheeler parecem comprovar que a consciência (ou um jogador) é necessária para que a determinação quântica funcione. Isso parece impulsionar a evidência de que o universo é algum tipo de simulação para um grupo de jogadores ou observadores, já que não seria esse o caso num universo

A Hipótese da Simulação

puramente físico e deterministicamente mecânico, que existe independentemente de observadores.

Existem evidências de quantização da matéria, indo além até da constante de Planck, na presença de treliças arranjadas geometricamente. Propriedades estranhas de computadores quânticos e qubits na verdade revelam um novo tipo de código corretor de erros que pode ser o modo mais preciso (e otimizado) para o espaço-tempo construir a si mesmo a partir de uma série de bits (ou partículas quânticas) usando o entrelaçamento quântico. O próprio entrelaçamento quântico não tem explicação ainda, e somente pode ser compreendido se for analisado computacionalmente.

Finalmente, passando do nível micro para o macro, vemos evidências de computação na natureza por toda a nossa volta. A geometria fractal tem sido chamada de "geometria da natureza", e isso revela que os mundos natural e biológico podem ser algorítmicos – o modo como a matéria física é criada segue um conjunto de instruções codificadas em algum lugar fora do mundo renderizado, instruções essas que são muito semelhantes às regras para os fractais.

Embora não exista um experimento ou argumento capaz de provar a hipótese da simulação em definitivo (nem refutá-la de maneira conclusiva), tudo isso aponta fortemente para a ideia de que o universo é algum tipo de computador. Isso significa que aquilo em que pensávamos como físico é, na realidade, tudo informação e computação.

Qual é o programa de computador global conduzindo tudo isso? Eu gosto de chamá-lo de a Grande Simulação.

Capítulo 12

A Grande Simulação
e suas implicações

Este capítulo une os vários fios que exploramos neste livro – os da ciência da computação, física quântica e místicos orientais (e ocidentais também) – para analisar algumas das maiores questões relacionadas à Grande Simulação, como quem está rodando a simulação e o que isso significa para a nossa espécie de forma geral.

Também queremos revisitar um dos grandes debates sobre os adeptos dessa nova teoria: se somos consciências simuladas ou reais (ou, como nos videogames, se somos personagens jogáveis, ou PCs, ou apenas personagens não jogáveis baseados em IA, os NPCs). Finalmente, terminaremos com uma discussão sobre como a hipótese da simulação pode fornecer a primeira ponte plausível entre duas das buscas mais importantes pela verdade na história da humanidade: a da comunidade científica e a dos místicos responsáveis pelas religiões mundiais.

Primeiro, antes de finalizarmos essas notas maiores, vamos examinar uma das referências mais antigas já registradas à hipótese da simulação na tradição filosófica ocidental.

A ALEGORIA DA CAVERNA DE PLATÃO
E A HIPÓTESE DA SIMULAÇÃO

Na obra clássica *A República,* Platão recita a alegoria de uma cova ou caverna onde prisioneiros são acorrentados a uma parede interna com uma visão clara de uma parede lisa que fica bem em frente da entrada. Conforme formas se movimentam na frente da caverna, os prisioneiros podem ver os reflexos dessas formas na parede como sombras na frente de alguma fonte de luz. De fato, os prisioneiros acorrentados não sabem se a luz vem de uma fogueira, do sol, da lua ou de alguma outra coisa.

Platão, que escreveu a alegoria como um diálogo entre seu professor, Sócrates, e Glauco (o irmão mais velho de Platão), defende o argumento de que a condição humana é igual à dos prisioneiros acorrentados à parede. O melhor que podemos fazer é observar sombras do mundo real, porque não podemos percebê-lo diretamente. Eles são capazes de conversar uns com os outros e concordar sobre o que são as sombras e lhes dar nomes, como uma pessoa, ou um livro, ou um cavalo. Dessa forma, são capazes de criar uma descrição completa (com seu vocabulário associado) do mundo – ou da realidade – a partir de sua perspectiva. Entretanto, os prisioneiros estão errados quanto à natureza real do que estão vendo; eles estão dando palavras e descrições às sombras do mundo real. Se um prisioneiro se soltasse de suas correntes e saísse da caverna, poderia perceber as pessoas e objetos reais fora da caverna, em vez de meras sombras.

Platão prossegue, postulando que não é fácil, para aqueles de nós que estivemos "acorrentados" nossa vida toda, sair e olhar para o que é agora uma nova realidade – até o sol e a lua seriam conceitos inteiramente novos para nós. De fato, Platão defende o argumento de que ver a luz do sol pela primeira vez seria eminentemente doloroso, pois nossos olhos não estão acostumados com a luz, tendo vivido dentro da caverna por toda a vida.

Embora essa seja talvez a mais conhecida e mais antiga referência à ideia de que a "realidade não é o que pode parecer" na filosofia ocidental, eu a deixei de fora até agora para podermos considerar o quadro geral de sobre o que a Grande Simulação trata e o que isso poderia significar.

Se estivéssemos vivendo numa simulação semelhante a um videogame, a prisão (ou seja, a caverna) e as sombras na parede seriam as renderizações de pixels como eles são visíveis para aqueles de nós que estão dentro da simulação. O que é iluminar as sombras? Em um videogame, o mundo renderizado é um conjunto de pixels que são iluminados com base em alguma carga eletromagnética. Sem nunca ter deixado o mundo renderizado, é muito difícil conceber um projetor ou uma fonte de luz que torne tudo o que vemos visível para nós; no entanto, isso existe. Se alguém deixasse o mundo renderizado e voltasse, essa pessoa teria reações similares ao modo como hoje muitos da comunidade científica reagem a visões dos místicos que afirmam terem estado "fora do mundo". Eles também poderiam reagir da mesma forma que muitos hoje reagiram inicialmente à hipótese da simulação – dizendo que isso não pode ser verdade!

Se os prisioneiros de Platão fossem capazes de examinar as sombras a partir de uma perspectiva mais alta, a coisa toda faria mais sentido. Basicamente, eles teriam encontrado um modelo para sua realidade que se encaixasse melhor do que o modelo antigo. Isto é exatamente o que os místicos vêm nos dizendo há milhares de anos – que o mundo ao nosso redor é um tipo de ilusão, e que existe uma realidade mais além que podemos ver.

Como demonstrei em capítulos anteriores, a evolução da ciência da computação, nosso entendimento de como as simulações em formato de videogames são construídas, os mistérios centrais da física quântica, as mensagens das antigas filosofias orientais, as descrições que nos foram dadas pelas religiões ocidentais e os fenômenos paranormais inexplicados, todos sugerem que estamos mesmo vivendo numa simulação, como os prisioneiros de Platão na caverna. Se esse for o caso, vamos dar uma olhada nas questões maiores sobre essa Grande Simulação em que vivemos.

O QUE É A GRANDE SIMULAÇÃO E QUEM A ESTÁ RODANDO?

Em resumo, a Grande Simulação é uma simulação hiper-realista ou um videogame em que estamos – essencialmente, é nossa versão da Matrix. Enquanto estivermos dentro da simulação, somos incapazes de distinguir entre o que é real e o que é parte da simulação. Isso não quer dizer que a simulação não seja real vista de nossa perspectiva, da mesma forma que os videogames que jogamos são reais enquanto estamos jogando.

Da mesma maneira que não podemos afirmar com certeza o que está fora da simulação, não podemos afirmar com certeza quantas simulações existem. Se estivéssemos em uma de 100 mil simulações, então talvez não fôssemos a "Grande Simulação" de forma alguma, mas sim apenas uma simulação rodando pelo que parecem ser bilhões de anos segundo nosso ponto de vista, mas que pode ser um piscar de olhos da perspectiva de seja lá quem estiver rodando a simulação.

Se o mundo ao nosso redor é uma simulação, isso naturalmente nos leva a fazer as perguntas de quem (ou o quê) está fora do mundo renderizado. Quem está participando dele? Quem o criou? E quem (ou o quê) está, agora mesmo, rodando a simulação? E por que ela foi criada?

Não temos como saber com certeza as respostas, mas aqui estão algumas das possibilidades mais populares.

Outras simulações

Se estamos vivendo dentro de uma simulação, então quaisquer simulações que criemos, inclusive nossos MMORPGs e videogames sofisticados, seriam consideradas "simulações dentro de simulações".

Se nós, como civilização, formos capazes de chegar ao ponto de simulação, então presumivelmente poderíamos criar simulações indistinguíveis de nossa realidade física. Será que essa possibilidade se estenderia para sempre? Talvez seja como na anedota sobre a tartaruga: uma mulher contou ao famoso psicólogo William James que uma tartaruga sustentava a Terra. Quando James a questionou a respeito, perguntando-lhe o que sustentava a tartaruga, ela disse a James que, obviamente, eram "tartarugas até lá embaixo"!

A dificuldade aqui, como uma recorrência infinita, é que demandaria uma potência computacional quase infinita para termos um número infinito de simulações. Sem alguma base, um algoritmo recorrente continua para sempre, sem entregar resultado algum (cada camada espera que a camada abaixo dela lhe entregue um resultado). No entanto, num ambiente de computação prático e finito, nem mesmo um algoritmo recorrente pode continuar eternamente; ele acaba ficando sem memória ou sofrendo algum tipo de erro de recurso. Bostrom, em seu artigo original, diz que uma forma de evitar isso seria impor restrições quanto ao que pode ou não ser simulado dentro de uma simulação.

De certa forma, essa ideia de restringir o que uma civilização simulada pode alcançar pode emprestar credibilidade aos argumentos dos céticos de que *não podemos* estar numa simulação porque simular o universo conhecido exigiria muitos recursos computacionais! Em vez de ser um argumento contra uma simulação, isso pode, na verdade, ser transformado num argumento de que *estamos, sim,* numa simulação,

A Hipótese da Simulação

mas que existem restrições quanto ao que podemos simular com os recursos finitos dentro de nossa simulação.

É claro, o argumento dos recursos se desfaz quando consideramos tipos diferentes, mais sofisticados de computação, como a computação quântica – e mesmo com a computação mais convencional, ele sublinha a necessidade de técnicas de otimização. Presumivelmente, mesmo que o que exista fora de nossa simulação seja *outra simulação*, deve haver, em algum ponto, o topo da pilha – a realidade-base. Então essa possibilidade, embora intrigante, não responde plenamente à questão de fato.

Humanos/ancestrais

Outra possibilidade é que as "pessoas" rodando a simulação sejam como nós – humanas! Embora nossos videogames tenham começado com personagens muito simples, estilizados e não humanos (*Pac Man, Space Invaders*), eles evoluíram para criar personagens (ou avatares) mais humanoides – podemos escolher seu gênero e tipo físico usando o que se tornou um modelo comum de "editor de avatares".

Se estamos dentro de uma simulação ancestral, é quase certo que os criadores fizeram nossa aparência semelhante à deles de alguma forma – ao menos humanoide. Toda a ideia de uma simulação ancestral é simular os ancestrais de alguém, o que quer dizer que eles teriam um DNA similar ao dos criadores – os seres que criaram a simulação. É possível que nos tenham criado com toda a fidelidade ao que sabiam de si mesmos, codificando um DNA similar, por exemplo. Ou é possível que tenham criado um subgrupo do que eles conhecem. É possível que o que chamamos de humanos sejam avatares simplificados dos "proto-humanos" que existem na realidade-base acima de nossa simulação.

Viajantes do tempo, vindos do futuro

Em outro cenário que soa como ficção científica, é possível que nossos descendentes (de muitos milhões de anos no futuro) estejam assistindo a nossa história por meio da simulação.

De fato, isso está próximo do que Philip K. Dick acreditava: que nossa história está sendo assistida e ajustada com base em para onde a linha do tempo se dirige. Em *O Homem do Castelo Alto,* por exemplo, ele descreve um mundo ou linha do tempo em que as potências do Eixo veneram a Segunda Guerra Mundial, e os nazistas e o império do Japão dividiram os Estados Unidos entre si para governá-lo. Dick, em suas próprias palavras, e nas de sua esposa, Tessa, acreditava mesmo que essa era uma linha do tempo real e que ele tinha lembranças dela. Alguém, provavelmente seres do futuro, não acreditou que essa linha do tempo levasse aos melhores resultados e, por isso, mudou-a, de modo que os Aliados pudessem vencer a guerra.

Nesse espírito, ele acreditava receber comunicação de seres no futuro que fizeram algo similar com o assassinato de JFK – eles voltaram e ajustaram as coisas várias vezes para que ele não fosse assassinado em Dallas, em 1963, mas, em cada uma das linhas do tempo alternativas, ou ele era assassinado em outro lugar, ou a linha do tempo levava a resultados indesejados – a saber, uma guerra nuclear. Portanto, eles levaram nossa simulação de volta ao assassinato de JFK em Dallas.

Formas de vida terráqueas e não humanas

No popular livro de ficção científica *O Guia do Mochileiro das Galáxias,* de Douglas Adams, a Terra era, na verdade, um experimento conduzido por camundongos hiperinteligentes. Os camundongos na Terra estão aqui para monitorar a nós, humanos, enquanto o experimento se desenrola. Embora esse seja um cenário improvável, é possível que alguma forma de vida existente aqui na Terra tenha sido construída com base nos criadores de nossa simulação, e prefira estar na simulação usando um avatar de sua forma original! Claro, como não sabemos de nenhuma outra espécie tecnologicamente inteligente na Terra, se ela fosse, digamos, muito próxima do chimpanzé ou do golfinho, então as versões dessas espécies que vemos em nosso mundo provavelmente são versões simplificadas dos protochimpanzés ou protogolfinhos que criaram ou estão monitorando nossas simulações. Isso daria aos criadores uma forma de monitorar internamente o que está acontecendo aqui.

No filme *Jornada nas Estrelas IV: A Volta para Casa*, ao voltar para casa, a tripulação da *Enterprise* encontra uma nave alienígena superavançada visitando a Terra e aguardando sinais da única espécie inteligente que eles conhecem na Terra: as baleias jubarte (que, nos avisam, foram extintas). Isso leva o capitão Kirk, sr. Spock e sua equipe a voltar no tempo para buscar um par de baleias jubarte, que então conseguem se comunicar com a sonda alienígena no futuro, salvando, assim, a Terra.

Alienígenas

Isso nos traz a uma possibilidade provável, e algo que foi proposto por todos, desde Elon Musk até Stephen Hawking: que os criadores são alguma forma de espécie alienígena. Claro, se eles não são humanos, mas são inteligentes, isso basicamente descreve como pensamos em espécies alienígenas. Extraterrestre é um termo que descreve seres de outro planeta que não a Terra – mas poderíamos aplicá-lo facilmente a seres que vieram de outra dimensão da realidade.

Hoje a imagem mais popular de alienígenas extraterrestres são os "cinzentos" – a imagem que tem sido apresentada na ficção científica e no folclore de OVNIs há décadas, desde *Arquivo X* até *Encontros*

Imediatos de Terceiro Grau. É possível que uma espécie alienígena não seja humanoide, nem sequer próxima de como nós nos vemos.

Se os criadores da simulação são uma espécie de vida alienígena, por que eles nos criariam como humanos? Não é possível responder essa questão com alguma certeza, mas podemos especular. Assim como criamos raças fantásticas em *World of Warcraft,* baseadas em nossa literatura e nossa imaginação, os humanos teriam que ter desempenhado algum papel na sociedade deles, real ou imaginário. Ou, olhando para os relatos de muitos abduzidos por OVNIs que afirmam ter sido levados a bordo de uma espaçonave alienígena, um aspecto comum entre as histórias deles é que os alienígenas parecem estar coletando nosso material genético de alguma forma. Seria possível que todo o sentido da nossa simulação fosse evoluir nosso DNA a um ponto em que seja compatível ou útil para os alienígenas de algum jeito?

Máquinas superinteligentes

Uma teoria muito popular é a de que máquinas poderiam ser os "chefes supremos" rodando nossa simulação. Essa, de fato, é a premissa do filme *Matrix.*

A inteligência artificial é um fio que percorre toda a hipótese da simulação. Os NPCs são basicamente Ias que existem dentro dos videogames que criamos. Estamos, só agora, levando a IA ao ponto em que podemos criar agentes inteligentes que possam nos ajudar com várias tarefas em nosso mundo – seja discando números, seja encontrando informações específicas na internet para nós. Segundo alguns especialistas, podemos de fato ser a IA dentro de uma simulação, o que não é o mesmo que a simulação ser criada por máquinas inteligentes.

Um tópico popular na ficção científica e na especulação científica tem sido o de que, se as máquinas que criamos se tornarem inteligentes o bastante, elas decidirão que, para sua sobrevivência, não precisam mais de nós. Ou que, se precisam, devem manter os humanos ocupados com alguma coisa, que também é o que ocorre em *Matrix*. Esse cenário da IA assassina é algo que preocupa muitos cientistas conforme nossa tecnologia vai se tornando mais inteligente. No momento atual, ainda não estamos no ponto em que uma máquina consiga passar pelo Teste de Turing, nem no ponto em que as máquinas possam criar simulações sofisticadas. Não obstante, considerando-se o ritmo dos avanços em machine learning e IA, isso pode não estar muito distante.

Deuses e Paraíso

Finalmente, chegamos à explanação mística de que a Grande Simulação, na verdade, foi criada como um teste, um parquinho para seres conscientes. Tanto as tradições místicas orientais quanto as ocidentais compartilham da ideia de que o mundo ao nosso redor, de certa forma, não é o mundo real, e sim um terreno de treinamento ou teste. Nas tradições orientais, existe tipicamente uma alma que passa por múltiplas vidas (jogando múltiplos personagens). Nas tradições ocidentais, existe um Deus e anjos (inclusive nossos anjos da guarda) e um Paraíso e um Inferno eternos. Nos dois casos, existe um conceito em comum de que nossas ações neste mundo determinam o que acontece conosco quando partimos.

É importante notar que essas possibilidades diferentes não são necessariamente exclusivas. Por exemplo: a ideia de que existam deuses ou anjos talvez não esteja separada da ideia de que fora da simulação exista uma IA superinteligente ou alienígenas que apareçam para nós como deuses ou anjos.

Em *Jornada nas Estrelas: A Próxima Geração*, por exemplo, a tripulação encontra uma espécie alienígena que é tão próxima da onipotência quanto poderíamos imaginar – conhecida como continuum Q. Os Q podiam controlar o tempo e o espaço, levando a *Enterprise* de uma parte do universo físico para outra, ou criando novos seres, ou ainda manipulando corpos celestiais com facilidade. Eles podiam fazer sua aparência ficar igual à de "um de nós", para poder se comunicar conosco. O que para nós pareceria divino poderia, de fato, ser apenas alienígenas ou seres fora da simulação que são superusuários e têm o poder de manipular a simulação.

Independentemente de quem ou o que esteja fora da simulação, temos agora um bom entendimento da aparência da simulação. Embora não possamos saber o propósito da Grande Simulação até e a menos que um de nós saia dela, podemos compreender seus elementos básicos, que revelamos neste livro, e como ela se relaciona com várias teorias sobre a "natureza" do mundo físico.

QUAIS SÃO OS PRINCIPAIS ELEMENTOS DA GRANDE SIMULAÇÃO?

Boa parte deste livro analisou as várias razões pelas quais a ciência da computação, a física quântica (e relativista), assim como os místicos orientais (e alguns ocidentais), todos parecem descrever um mundo que é explicado melhor pela hipótese da simulação.

Usando informações e tendências de como os videogames se desenvolveram até aqui, podemos projetar o futuro de nossas próprias tendências tecnológicas para verificar como uma simulação assim – um videogame gigante com bilhões (talvez trilhões) de jogadores – poderia ser construída para ser indistinguível da realidade física.

Quais são os elementos cruciais que compõem nossa Grande Simulação? Vamos revisá-los.

A Hipótese da Simulação

Mundo pixelado em alta resolução

Os videogames e a computação gráfica evoluíram de simulações grosseiras renderizadas com pixels em 8 bits em jogos arcade para uma computação gráfica muito mais sofisticada, apresentando milhões de cores e resolução acima de 4K. De fato, a resolução de objetos e personagens gerados por computador ficou tão boa que tanto os videogames quanto os efeitos especiais em filmes dependem das mesmas técnicas de modelagem por computador e renderização de texturas.

Examinando o quanto os jogos atuais são realistas em comparação a apenas algumas décadas atrás, como nossa habilidade de renderizar mundos e personagens realistas evoluirá ao longo não apenas dos próximos anos, mas também das próximas décadas? Isso aponta para computadores desenvolvendo a habilidade de gerar personagens hiper-realistas. Com o advento da realidade virtual, ou VR, vemos como um único mundo renderizado de modo a trabalhar com nossos olhos e mentes pode dar a ilusão de profundidade e realismo, e com a realidade aumentada, ou realidade mista, a fronteira entre o que é físico e o que é gerado por computador começa a desaparecer.

A conclusão lógica é que nós, como civilização, seremos capazes de renderizar mundos indistinguíveis da realidade física daqui a poucas décadas. A probabilidade de que exista uma civilização avançada que está muito à nossa frente, que evoluiu nos bilhões de anos de existência da galáxia até hoje, é muito alta.

Um jogo online massivamente multiplayer

Nossos videogames também evoluíram de jogos single player rodando (e sendo renderizados) numa única tela de computador para experiências compartilhadas que permitiam inicialmente que alguns poucos, depois dúzias, e hoje em dia milhões, de jogadores se conectem. Embora nossa tecnologia para servidores não tenha ainda escalonado para bilhões de jogadores simultaneamente, não há motivos para que não o faça no futuro próximo, pois já temos sites como Facebook com mais de um bilhão de usuários.

Em um jogo multiplayer, há o estado do jogo, e há os personagens individuais controlados por jogadores diferentes. Não há uma renderização única do jogo; o que existe é apenas informação que fica "na nuvem". Cada computador renderiza os gráficos localmente conforme for necessário, transmitindo informação para cada um dos outros participantes do jogo. Isso fornece uma analogia poderosa para como cada um de nós interage com este mundo compartilhado aparentemente físico. Da mesma forma que num jogo de RPG online massivamente multiplayer, a hipótese da simulação sugere que cada um de nós está controlando nossos personagens, e o jogo é compartilhado e renderizado com base nas percepções em nossas mentes.

Um mundo gerado aparentemente por algoritmos infinitos

Os videogames evoluíram de imagens em bitmap, nas quais cada pixel do mundo está armazenado na definição do jogo, para mundos gerados por algoritmo nos quais vemos apenas parte do mundo de cada vez. O resto do mundo está lá, mas só o vemos se pudermos "viajar" para lá no jogo, e ele *só é renderizado quando necessário*. Nos videogames com universos extensos, o "resto do mundo" para além de certo ponto também é gerado por algoritmos. Isso possibilita ter um número arbitrariamente grande de planetas ou mundos para visitar: cada um deles é gerado enquanto é observado. O único limite é a capacidade de armazenamento, e mesmo isso pode ser otimizado.

A Hipótese da Simulação

Em nosso mundo, existem, segundo nossa melhor estimativa, 170 bilhões de galáxias, com trilhões de estrelas e incontáveis planetas. Cada um deles é um mundo que podemos algum dia visitar se formos capazes de atravessar a distância do espaço interestelar. Ao contrário dos videogames, podemos nunca conseguir visitar muitos desses planetas, o que levanta as perguntas de como eles são criados e se eles de fato existem ou são apenas alguma simulação – sinais enviados para nós enquanto observamos pontos cada vez mais distantes do mundo. Isso também faz surgir a ideia de que, seja lá qual for o processo físico que julguemos ser o que constrói o mundo ao nosso redor, ele pode ter características semelhantes às da computação. A geometria fractal, baseada em algoritmos fractais recorrentes simples, tem sido extraordinariamente eficiente para simular aspectos do mundo natural, inclusive estruturas semelhantes a árvores, folhas e paisagem de planetas.

Personagens jogáveis, personagens não jogáveis e IA

Em videogames, há os PCs (personagens jogáveis) e NPCs (personagens não jogáveis), que são personagens artificiais controlados pelo jogo e por algoritmos. Conforme a IA fica mais sofisticada, vamos nos aproximando de programas de computador que sejam capazes de passar no Teste de Turing, um teste para determinar quando humanos não conseguem distinguir se estão interagindo com uma pessoa real ou um programa de computador. Enquanto não chegamos lá, o ritmo com que a IA se desenvolve faz parecer que provavelmente estamos a apenas algumas décadas, definitivamente menos do que séculos, de alcançar esse objetivo. Se nossa tecnologia de computação nos permitirá criar inteligência artificial simulada (IAS), que possa ser colocada em corpos androides, as questões da inteligência e da consciência começam a ficar borradas com conceitos de ciência da computação e do que é "vivo". Como vimos em *Jornada nas Estrelas* e em outras ficções científicas, uma vez que esse importante ponto é alcançado, quem vai dizer que não somos, nós mesmos, algum tipo de IA?

No argumento original da simulação de Nick Bostrom, ele defende que não apenas somos parte de uma simulação, mas também provavelmente somos uma consciência simulada, e não seres reais. Embora isso contrarie os modelos propostos pelos místicos de uma consciência ou alma que entra e sai de nosso mundo renderizado, ambas as suposições continuam sendo possibilidades e não podem ser descartadas.

Consciência transferível

Enquanto hoje pensamos na consciência como algo inseparável de nosso cérebro, os cientistas acreditam que, se puderem capturar os trilhões de interações neurais no cérebro de alguém, poderão simular, após a morte, a consciência dessa pessoa e seus modos de pensar. Embora essa meta da consciência transferível continue fora do nosso alcance no momento, alguns acreditam que esteja apenas a algumas décadas de acontecer. Místicos argumentam que a transferência foi como entramos neste corpo, para começo de conversa: no nascimento, nossa consciência, que vem de uma alma, é "baixada" para nosso corpo. Efetuar o download de consciência levanta questões interessantes sobre se somos seres reais ou apenas informação, e isso foi sugerido na maioria das tradições religiosas e místicas.

Uma realidade pixelada e quantizada

A física quântica emerge da ideia de que, em vez de viver num mundo físico sólido de objetos macro, vivemos na verdade num mundo feito de objetos menores. Parece haver um limite prático do quão pequenos

A Hipótese da Simulação

os elementos básicos da matéria podem ser – um limite além do qual é impossível medir. A ideia é que a realidade física não é contínua, mas sim quantizada. Os *quanta* eram originalmente níveis de energia, e, de fato, no nível atômico, a maioria daquilo que pensamos como objetos físicos é, na verdade, composta de espaço vazio. A natureza quantizada do espaço e a natureza fixa da velocidade da luz reforçam a ideia de "tempo quantizado" como parte da nossa realidade física também.

Isso significa que, em vez de ser analógica, nossa realidade física é mais bem expressada como uma realidade digital de pedaços distintos de informação – exatamente como os pixels num jogo de computador ou os bits armazenados em informações digitais. Os bits são mais próximos de qubits, ou bits quânticos, do que os digitais simples com valor de 0 ou 1 nesse modelo. Mesmo assim, o fato de que vivemos numa realidade quantizada faz lembrar um mundo renderizado com pixels. O fato de ele parecer tridimensional, que teria sido no passado um argumento contra a simulação, só significa que nossos pixels não estão numa tela bidimensional. As impressoras tridimensionais nos mostraram que até objetos em 3D podem ser renderizados usando modelos em 3D e pixels que são construídos usando algum "objeto" ou "pixel" mínimo.

Um mecanismo de renderização baseado em indeterminação quântica

A maioria dos videogames (e outros programas de computador) requer otimização dos recursos de computação. Eles renderizam apenas o que precisa ser renderizado a partir do ponto de vista observacional do jogador. Isso tem relação direta com a ideia moderna do indeterminismo quântico, que sugere que o mundo físico pode existir apenas quando alguém o observa. O indeterminismo quântico, então, torna-se uma técnica de otimização. Da mesma forma que nos videogames, em que não existe um único mundo renderizado (ele é renderizado no hardware de cada um), é possível que na Grande Simulação nosso hardware seja nossa consciência e que, embora exista uma realidade compartilhada, estejamos vendo apenas as partes dela que são necessárias. Isso explicaria a ideia moderna do indeterminismo quântico, que sugere que o mundo físico pode existir apenas quando alguém o observa.

Um sistema de física baseado na física clássica e na física quântica

Todo videogame moderno que tem um mundo virtual tem um sistema de física, que determina as regras da física dentro do mundo virtual. Isso pode definir ou não as regras fora do mundo virtual.

Em nosso sistema de física, descobriu-se que a velocidade da luz é uma constante no espaço-tempo físico. Se o espaço-tempo é pixelado, então podemos usar a velocidade constante para obter um tempo quantizado, uma velocidade-clock da simulação. Nos videogames também há restrições para quanto tempo se leva indo do ponto A ao ponto B, a menos que seja possível se teletransportar de uma parte do mundo para outra. Pontes Einstein-Rosen, ou buracos de minhoca, mostram um jeito de realizar isso no espaço-tempo de nossa A hipótese da simulação. Além disso, o entrelaçamento quântico e a não localidade mostram que pode haver outras formas de transferir informação entre duas partes diferentes do sistema mais rápido do que a velocidade da luz – ou melhor, instantaneamente.

Se for assim, então deve haver formas de transmitir informações que não passem pelas restrições normais do espaço-tempo. Tudo isso sugere que existe algo fora do espaço-tempo normal, o que significa que o espaço-tempo é um construto, não diferente de uma simulação. O entrelaçamento quântico parece provar que a informação pode no mínimo ser compartilhada instantaneamente, e isso é mais explicável via hipótese da simulação do que por nosso entendimento atual da física.

Todos esses elementos juntam ideias de videogames modernos de um modo que pode ser aplicado a jogos compartilhados online para mais de um bilhão de jogadores simultâneos. Não apenas eles podem ser aplicados, como também, pelo que vimos ao longo deste livro, a natureza do mundo físico ao nosso redor, conforme descoberto pela física e modelado pela ciência da computação, aponta para a hipótese da simulação como um cenário muito provável.

SERES CONSCIENTES OU SIMULAÇÕES INCONSCIENTES – PCS X NPCS

Um dos debates dentro da comunidade de especuladores da hipótese da simulação é se somos todos apenas seres simulados dentro de uma simulação. O argumento original da simulação de Bostrom sugeria isso.

Entretanto, a razão pela qual escolhi usar a metáfora do videogame como descrição dominante da hipótese da simulação é porque não acredito nisso. Num videogame, existe um jogador fora do jogo que controla ou habita no personagem dentro do jogo. Escolhi essa metáfora deliberadamente, porque acredito que os místicos orientais podem estar mais próximos da natureza da Grande Simulação do que muitos dos cientistas, embora a hipótese da simulação encurte a distância entre eles muito bem. Isso não significa que a Grande Simulação não seja baseada em tecnologia. De fato, um dos estágios críticos no caminho para o ponto de simulação é o Estágio 10, ou consciência transferível.

Você se lembrará dos argumentos que exploramos na Parte III de como a hipótese da simulação não apenas faz um paralelo, como também oferece uma base científica para os místicos que afirmam ter "espreitado fora da simulação" – místicos como Buda e aqueles que escreveram os

Vedas (sem mencionar os fundadores das religiões ocidentais, incluindo Moisés, Jesus, Maomé e outros da linha dos profetas abraâmicos).

Natureza onírica da realidade

Místicos de todas as tradições nos disseram que aquilo que percebemos como realidade é, de fato, mais semelhante a um sonho. Isso é particularmente forte nas tradições hindus e budistas. Nos *Vedas* hindus, existe a ideia de *lila*, a grande peça em que ficamos presos, que é a *maya* ou ilusão que formou a base para o budismo. Em certas formas de budismo tântrico, há escolas de treinamento relacionadas ao Ioga dos Sonhos – que ensina a reconhecer que você está dentro de um sonho. Em um sonho, estamos inconscientes de que existe outra parte de nós adormecida na cama, e os elementos dentro do sonho parecem reais enquanto estamos nele. De fato, vimos como os sonhos basicamente já exibem toda a tecnologia que expusemos no caminho para o ponto de simulação.

Almas, reencarnação, karma e missões

Partindo da ideia moderna de consciência transferível, as tradições religiosas ocidentais nos ensinam que somos uma alma ou uma consciência que é "baixada" em um corpo físico pelo tempo que durar o estado onírico, que chamamos de vida. Isso acontece múltiplas vezes, e terminamos com múltiplas vidas, não muito diferente do que acontece nos videogames.

Nessas tradições, existe uma parte de nós que está fora da simulação, e há um registro de tudo o que nos acontece enquanto interpretamos nossos personagens, da mesma forma que mantemos um registro de xp (pontos de experiência) e níveis e missões dentro dos videogames.

A Hipótese da Simulação

Isso se baseia no conceito de karma, a lei de causa e efeito. Karma é, de fato, como um gerador infinito de missões nos videogames, rastreando nossas realizações e nossas metas e criando situações com outros jogadores que precisamos resolver para poder solucionar karma anterior. No budismo, a roda infinita do karma é o que nos impulsiona a continuar retornando – como um manifesto permanente de missões. Criamos novas missões para nós mesmos por meio de nossas ações.

Onde essas missões são armazenadas? Assim como num videogame multiplayer, elas são armazenadas fora do mundo renderizado, e, seja lá qual lógica esteja em uso para acompanhá-las, ela nos mantém seguindo adiante. Que tipo de ser ou entidade poderia acompanhar bilhões de itens individuais de karma e experiência? Algum tipo de computador ou IA é a opção mais provável, e, de súbito, não precisamos dos metafóricos "Lordes do Karma".

Uma IA divina, anjos e o pós-vida

Nas tradições religiosas ocidentais, tipicamente oramos a Deus, e Deus envia anjos que registram suas ações (os anjos registradores que estão escrevendo o "pergaminho de feitos" definido no islã ou o livro da vida descrito na Bíblia). Isso pode apontar para a existência de algum tipo de entidade divina fora da Grande Simulação que poderia acompanhar bilhões de pessoas ou jogadores e suas ações.

As descrições de anjos e do julgamento da alma imortal baseado nos atos do mundo físico nas religiões ocidentais também são consistentes com a hipótese da simulação. Igualzinho a um videogame, nossas ações são registradas (por meio de gravação ou dos anjos da guarda) e então usadas para pontuar nossas ações.

Logo, as tradições místicas e religiosas, ao tentar explicar a natureza da realidade, estão se referindo ao mundo físico à nossa volta como um lugar ao qual "somos baixados", e onde nossas ações são registradas, e voltamos a algum lugar fora do mundo físico. Na terminologia da ciência moderna da computação, a Grande Simulação explica isso perfeitamente, e, se tivéssemos computadores e videogames nos tempos antigos, é muito possível que nossas tradições religiosas usassem terminologia similar à utilizada neste livro.

A VISÃO GERAL: A COMPUTAÇÃO ESTÁ NA BASE DAS OUTRAS CIÊNCIAS

Como designer de videogames, sempre me espantei com a rapidez com que os videogames evoluíram dos jogos simples em 8 bits e estilo arcade que eu jogava quando era mais novo para jogos multiplayer complexos online com possibilidades aparentemente infinitas.

Quando ouvi falar da hipótese da simulação pela primeira vez, eu, assim como tantos outros, estava cético. Conforme me aprofundei nela usando meu próprio treinamento em ciências da computação, vi que era coerente com a direção que nossa tecnologia estava tomando e que unia muitos fios diferentes na busca pelo conhecimento ou pela verdade suprema, que não é restrita apenas à ciência, mas inclui a filosofia e a religião.

E mais, parece que, a cada ano que passa, a ciência da informação está se expandindo para além do nosso entendimento simples da computação. A área de software está não apenas se fundindo, mas também, parafraseando Marc Andreessen, fundador da Netscape, *devorando* outras áreas da ciência e do empenho humano.

Vemos isso em todo lugar no mundo de hoje. A tecnologia das comunicações, por exemplo, que começou transmitindo sinais físicos ao longo de cabos – em aparelhos como o telégrafo e o telefone –, hoje é um campo digital consistindo de bits de informação que são agrupados e transmitidos em camadas de algoritmos. O mundo do entretenimento, que começou com frames físicos de filme, agora é apenas informação que pode ser transmitida em pacotes ou pelo ar, afastando-se da transmissão tradicional de TV para um mundo totalmente digital.

A informação do mundo está sendo digitalizada, e, conforme passamos para a impressão 3D, torna-se aparente que os objetos físicos possam ser construídos com facilidade usando modelos computadorizados e máquinas que transformam a informação em pixels físicos no mundo em 3D ao nosso redor. Isso pode ter começado com o CAD (design auxiliado pelo computador), mas está ficando evidente que os objetos e processos físicos são muito mais bem representados como informação, e máquinas digitais mais inteligentes podem transformar essa informação em objetos físicos com mais eficiência do que as máquinas tradicionais da revolução industrial.

Até o mundo biológico, que era visto como um campo muito separado da ciência da computação, está lentamente começando a se cruzar com a ciência da informação. O mundo biológico, no final das contas, também é baseado em informação, embora, é claro, de outro tipo – um tipo que cria células com base em instruções no DNA por meio de vários processos biológicos. Dentro da ciência da computação e da IA, processos biológicos mostraram que podem ser utilizados para obter resultados muito mais inteligentes e únicos – a maioria do machine learning de hoje se baseia no condicionamento de redes neurais, que são baseadas em algoritmos biológicos. Embora ainda haja um bom caminho a percorrer, os emergentes campos da bioinformática e da modelagem de processos biológicos fizeram da *informação e da computação* uma parte integral do mundo orgânico!

E o mais importante: o mundo físico, que era visto na física clássica como um conjunto de objetos físicos se movendo em caminhos contínuos pelos céus, foi atualizado. Conforme a física quântica revela que não existe nada disso de objetos físicos, que a maioria dos objetos consiste de espaço vazio e elétrons, começamos a entrar em questões metafísicas sobre o que é real no mundo. Espaço quantizado e tempo quantizado começam a parecer mais com pixels digitais e velocidade-clock digital, que inventamos para os computadores modernos – numa escala muito mais finita. A informação ou "estado" de uma partícula que está sendo usada em computação quântica pode ser a única forma real de definir uma partícula, e, mais uma vez, *informação e computação* estão assumindo papéis mais importantes na física.

Até o lendário físico John Wheeler, que participou de muitos dos conceitos que discutimos da física quântica, acabou chegando à conclusão de que a maioria da física é baseada em informação, que ele chamou de "o it do bit". Em sua autobiografia, Wheeler resumiu três fases de sua longa carreira na física: "Tudo são partículas" evoluiu para "Tudo são campos", que acabou evoluindo para "Tudo é informação".[81] O "it" é o mundo físico. O "bit" é a informação (repare que, quando ele escreveu isso, os computadores quânticos ainda não eram práticos, mas ele fez referência à ideia da informação no giro de partículas, que mais tarde se tornou a base para os qubits nos computadores quânticos).

Parece que o futuro de quase todas as áreas da ciência, que começaram como um caminho para explorar os mistérios do mundo físico, evolui para tratar exclusivamente de computação e informação. No MIT, uma das melhores instituições de ciência e tecnologia do mundo, que tinha apenas cinco faculdades até recentemente, uma nova faculdade acaba de ser criada em reconhecimento à ideia de que a computação está afetando todas as áreas do engenho humano. Com uma doação de um bilhão de dólares, o Schwarzman College of Computing, novinho em folha, foi criado e dedicado especialmente à ideia de que a ciência

---

81. Rachel Thomas, "It from bit?" (dezembro de 2015), https://plus.maths.org/content/it-bit.

A Hipótese da Simulação

da computação de modo geral, e a IA em particular, já não são mais a província de um grupo de cientistas, mas vão impactar todas as outras ciências e indústrias.

No passado, a hipótese da simulação era considerada pela maioria dos cientistas como ficção científica – um material mais adequado a um livro de Philip K. Dick do que ao estudo sério. Esse já não é mais o caso. Uma das razões pelas quais a hipótese da simulação é levada mais a sério agora é a evolução dos videogames e, mais importante, da ciência da informação e da computação. Estamos vendo cada vez mais que, de fato, em vez de serem campos distintos, as outras ciências podem estar unidas por uma camada de informação e computação. Isso significa que, assim como a matemática, a ciência da computação pode ser um elemento básico fundamental do universo ao nosso redor. Essa tendência apenas se acelera, e veremos mais cientistas levando a hipótese da simulação cada vez mais a sério nos anos e décadas vindouros.

PENSAMENTOS FINAIS: FAZENDO UMA PONTE SOBRE O GRANDE DIVISOR

Um dos grandes debates dos últimos quinhentos anos tem sido a dicotomia da natureza física da realidade, defendida pela ciência, e a natureza espiritual (um eufemismo para não física) da realidade, defendida pela religião e pelo misticismo. Embora a perspectiva religiosa tenha dominado por boa parte da nossa história, nos séculos 19 e 20 a ciência se tornou a forma dominante de descrever o mundo ao nosso redor, e a religião foi relegada a um ramo secundário da realidade preocupado com a moralidade e a espiritualidade, para sempre afastado do estudo sério do mundo físico.

Einstein disse certa vez: "A ciência sem a religião é manca, a religião sem a ciência é cega". Pode-se dizer que ele rejeitava a ideia de que houvesse um conflito. Conforme o século 20 avançava, porém, muitos cientistas rejeitaram a ideia de que a religião seja científica em qualquer sentido, ou de que os místicos podem estar, literalmente, dizendo a verdade! O estudo da consciência é, assim, reduzido às substâncias químicas, e o estudo da religião e das experiências espirituais é uma ciência social. Como resultado, a maioria dos acadêmicos desistiu de tentar criar modelos científicos que possam ser consistentes com a perspectiva mística: de que a realidade física ao nosso redor não é tudo o que existe, e que a consciência é importante. O gigante da física Max Planck escreveu certa vez: "Considero a consciência como algo fundamental".

O desenvolvimento e a evolução da ciência da computação e da informação, de fato, nos forneceram outro modelo e uma forma de cobrir a distância entre toda a ciência, a consciência e muitos conceitos religiosos. Como nos diz Werner Heisenberg, outro pioneiro da física quântica, vencedor de um prêmio Nobel, na citação presente no começo da Parte IV deste livro: quando duas linhas de pensamento diferentes, retiradas de culturas e contextos diferentes, se encontram, então "pode-se esperar que desdobramentos novos e interessantes se seguirão".

A hipótese da simulação é um desses desdobramentos novos e interessantes. Ela pode até ser a resposta que fornece uma estrutura única, um modelo coerente que reúne a ciência e a religião.

Einstein disse uma vez que "Deus é um mistério. Mas um mistério compreensível". Podemos agora estar numa posição de entender, explicar e, em breve, com o desenvolvimento da tecnologia de simulação, reconstruir muitos elementos desse mistério nós mesmos.

Agradecimentos

Eu gostaria de agradecer a muitas pessoas que contribuíram com o processo deste livro, direta ou indiretamente.

Em alguns sentidos, as perguntas sobre videogames e a hipótese da simulação eram perguntas com as quais eu vinha lutando minha vida toda, então não é fácil traçar um limite de quais experiências "influenciaram" meu pensamento e quais não.

Em primeiro lugar, eu gostaria de agradecer aos vários editores que ajudaram neste projeto: Genoveva Llosa, Sharon Kaplan, Deborah Lapp e Ada Alice McKim, por ajudarem na edição e revisão, e Dianna Haught, por indexar.

Gostaria de agradecer a todos os meus professores no MIT, que me deram a confiança de buscar "modelos" melhores do universo, e ao corpo docente e equipe do MIT Game Lab, que me mostrou, por um lado, que estudar videogames era um assunto sério, mas, por outro, que isso pode ser alcançado com um espírito de "diversão".

Nesse espírito, gostaria de agradecer aos meus colaboradores na administração dos Play Labs @ MIT, assim como aos cofundadores das minhas produtoras de videogame, Mitch Liu e Irfan Virk, sem mencionar os inúmeros empreendedores na indústria dos games com quem trabalhei e em quem investi ao longo dos anos.

Gostaria de estender um obrigado especial a Dannion Brinkley e Bill Gladstone, por seu incentivo, e a Tessa B. Dick, por sua disposição em conversar comigo sobre seu falecido marido, Philip K. Dick, e as crenças dele na hipótese da simulação.

Finalmente, gostaria de agradecer a Ellen McDonough, por sua infinita paciência comigo enquanto eu falava sem parar sobre a hipótese da simulação, e por seu apoio sem fim ao longo de altos e baixos!

Sobre o autor

Rizwan ("Riz") é um empreendedor, investidor, pioneiro dos videogames e produtor de filmes independentes, tudo com muito sucesso. Riz é fundador da Play Labs @ MIT (www.playlabs.tv), uma aceleradora de startups hospedada no campus do Laboratório de Games do MIT, além de administrar o Bayview Labs.

Riz recebeu bacharelado em Ciências da Computação pelo Instituto de Tecnologia de Massachusetts e mestrado em Administração da Faculdade de Administração de Stanford.

Riz foi mordido pelo bichinho da startup aos 23 anos. Desde então, ele foi cofundador, investidor e conselheiro em muitas startups no Vale do Silício e além, entre elas Gameview Studios (vendida para a DeNA), CambridgeDocs (vendida para EMC), Tapjoy, Funzio (vendida para GREE), Pocket Gems, Moon Express, Disruptor Beam, Discord, Telltale Games, SLIVES.tv/Theta Labs, Tarform e Bitmovio.

Riz produziu muitos videogames, entre eles *Tap Fish*, baixado mais de 30 milhões de vezes, e jogos baseados em séries de TV, como *Penny Dreadful Demimonde* e *Grimm: Cards of Fate*.

Riz produziu muitos filmes indie, incluindo o fenômeno online *Thrive: What on Earth will it take?*; o documentário financiado

A Hipótese da Simulação

coletivamente *Sirius*; o clássico cult *Knights of Badassdom*, estrelado por Peter Dinklage e Summer Glau; *Radio Free Albemuth*, baseado no livro de Philip K. Dick; e *The Telling*, baseado no livro de Ursula K. Le Guin.

Riz é autor de *Zen Entrepreneurship* e *Treasure Hunt*. Os artigos e startups de Riz foram publicados em: *Tech Crunch, VentureBeat, Gamasutra, The Boston Globe, Inc. Magazine, Wall Street Journal online, Hackernoon* e *Startup Grind*. Riz participou como convidado de vários programas, entre eles *Coast-to-Coast AM, Fade to Black with Jimmy Church, Whitley Strieber's Dreamland, Dr. Future* — e foi até debochado no *Daily Show with Jon Stewart*.

Ele mora em Mountain View, na Califórnia, e em Cambridge, Massachusetts. Seus sites pessoal e profissional são www.zenentrepreneur.com e www.bayviewlabs.com.

Livros para mudar o mundo. O seu mundo.

Para conhecer os nossos próximos lançamentos
e títulos disponíveis, acesse:

🌐 www.**citadel**.com.br

f /**citadeleditora**

📷 @**citadeleditora**

🐦 @**citadeleditora**

▶ Citadel – Grupo Editorial

Para mais informações ou dúvidas sobre a obra,
entre em contato conosco por e-mail:

✉ contato@**citadel**.com.br